Jürgen Wingchen

Geragogik
Von der Interventionsgerontologie zur Seniorenbildung

Lehr- und Arbeitsbuch für Altenpflegeberufe

5., überarbeitete Auflage

BRIGITTE KUNZ VERLAG

Bibliografische Information Der Deutschen Bibliothek
Die Deutsche Bibliothek verzeichnet diese Publikation in der
Deutschen Nationalbibliografie; detaillierte bibliografische Daten
sind im Internet über http://dnb.ddb.de abrufbar.
ISBN 3-89993-408-3

Anschrift des Autors
Jürgen Wingchen
Deutz-Kalker-Straße 8
50679 Köln

Jürgen Wingchen ist Diplom-Pädagoge.

Mehr wissen – besser pflegen!

Besuchen Sie unser Pflegeportal im Internet.

1. Auflage 1995
2., durchgesehene Auflage 1996
3. Auflage 1998
4., erweiterte und aktualisierte Auflage 2001
5., überarbeitete Auflage 2004

Brigitte Kunz Verlag

© 2004, Schlütersche Verlagsgesellschaft mbH & Co. KG,
Hans-Böckler-Allee 7, 30173 Hannover

Satz: Brigitte Kunz Verlag, Hagen
Druck und Bindung: Druck Thiebes GmbH, Hagen

Inhaltsverzeichnis

Exkurs 2:
Die Generationenfolge des Pflegeheimbaus in der Bundesrepublik Deutschland 64

Exkurs 3:
Psychoanalytische Aspekte in der Milieu-Therapie 68

Exkurs 4:
Lernpsychologische Aspekte in der Milieu-Therapie 84

Exkurs 6:
Autogenes Training mit alten Menschen 213

Exkurs 7: Tiere und alte Menschen - Ein Weg zu
ganzheitlicher Motivation 231
E 7.1   Die Bedeutung von Mensch-Tier-Kontakten
           in der Seniorenarbeit 231
E 7.2   Tierhaltung in der stationären Altenpflege 234

Vorwort zur 5. Auflage

1994, vor nunmehr zehn Jahren, entstand das vorliegende Lehr- und Arbitsbuch, das dann 1995 in der ersten Auflage erschien. Ursprünglich war es als Lehr- und Arbeitsbuch für ein Unterrichtsfach gedacht, welches, gleichrangig neben anderen gerontologischen Teilsiszipinen, wie der Geronto-Psychologie und -Soziologie stand: der "Geragogik".

Innerhalb von nur drei Jahren folgten eine zweite und eine dritte Auflage; und immer wieder wurde von KollegInnen und TeilnehmerInnen der Wunsch geäußert, geragogische Fragestellungen mehr mit den anderen Teildisziplinen der Sozialen Gerontologie zu verflechten. So entstand 2001 die überarbeitete und erweiterte vierte Auflage, in der die Verzahnung der Geragogik mit soziologischen und psychologischen Inhalten deutlicher herausgestellt wurde.

Alten-Pflege kann und darf nicht auf die Umsetzung eines nicht zu hinterfragenden Pflege-Handwerks reduziert werden. Sie ist ein soziales Geschehen, in dem Menschen miteinander in Kontakt treten und Beziehungen aufbauen, in die sie sich als Menschen mit ihren Träumen, Wünschen und Vorstellungen, aber auch mit ihren Werten und Idealen einbringen.

Pädagogik und Geragogik als handlungsbezogene Disziplinen sind ziel- und methodenorientiert: Bereits Johann Friedrich Herbart (1776-1841), der große Pädagoge der Aufklärung, gründete sein pädagogisches System auf zwei Bezugsdisziplinen: Aus der Philosophie leitete er die **Ziele** des pädagogischen Handelns, aus der Psychologie die **Wege** zum Erreichen dieser Ziele ab.

Ziel- und handlungsbezogen darf Geragogik nicht als ein weiteres Fach im Spektrum des sozial- und geisteswissenschaftlichen Fächerspektrums missverstanden werden. Pädagogisches und geragogisches Denken stehen vielmehr für ein alle Arbeitsfelder der Altenhilfe durchdringendes Prinzip: Tagtägliches Tun ist planbar und damit auch veränderbar!

Geragogische Angebote sind keine weiteren Stücke eines Kuchens von aktivierenden, pflegenden und unterstützenden Angeboten, der Seniorinnen und Senioren 24 Stunden täglich offeriert wird. Geragogisches Denken in einem ganzheitlichen Betreuungs- und Pflegeverständnis ist als das - die ganze Torte durchziehende - Aroma zu verstehen! Daß dieses Buch nunmehr in der fünften Auflage erscheint, zeigt, daß ein solches Denken in der aktuellen Altenarbeit seinen festen Platz gefunden hat und aus ihr nicht mehr wegzudenken ist.

Damit hat die Geragogik gleichfalls einen festen Platz in der aktuellen bundeseinheitlichen Altenpflege-Ausbildung, die den klassischen Fächerkanon eines tradierten verschulten Ausbildungswesens durchbricht und sich den Prinzipien einer ganzheitlichen lernfeldorientierten Qualifizierung verpflichtet sieht.

Köln, im Frühjahr 2004

1. Einleitung

Die Praxis der Altenarbeit stellt sich als ein umfangreiches Feld dar, in welchem der alte Mensch zur Befriedigung seiner Bedürfnisse und zur (Wieder-) Erlangung und Erhaltung seiner Gesundheit und Lebensqualität auf die Dienstleistungen unterschiedlicher Berufsgruppen, die sich selbst wiederum entsprechend spezialisierten, zurückgreifen kann.

Gesundheit und Lebensqualität

Nachdem noch 1940 die Gerontologie von den medizinischen und biologischen Wissenschaften allein bestimmt wurde (und lediglich einer physiologisch ausgerichteten Psychologie Konzessionen eingeräumt wurden), schlossen sich 1950, bei der Gründung der "International Assoziation of Gerontologie" [Internationale Gesellschaft für Gerontologie] in Lüttich, Wissenschaftler der verschiedensten Fachrichtungen zur Erforschung der Alternsprozesse zusammen. Auch in der sich 1967 neu zusammensetzenden "Deutschen Gesellschaft für Gerontologie" waren nunmehr die Bereiche 'Psychologie' und 'Soziologie' vertreten.

Lässt die Durchsicht von Kongress-Berichten bis 1960 noch einen Schwerpunkt biologisch-physiologischer Fragestellungen erkennen, die als Ursachen für tatsächliche und vermeintliche Leistungs- und Funktionsverluste im Alter herangezogen wurden, so ist später eine zunehmende Zentrierung auf persönlichkeits-, sozialpsychologische, soziologische und auch erziehungswissenschaftliche / pädagogische Themen erkennbar.

Nicht nur biologisch-physiologische Inhalte

Die zunehmende Aufdeckung des Einflusses psychischer und sozialer Faktoren auf den Verlauf des Alternsprozesses selbst ließ die fachübergreifende [interdisziplinäre] Wissenschaft 'Gerontologie' von einer einseitigen Ausrichtung auf die Analyse abrücken und nach praktischen Maßnahmen zur Beeinflussung des Alternsprozesses Ausschau halten.

Interdisziplinäre Wissenschaft

Vielfältig sind die diesen Zielvorstellungen verpflichteten Disziplinen. Neben der Medizin und organisch-physiologisch ausgerichteten Berufsfeldern (funktionale Beschäftigungs-Therapie, Physio-, Hydro- und physikalische Therapie), sind auch Hilfen aus dem Bereich der Psychologie, der Psychotherapie der Pädagogik und der Sozialarbeit angezeigt.

Altenpfleger:
ein "Allroun-
der"

Im sozialpflegerischen Beruf des Altenpflegers / der Altenpflegerin*
fließen die Kompetenzen der einzelnen Fächer zu einem ganzheitlichen Berufsbild zusammen. Auch wenn sich in den Ausbildungs-
richtlinien des Altenpflege-Berufes nicht alle Wissensinhalte, die die
anderen Berufsfelder ausmachen, wieder finden lassen, so ist der Beruf des Altenpflegers doch der einzige Tätigkeitsbereich, der die Ge-
samtsituation der alten Menschen mit ihren sozialen, menschlichen
und gesundheitlichen Problemen schon in der Ausbildung erfasst.

In der Praxis wird der Altenpfleger kaum die Fähigkeiten aller anderen
mit ihm zusammenarbeitenden Berufsgruppen in sich vereinen können, wohl aber muss er in der Lage sein, deren Kompetenzen richtig
einzuschätzen, um mit ihnen zu kooperieren und deren Arbeit in ein
ganzheitliches Pflegeverständnis integrieren zu können.

Aber auch für alle anderen in der Seniorenarbeit engagierten Disziplinen ist es wichtig, über den Tellerrand des eigenen Aufgabenfeldes
hinauszublicken und die Schwerpunkte anderer Berufsfelder im Auge
zu behalten. Nur solchermaßen können sich einzelne Angebote zu
einem harmonischen Miteinander ergänzen.

Das vorliegende Buch gibt dem Leser in zehn Kapiteln einen ersten
Überblick über die Grundlagen der Geragogik, die für den Praktiker in
der Altenpflege wichtig sind. Nach einer kurzen begrifflichen Abgrenzung der Interventionsgerontologie von den anderen gerontologischen
Teildisziplinen [Kapitel 2] soll die Stellung der Pädagogik in der Gerontologie beschrieben [Kapitel 3] und das übergreifende Konzept der
agogischen Aktion vorgestellt werden [Kapitel 4]. Nach einer Auseinandersetzung mit den unterschiedlichen Zielgruppen geragogischer Arbeit [Kapitel 5] werden methodisch-didaktische Aspekte [Ka-
pitel 6] und Grundlagen der Gruppenarbeit [Kapitel 7] aufgegriffen. Eine der Aktivierung alter Menschen verpflichtete Pflege und Betreuung
lässt zuweilen die tatsächlichen Bedürfnisse der Senioren aus dem
Blick der engagierten BetreuerInnen geraten und verlangt nach einer
verantwortungsvollen Infragestellung der eigenen Arbeit [Kapitel 8].

Nach einer kurzen Zusammenfassung der Entwicklung von Lernfähigkeit und Lernbereitschaft im höheren Erwachsenenalter [Kapitel 9]
sollen zuletzt noch einige besondere Aspekte der Biografiearbeit mit
alten Menschen vorgestellt werden [Kapitel 10].

---

*) im weiteren: Altenpfleger

In Form einzelner Exkurse soll zum einen die Verzahnung der Gera- Exkurse
gogik mit der Soziologie (Sozialisations- und Rollentheorie: Exkurs 1)
und der Psychologie (Grundlagen der Lern- und Tiefenpsychologie:
Exkurse 3, 4 und 8) herausgestellt werden, zum anderen sollen sie
als Möglichkeit verstanden werden, einzelne Aspekte der Geragogik
anhand konkreter Fragestellungen detaillierter herauszuarbeiten
(Entwicklung des Pflegeheimbaus: Exkurs 2; Entwicklung der Sexualität im Alter: Exkurs 5; Entspannungstraining mit alten Menschen: Exkurs 6; Tiere und alte Menschen: Exkurs 7; Ästhetisches Gestalten in
der Seniorenarbeit: Exkurs 9).

Jedes Kapitel schließt mit einem Hinweis auf die herangezogene Lite- Literatur-
ratur und einem Lehrzielkatalog, anhand dessen der Leser seinen ak- verzeichnis
tuellen Wissensstand überprüfen kann. Lehrzielkata-
log

In den Text integrierte und mit dem nebenstehenden Logo kenntlich   ?
gemachte Verständnis-Fragen sollen als Anregung für eine intensi-
vere Auseinandersetzung mit einzelnen Fragestellungen verstanden   !
werden.

Werden bestimmte Inhalte auch in anderen Kapiteln aufgegriffen oder ☞ Kap. XXX
weitergeführt, so wird dies durch Querverweise im Rand kenntlich S. YY
gemacht.

2. Angewandte Gerontologie

Weisheit des
Alters

Über Jahrhunderte und Jahrtausende hinweg haben sich immer wieder Gelehrte mit dem Alter beschäftigt. Je nach eigenen Erfahrungen wurde die Phase des 'alt seins' eher negativ oder eher positiv gesehen.

Betonten in der Antike die Griechen die Weisheit des Alters und schätzten Rat und Richterspruch der Alten, so zeichnete Aristoteles doch ein sehr negatives Bild vom Greis, dem er u.a. Streitsucht nachsagte. Trotz der "Weisheit der Alten" wurde der Prozess des Alterns als Abbau verstanden und Aristoteles vertrat die Auffassung, dass Krankheit vorzeitig erworbenes Alter, und Alter natürliche Krankheit sei. Eine Sicht, der heutige Mediziner keinesfalls mehr zustimmen werden!

Erste wissenschaftliche
Untersuchungen

Im Siebzehnten Jahrhundert begannen die ersten wissenschaftlichen Untersuchungen des Alters und des Alterns, die nach unserer heutigen Auffassung diese Bezeichnung verdienen.

Wissenschaftler der unterschiedlichsten Fachrichtungen beschäftigen sich heute in ihren Forschungen mit den Veränderungen, die mit dem Alter einhergehen. Zu den wichtigsten Disziplinen, die an der Erforschung von Altersprozessen beteiligt sind, zählen:

Erforschung
der Alternsprozesse

- die *Biologie* des Alterns
- die *Medizin* der Alterskrankheiten (die *Geriatrie*) mit dem Spezialgebiet
- die *Psychiatrie* des Alterns (Geronto-Psychiatrie)
- die *Psychologie* des Alterns (Geronto-Psychologie)
- die *Soziologie* des Alterns (Geronto-Soziologie)
- die **Pädagogik** des Alterns (Geronto-Pädagogik; Geragogik, Gerontagogik)

2.1 Gerontologie

Interdisziplinäre Wissenschaft

Das Wort 'Gerontologie' ist aus dem Griechischen abzuleiten. Der zweite Wortteil '-logie' stammt von dem Wort 'Logos' und bedeutet so viel wie 'die Lehre', 'die Wissenschaft'. Die Geronten waren die Mitglieder des Ältestenrates in vielen griechischen Stadtstaaten. Gerontologie kann dann als die 'Lehre von den Alten' bzw. umfassender als die Wissenschaft vom Alter, vom Altern und vom alternden Menschen verstanden werden. Da die Gerontologie auf die Ergebnisse unterschiedlicher Wissenschaftszweige zurückgreift, sprechen wir von einer multi-disziplinären oder inter-disziplinären Wissenschaft.

Die Gerontologie beschäftigt sich hierbei nicht nur mit dem Menschen im hohen Lebensalter; sie wendet sich allen Fragen zu, die mit dem Prozess des Wachsens, Reifens und Älterwerdens zu tun haben; und der beginnt unmittelbar nach der Geburt um sich dann über das ganze Leben zu erstrecken. Wie wir später noch sehen werden, ist die Art und Weise, wie der Einzelne sein Alter erlebt und vollzieht davon abhängig, wie sein vorheriges Leben verlief.

Zusammenfassend kann Gerontologie als die interdisziplinäre Wissenschaft vom Alter und vom Altern beschrieben werden.

Fragen des *Alters* und des *Alterns*

Die 'Gerontologie' ist nicht mit der 'Geriatrie' zu verwechseln. Hierunter ist die Lehre von den Besonderheiten der Krankheiten des höheren Lebensalters und ihrer Behandlung zu verstehen. Wenn es auch keine speziellen *Alterskrankheiten* gibt, so gibt es doch alterstypische Unterschiede in der Verteilung, in den Verläufen und Behandlungsmethoden. Dies ist bereits auf die im Alter beobachtbare 'Multimorbidität' bedingt: Häufig treten mehrere Erkrankungen zugleich auf und die (nicht nur medikamentösen) Behandlungsmethoden beeinflussen sich gegenseitig.

Geriatrie
☞ Kap. 6.1.2
S. 151

Ein wichtiges Ergebnis der gerontologischen Forschung war zweifellos die Erkenntnis, dass das Verhalten und Erleben im Alter nur zu einem geringen Teil auf biologische bzw. krankheitsbedingte Ursachen zurückzuführen ist, vielmehr wird es durch unterschiedliche Umweltfaktoren verursacht. Diese Erkenntnis eröffnete dann im Weiteren Möglichkeiten, den Prozess des Alterns aktiv zu gestalten, denn eine Entwicklung, die durch Umwelteinflüsse ausgelöst wird, lässt sich durch eine Veränderung eben dieser Umwelt beeinflussen, zumindest weit mehr beeinflussen als eine Entwicklung, die durch biologische Faktoren ausgelöst wird.

Alter und Umweltfaktoren

2.2   Interventions-Gerontologie

Der Begriff 'Intervention' kann wertneutral als Einflussmöglichkeit, als 'Möglichkeit der Beeinflussung von Verhalten und Erleben' verstanden werden; Interventionsmaßnahmen können demnach sowohl zu einer Verschlechterung des Verhaltens [zu einer Herbeiführung größerer und schwer wiegender Verhaltensauffälligkeiten], als auch zu einer

Intervention: Beeinflussung

Verbesserung [im Sinne von "Abbau unerwünschten" und "Aufbau erwünschten Verhaltens"] führen. In der Praxis wird der Begriff 'Intervention' allerdings nur verwendet, wenn es sich um Maßnahmen handelt, die der Herbeiführung eines größeren 'psycho-physischen' also geistig-seelischen und körperlichen Wohlbefindens [wie die Weltgesundheits-Organisation 'Gesundheit' definierte] dienen.

Ebenen der Interventions- gerontologie

Das zusammengesetzte Wort 'Interventions-Gerontologie' weist darauf hin, dass es sich um Interventionsmaßnahmen im Rahmen der Gerontologie handelt. Mögliche Maßnahmen können auf drei Ebenen festgemacht werden:

Prävention

- Zunächst geht es darum, einem möglichen Abbau, der mit dem Alter einhergehen kann, vorzubeugen: "Wer rastet, der rostet"! Bestehende Fähigkeiten und Fertigkeiten sollen trainiert, gefordert und gefördert werden, damit sie noch möglichst lange zur Verfügung stehen. Man spricht von präventiver, prophylaktischer Rehabilitation.

Therapie

- Andere Maßnahmen zielen darauf ab, mögliche Einschränkungen, die bereits eingetreten sind, wieder rückgängig zu machen. So muss ein (alter) Mensch nach einem längeren Krankenhausaufenthalt, während dessen er das Bett nicht verlassen konnte, wieder langsam "laufen lernen". Man spricht von Therapie und Rehabilitation.

"Managen" von Problem- situationen

- Auch kommt es immer wieder vor, dass einzelne Einschränkungen nicht mehr rückgängig gemacht werden können. So ist es denkbar, dass manche Betroffenen zeitlebens auf die Benutzung eines Rollstuhles angewiesen bleiben oder sich damit abfinden müssen, bestimmte Fähigkeiten verloren zu haben. In diesem Fall müssen sie lernen, ihr Leben dennoch zu meistern und eingetretene Problemsituationen zu managen. Hierzu ist es notwendig, den Verlust zu akzeptieren sowie die Inanspruchnahme von Helfern zu akzeptieren und den Gebrauch von Hilfsmitteln (z.B. Prothesen) zu erlernen.

> Welche verschiedenen Interventionsmaßnahmen haben Sie in Ihrer bisherigen beruflichen Praxis kennen gelernt? Stellen Sie mindestens 10 unterschiedliche Angebote zusammen und fragen Sie sich, ob diese der Prävention, der Therapie oder dem Managen von Problemsituationen dienten.

Alle diese Bemühungen zielen darauf ab, Fähigkeiten zu erhalten und zu entwickeln und so den alten Menschen zu einer unabhängigen, selbstständigen Lebensführung zu befähigen.

Selbstständigkeit

2.2.1 Interventions-Gerontologie und Kompetenz

In der Sprachwissenschaft wird die Summe aller sprachlichen Fähigkeiten, die der Sprecher einer Sprache besitzt, als 'Kompetenz' bezeichnet.

Der Alters-Soziologe Leopold Rosenmayr definiert Kompetenz als die Möglichkeit, dass ein Mensch die Gesamtheit seiner Fähigkeiten so in seinem Handeln umsetzen kann, dass die gestellten Ziele und Aufgaben im Wesentlichen erfüllt werden können (vergl. Olbrich, 1992; S. 55).

Einfacher formuliert: Kompetenzen sind jene Fähigkeiten und Fertigkeiten, die dem Erreichen von konkreten Zielen oder der Bewältigung von bestimmten Aufgaben dienen.

Ein Mensch ist somit nicht einfach kompetent (oder nicht kompetent; inkompetent), sondern kompetent zur Erfüllung ganz konkreter (altersspezifischer) Aufgaben.

Angesichts konkreter Anforderungen wird demnach die Kompetenz einer Person von dem Verhältnis zwischen

Verhältnis von ...

• den Anforderungen an eine Person und

• und deren Kenntnissen, Fähigkeiten und Fertigkeiten bestimmt.

Die Kompetenz einer Person ist also immer auf die Erfüllung von Aufgaben bezogen und beschreibt jene Beziehung zur Umgebung, die es dem Einzelnen ermöglicht, sich zu erhalten, sich wohlzufühlen und sich zu entwickeln.

Haben Sie einmal ältere Menschen kennen gelernt, die ganz bestimmte Dinge wussten oder konnten, auf die sie vielleicht sogar besonders stolz waren? Waren diese Fähigkeiten oder Fertigkeiten Kompetenzen? Warum? Oder warum nicht?

Informations-mangel und Orientierungs-störungen

Ein Defizit an Fähigkeiten (etwa an Informationen; z.B. über die Bedienung einer Waschmaschine) führt hingegen in einer konkreten Situation mit konkreten Anforderungen (hier: Wäsche waschen; die Waschmaschine muss programmiert und eingeschaltet werden) dazu, dass die Orientierung in dieser Situation ('Was muss ich wann, wo, wie machen?') nicht mehr angemessen ist: Dem Betroffenen wächst die Situation 'über den Kopf'.

Überforderung

Bei Überforderung und erheblichen Orientierungs-Störungen kann der Betroffene mit

- Passivität
- Reduzierung von Sozialkontakten
- zunehmender Abhängigkeit von anderen
- vermehrten Gefühlen der Langeweile
- sowie allgemeiner Angst und innerer Unruhe reagieren,

was in der Folge wiederum zu

- Einsamkeit und Isolation aber auch zu aggressivem Verhalten führen kann.

Bei zu geringen Anforderungen und großen Fähigkeiten werden Betroffene unterfordert. Ein Gefühl der Langeweile, das sogar, wie bei einer Überforderung, in Angst umschlagen kann, wird sich einstellen.

Unterforde-rung

Nicht-geforderte bzw. nichttrainierte Fähigkeiten und Fertigkeiten verkümmern ("Wer rastet, der rostet"), so dass zu geringe Anforderungen sich langfristig negativ auf die Entwicklung des Einzelnen auswirken können.

Welche Situationen kennen Sie, in denen alte Menschen unterfordert werden?

Wird die Kompetenz einer Person von dem Verhältnis von Fähigkeiten und Fertigkeiten einerseits und konkreten Umwelt-Anforderungen andererseits bestimmt, bestehen demnach auch zwei Möglichkeiten der Kompetenz-Steigerung: Zum einen können die Fähigkeiten und Fertigkeiten, zum anderen können aber auch die Umweltbedingungen verändert werden.

Kompetenz-steigerung

- Es können die Fähigkeiten und Fertigkeiten des alten Menschen, die es ihm erlauben in der Situation kompetent zu handeln, trainiert werden. (In unserem Beispiel kann der Gebrauch der Waschmaschine erklärt und 'erlernt' werden.) Ressourcen-training

- Es können aber auch Ressourcen (Hilfen), die außerhalb der betroffenen Person liegen, genutzt werden: Möglicherweise hilft eine andere Person beim Waschen und bedient die Maschine. Externe Ressourcen

Beeinflussbare Faktoren aus der Umwelt des alten Menschen sind:
- Soziale Netzwerke (Familie, Nachbarschaft, Institutionen)
- Architektonische / bauliche Maßnahmen
- Materielle Absicherung alter Menschen
- Altersgerechte Technik
- Prothesen, Seh- und Hörhilfen.

- Es besteht immer auch die Möglichkeit, die Umweltanforderungen zu reduzieren. (So kann man eine Waschmaschine kaufen, die einfacher zu bedienen ist.) Reduzierte Umweltanforderungen

Kompetenzsteigerung
durch
Umwelt-(ver-)änderungen   Ressourcentraining

Rückgriff auf externe Ressourcen

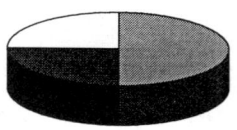

Training von Fähigkeiten und Fertigkeiten

Reduzierung der Umweltanforderungen

Vor dem Hintergrund eines solchen Kompetenz-Begriffes können sich auch desorientierte Menschen wieder kompetent verhalten; nämlich dann wenn ihre Lebens-Umwelt an die eingebüßten Fähigkeiten angepasst ist und ein neues Verhältnis von Fähigkeiten und Umweltanforderungen hergestellt wird. Räumlich desorientierte alte Menschen, die ihr Zimmer nicht mehr finden, können mit einer zusätzlichen optischen Orientierungshilfe (z.B. einem lange bekannten Bild) u.U. wieder kompetent handeln. Kompetenzen von Desorientierten

> Welche Möglichkeiten kennen Sie, verwirrten alten Menschen durch eine Veränderung der Umwelt kompetentes Handeln zu ermöglichen?

 ?

 !

Kompetenz-Formen lassen sich nach unterschiedlichen Kriterien klassifizieren. Die folgende beispielhafte Aufzählung ist willkürlich und lässt sich jederzeit erweitern.

Senso-motorische Kompetenz

Hierbei handelt es sich um die Kontrolle psycho-motorischer Prozesse, um die Kontrolle von Bewegungsabläufen; z.b. die Beherrschung bestimmter Fertigkeiten. So beherrschen alte Menschen häufig noch Handarbeits-Techniken, die jüngeren Menschen unbekannt sind.

Kognitive Kompetenz

Als kognitive Kompetenzen bezeichnet man angesammelte Erfahrungen, angehäuftes Wissen und deren Anwendung auf neue Situationen. Die intellektuelle Leistungsfähigkeit (Intelligenz) eines Menschen, sein Gedächtnis und seine Fähigkeit zu lernen werden hierunter zusammengefasst.

Alltags-Kompetenz

Die Fähigkeit den Alltagsanforderungen gerecht zu werden, wird als Alltagskompetenz bezeichnet. Die Fähigkeiten, sicher mit Behörden umzugehen (Finanzamt, Sozialamt, Einwohnermeldeamt, ...), die Angebote der öffentlichen Verkehrsmittel (Bundesbahn, Straßenbahn, Omnibus) nutzen zu können, den Verpflichtungen des Alltags (Putzen, Kochen, Nähen, ...) nachkommen zu können, sind Beispiele für die Alltagskompetenz.

Kreative Kompetenz

Einfallsreichtum, Spontanität (die Bereitschaft eingefahrene Bahnen zu verlassen und neue Wege zu beschreiten), Flexibilität und Risikobereitschaft werden als kreative Kompetenz bezeichnet.

Soziale Kompetenz

Als soziale Kompetenz wird die Fähigkeit Kontakte aufrechtzuerhalten und neu zu knüpfen bezeichnet. Hierzu muss der Einzelne in der Lage sein, seine eigenen Wünsche zu erkennen und zu äußern; er muss aber auch in der Lage sein, die Wünsche und Erwartungen der anderen Menschen zu erkennen, um sich hierauf einstellen zu können. Die Unfähigkeit wahrzunehmen, dass ein anderer Mensch 'seine Ruhe haben möchte', erschwert den Aufbau einer Beziehung ebenso, wie die Angst auf andere Menschen überhaupt erst zuzugehen.

> Erinnern Sie sich an alte Menschen, die über diese Kompetenzformen verfügten, bzw. die sie entbehren mussten? Beschreiben Sie diese.

2.2.2 Kompetenz-Steigerung

Unter dem Begriff Interventionsgerontologie werden alle Maßnahmen zusammengefasst, die auf eine Steigerung der Kompetenzen eines Menschen hinzielen.

Einschränkungen einer 'kompetenten' Lebensführung sollen verhindert, 'gestoppt' oder korrigiert werden.

Ursula Lehr und Siegfried Gössling (vergl. Dt. Zentrale für Volksgesundheitspflege, o.J.) stellen eine Vielzahl von Interventionen vor, die in der Altenarbeit angeboten werden. Einige Möglichkeiten sind unten wiedergegeben. Kreuzen Sie bitte an, ob die Angebote Ihrer Meinung nach mehr

- auf eine Steigerung der internen Ressourcen (der Fähigkeiten und Fertigkeiten),
- auf eine Entlastung durch Rückgriff auf externe Ressourcen, oder
- auf eine Reduzierung der Umwelt-Erwartungen hinzielen.

Begründen Sie Ihre Entscheidung; Begründen Sie ggf. auch, warum Sie eine bestimmte Maßnahme nicht eindeutig einer Kategorie zuordnen können.

Beratungsdienste
Vermittlung von Hilfen, Behördenhilfen, allgemeine Beratung als Lebenshilfe, Fachberatung
❑ Ressourcen-Training
❑ Entlastung durch Rückgriff auf externe Ressourcen
❑ Reduzierung der Umwelt-Anforderung

Bildungsangebote
Kurse, Lehrgänge, Bildungsprogramme zur Vermittlung sinnvoller Inhalte und Kommunikationshilfen.
❑ Ressourcen-Training
❑ Entlastung durch Rückgriff auf externe Ressourcen
❑ Reduzierung der Umwelt-Anforderung

Zentrale Hilfevermittlung
Schafft Zugang zu den Angeboten verschiedener Träger. Z.B.: 'Essen auf Rädern', 'Pflegemittel-Verleih'
❑ Ressourcen-Training
❑ Entlastung durch Rückgriff auf externe Ressourcen
❑ Reduzierung der Umwelt-Anforderung

Hilfen zur Haushaltsführung

Reinigungsdienste, Wäschedienste, Einkaufshilfen.
❑ Ressourcen-Training
❑ Entlastung durch Rückgriff auf externe Ressourcen
❑ Reduzierung der Umwelt-Anforderung

Physiotherapie

Krankengymnastik, Bewegungstherapie, Gehschule
❑ Ressourcen-Training
❑ Entlastung durch Rückgriff auf externe Ressourcen
❑ Reduzierung der Umwelt-Anforderung

Resensibilisierung

Die fünf Sinne werden durch gezielte Reize angesprochen. Die Resensibilisierung des Sehens kann durch bunten Wandschmuck, Bilder, freundliche Möbel und Blumen gefördert werden.
Welche Möglichkeiten sehen Sie zur Stimulierung der anderen Sinne?
❑ Ressourcen-Training
❑ Entlastung durch Rückgriff auf externe Ressourcen
❑ Reduzierung der Umwelt-Anforderung

Remotivation

Die Betroffenen werden angehalten, sich wieder mit ihrer Umwelt auseinander zu setzen. Hierbei kann mittels Zeitungsartikeln oder Nachrichtensendung auf die Weltpolitik verwiesen werden oder kleine Erlebnisse im täglichen Umgang werden thematisiert.
❑ Ressourcen-Training
❑ Entlastung durch Rückgriff auf externe Ressourcen
❑ Reduzierung der Umwelt-Anforderung

Resozialisation

Ähnlich wie bei der Remotivation geht es bei der Resozialisation um eine Hinwendung des Interesses auf die Umwelt, hier allerdings auf Personen in dieser Umwelt.
❑ Ressourcen-Training
❑ Entlastung durch Rückgriff auf externe Ressourcen
❑ Reduzierung der Umwelt-Anforderung

Musik- und Tanztherapie

Auch durch Musik und Bewegung besteht die Möglichkeit, sich der Umwelt zuzuwenden (Remotivation, Resozialisation); gleichzeitig wird eine Stimulierung der Sinne angestrebt.

❑ Ressourcen-Training
❑ Entlastung durch Rückgriff auf externe Ressourcen
❑ Reduzierung der Umwelt-Anforderung

Operantes Konditionieren / Verstärkungstechniken

Diese Technik basiert auf der Erkenntnis, dass ein bestimmtes Verhalten wiederholt wird, wenn eine Belohnung erfolgt, dass es aber er-
lischt, wenn keine Reaktion erfolgt. Somit ist es nicht richtig, auf ein
unerwünschtes Verhalten zu reagieren indem es bestraft wird; eine
Praxis, die im Alltag - auch in der offenen und stationären Altenhilfe -
immer wieder zu beobachten ist (vergl. Lehr, 1979b, S. 36).

☞ Exkurs 4.2
S. 90 ff

So wird Hilfsbedürftigkeit und 'Nicht-mehr-Können' mit besonderer
Zuwendung und Hilfe 'belohnt'. Auch Nicht-Hilfsbedürftige erleben
diese Situationen als Modelle, denen sie möglicherweise nacheifern.
❑ Ressourcen-Training
❑ Entlastung durch Rückgriff auf externe Ressourcen
❑ Reduzierung der Umwelt-Anforderung

Umgestaltung der Wohnsituation

Veränderungen in den Wohnungen, die auch bei Behinderungen die
Selbstständigkeit der alten Menschen unterstützen können.
    Beispielhaft:
    • Art und Höhe des Waschbeckens
    • Art und Höhe der Toilette
    • Haltemöglichkeiten
    • Ausgestaltung der Küche
    • Ausgestaltung des Schlafzimmers / Bettes
❑ Ressourcen-Training
❑ Entlastung durch Rückgriff auf externe Ressourcen
❑ Reduzierung der Umwelt-Anforderung

☞ Kap . 4.5.1.1
S. 63

2.3   Fest- und Feiergestaltung

Ist die Selbstständigkeit eines alten Menschen eingeschränkt, so sollten ihm Hilfestellungen zuteil werden, die ihn unterstützen diese weitestgehend wiederherzustellen: er braucht Hilfe.

Hilfe kann hier keinesfalls bedeuten, dass ihm möglichst viel Arbeit
und Verantwortung abgenommen und von anderen erledigt werden
soll! Vielmehr benötigt er eine Anleitung, eine Führung, die darauf

Kompetenz-
steigerung

hinzielt, seine **Kompetenzen** zu steigern und ihm wieder ein angemessenes, selbstständiges Handeln zu ermöglichen.

Eine solche Form der Anleitung ist sowohl für den Anleitenden als auch für den Angeleiteten mit Arbeit und Anstrengung verbunden.

Geselligkeit

Demgegenüber beschreiben wir mit **'Geselligkeit'** zwanglose und zweckfreie Situationen, in denen Menschen gemeinsam aktiv werden um Spaß zu erleben. Geselligkeit braucht keinen Zweck, sie selbst wird als schön empfunden. Das gemeinsame Gestalten von Festen und Feiern zählt zu den Höhepunkten und den lustvollen Ereignissen im Leben des Einzelnen.

> Waren Sie bereits einmal an der Planung eines Festes für Senioren beteiligt? - Wurden die alten Menschen an der Planung, den Vorbereitungen und der Durchführung beteiligt?
> Wer war beispielsweise für die Auswahl des musikalischen Rahmens verantwortlich?

Feste werden auf der Welt schon seit Urzeiten gefeiert. Lassen sie sich auch nach Anlass und Form der Durchführung unterscheiden, so tragen sie doch alle die Kultur eines Volkes in sich. In ihnen leben die Traditionen und Bräuche weiter und bilden immer wieder aufs Neue Höhepunkte im Leben der Menschen (vergl. Klütsch; 1991, S. 6).

Erholung

In der heutigen Zeit bietet der Besuch von Festen Möglichkeiten des Ausgleichs und der Entspannung von Stress und Hektik der Arbeitswelt. Evelyn Klütsch (1991, S. 9) nennt, neben dem **Erholungswert**, noch drei weitere wichtige Aspekte des Feierns mit Senioren:

Der physiologische Aspekt:

Körperl.
Training

Beim gemeinsamen Feiern kommen Herz und Kreislauf wieder in Schwung, die Durchblutung wird gesteigert. Beim Tanzen, aber auch schon beim 'Schunkeln', wird die Motorik angeregt. Der gesamte Organismus wird positiv stimuliert.

Der psychische Aspekt

Gefühle
und Ablenkung

Ein Fest bietet Platz für Gefühle: Rührung und Freude werden wieder bewusst empfunden. Auch verlieren belastende Lebenssituationen, über die sonst immer wieder gegrübelt wird, beim ungestörten Beisammensein mit Gleichgesinnten, zeitweilig an Bedeutung. Sie werden zwar nicht vergessen, aber die Betroffenen werden vorübergehend abgelenkt.

Der soziale Aspekt

Feste und Feiern sind ein gutes Mittel, den Teufelskreis von Einsamkeit, daraus folgender Verbitterung oder Depression und möglicher noch größerer Isolation, zu durchbrechen. Soziale Kontakte sind im Rahmen von Festlichkeiten nicht nur möglich, sie sind geradezu unvermeidbar.

Durchbrechen der Isolation

Nicht zuletzt ist soziale Begegnung auch immer ein Ausdruck des Wohlwollens Dritter, die den Feiernden Respekt zollen (vergl. Wilken, 1995).

Die Angehörigen der alten Menschen einzuladen, schafft nicht nur eine Möglichkeit der Begegnung, eine Möglichkeit, wieder zwanglos miteinander Freude zu erleben; diese nehmen in der Regel auch gerne einen Teil der Betreuungsaufgaben wahr.

Welche Feste haben Sie bereits mit Senioren gemeinsam gefeiert? Was hat den älteren Menschen an diesen Festen gefallen, was mochten sie nicht so sehr? Wurden die drei oben genannten Aspekte des Feierns bei der Planung der Feiern berücksichtigt?

 ?
 !

Drei unterschiedliche Formen von Festen können unterschieden werden:

➢   Feste gesellschaftlicher Art, wie
   • Stadtteilfeste
   • Grillabende in Vereinen
   • Sommerfest
   • Tanz in den Mai
➢   Kirchliche Feste im Jahreskreis, wie
   • Ostern
   • Pfingsten
   • Weihnachten
➢   Persönliche Feste, wie
   • Geburtstage
   • Namenstage
   • Hochzeitstage
   • Jubiläen,

Sie alle bieten dem alten Menschen immer wieder Möglichkeiten, sich seiner eigenen Lebensgeschichte und seiner eigenen Identität bewusst zu werden.

2.4   Die erlernte Hilflosigkeit

Im sozialen Leben können Situationen beschrieben werden, die der Zielsetzung einer Stimulierung, Anregung und Kompetenz-Stärkung geradezu entgegenstehen.

2.4.1   Gesichter der *erlernten Hilflosigkeit*

Umzug ins Alten- / Pflegeheim

Im Rahmen einer Untersuchung (vergl. Ruthemann, 1992) konnte nachgewiesen werden, dass im Verlauf des ersten halben Jahres nach Eintritt in ein Altenheim bei den Bewohnern Symptome der Depression deutlich zunehmen und die geistige Leistungsfähigkeit deutlich abnimmt.

Heimbewohner mit depressiven Symptomen sind nachweislich anfälliger gegenüber negativen Einflüssen: Sie erkranken schneller, sie sind lärmempfindlicher, sie haben sogar eine erhöhte Sterberate.

Mit dem Heimeintritt scheint für viele alte Menschen eine Entwicklung zu beginnen, die auf einen Zustand hinausläuft, der als "gelernte Hilflosigkeit" bekannt wurde.

Tierexperimente

Unter "gelernter Hilflosigkeit" versteht man ein Phänomen, das sich in Tierexperimenten zeigen lässt: Setzt man ein Versuchstier in einer Umgebung, auf die es keine Einflussmöglichkeiten hat, in der weder Flucht noch Angriff möglich sind, unangenehmen Reizen aus, so reagiert das Tier schließlich auch dann nicht (mehr), wenn ihm diese Möglichkeiten wieder eingeräumt werden.

Die Lebenssituation alter Menschen in Heimen scheint häufig ähnlich aussichtslos. Immer geht es um die Diskrepanz zwischen

Wollen, Können und Zutrauen

- dem, was ein Mensch gerne tun möchte   (*der Wunschraum*)
- dem, was ihm möglich ist zu tun   (*der Handlungsspielraum*)
- und dem, was er sich selbst zutraut   (*die Kontrollüberzeugung*)

Für das psychische Wohlbefinden der alten Menschen ist es am optimalsten, wenn die drei Räume sich weitgehend überschneiden also fast deckungsgleich sind.

So kann der Bewohner eines Pflegeheimes den konkreten Wunsch haben, vor dem Schlafengehen zu duschen (**Wunschraum**), was er sich tatsächlich auch zutraut (**Kontrollüberzeugung**), was dann aber an den abgeschlossenen Badezimmern, die nur vormittags genutzt werden dürfen (*Handlungsspielraum*), scheitert.

Denkbar ist aber auch der alte Mensch, der durchaus noch in der Lage ist viele 'Aktivitäten des täglichen Lebens' alleine zu verrichten (*Handlungsspielraum*), auch in seinen Tagträumen der Zeit nachtrauert (und sie zurücksehnt) in der er dies noch alles alleine verrichten konnte (*Wunschraum*), sich aber nichts mehr zutraut (*Kontrollüberzeugung*) und resigniert.

Beschreiben Sie drei unterschiedliche Situationen, in denen
• der Wunschraum,
• der Handlungsspielraum und
• die Kontrollüberzeugung
der Betroffenen sich nicht deckten.

Die erlernte Hilflosigkeit kann viele Gesichter haben. Sie begegnet uns

- in dem angepassten, liebenswerten Heimbewohner, der zu fast allem 'Ja' sagt,

- in dem psychosomatisch erkrankten Bewohner, der ohne klar erkennbare Ursache leidet,

- oder in dem aggressiven, ziellos gegen irgendetwas ankämpfenden alten Menschen.

Gesichter der erlernten Hilflosigkeit

Im Gegensatz zum apathischen alten Menschen hat der Aggressive sich einen größeren Bereich von Kontrollüberzeugungen bewahrt. Er hat seinen Wunschraum noch nicht aufgegeben. In dieser Hinsicht sind die aggressiven Nörgeler gesünder als die ruhigen Apathischen.

Nachlassende Kontrollüberzeugungen gehen mit Gefühlen der Hilflosigkeit bzw. der Resignation einher.

Die meisten Menschen neigen dazu, es einfach als "Pech" anzusehen, wenn ihnen häufig Negatives widerfährt. Geschieht hingegen etwas Positives, so wird der eigene Anteil am Erfolg gesucht: "Es ist mein Verdienst, dass ..." "Ich habe es erreicht!" - "Es ist mir gelungen!".

Pech gehabt

Bei depressiv verstimmten Menschen dreht sich dieser Rahmen um: Positive Erfahrungen werden ganz einfach als "Glück", zu dem man eigentlich gar keinen Beitrag leistete, angesehen; negative Erfah-

Schuld gehabt

rungen werden als selbstverschuldet angesehen: "Ich kann es eben
doch nicht mehr!" - "Mit mir geht es eben bergab!" In dieser negativen
Interpretation kann der Betreuer den alten Menschen unbeabsichtigt
noch unterstützen, wenn er die Erfolge einer Rehabilitation oder Aktivierung als **seinen** Verdienst herausstellt. Auch wenn dies objektiv
zutrifft, bekräftigt dies den alten Menschen in seinem pessimistischen
Denken.

2.4.2 Möglichkeiten der Intervention

Welche Einflussmöglichkeiten bestehen für den Betreuer?

1) Erweiterung des Handlungsspielraumes.
Welche Möglichkeiten bestehen, den Handlungsspielraum zu vergrößern?

• Zu welchen Räumlichkeiten besteht ein ungehinderter Zugang? Kann dies geändert werden?

• Welche Möglichkeiten bestehen, um Kontakte zu schließen?

• Welche tatsächlichen Möglichkeiten bestehen zum eigenen,
  eigenverantwortlichen Handeln?

• Welche Möglichkeiten bestehen Initiative zu ergreifen?

Ursula Ruthemann (1992, S. 78) hat einen Katalog von Fragen zu-
sammengestellt, mit dessen Hilfe erfasst werden kann, welche
Einschränkungen ihrer Entscheidungsfreiheit alte Menschen in
Heimen in Kauf nehmen müssen.

• Können sich die BewohnerInnen von Zweibettzimmern aussuchen, mit wem sie zusammenleben müssen?

• Hatten die BewohnerInnen bei Einzug die Möglichkeit, zwischen verschiedenen Zimmergrößen bzw. Zimmertypen zu
  wählen?

• Steht den HeimbewohnerInnen eine eigene, nur von ihnen benutzte, Toilette zur Verfügung?

• Können die HeimbewohnerInnen selbst über die Art der Möblierung in ihren eigenen vier Wänden bestimmen?

• Ist die eigene Intimsphäre gewahrt? Klopfen Mitarbeiter, Angehörige oder Ärzte an, bevor sie das Zimmer betreten?

- Wird nach dem Klopfen gewartet, bis man hereingebeten wird, oder wird das Zimmer ohne Aufforderung betreten?

- Verfügen die HeimbewohnerInnen über eigene Haustür und Zimmerschlüssel?

- Haben auch pflegebedürftige BewohnerInnen diese Schlüssel?

- Können die HeimbewohnerInnen sich aussuchen, neben wem sie beim Essen sitzen?

- Können sich die HeimbewohnerInnen aussuchen, was sie essen, wie viel sie essen und wann sie essen?

- Haben die Heimbewohner die Möglichkeit andere HeimbewohnerInnen zu besuchen, wann sie es wünschen?

- Haben die HeimbewohnerInnen die Möglichkeit mit anderen Menschen ungestört zu sprechen?

- Haben die HeimbewohnerInnen, die es noch können, jederzeit die Möglichkeit, das Haus zu einem Ausflug zu verlassen?

- Haben die HeimbewohnerInnen die Möglichkeit, mit anderen Menschen Zärtlichkeiten auszutauschen bzw. sexuell aktiv zu werden?

2) Vergrößern des Wunschraumes

Die alten Menschen sind zu animieren, ihren Wunschraum dort zu vergrößern, wo ein konkreter Handlungsspielraum besteht.

BetreuerInnen können dazu anregen, Wünsche wieder zu äußern ("Was möchten Sie heute essen, ... anziehen, .. lesen?"). Gegebenenfalls können Alternativen vorgegeben werden. ("Möchten Sie heute lieber das gelbe oder das grüne Kleid anziehen?") Diese Fragestellung gibt auch den eigentlichen Handlungsspielraum vor.

Zählen Sie mindestens 5 Alternativen auf, die Sie bei der Grundpflege vorgeben können

U.U. kann auch das beispielhafte Verhalten anderer Menschen dazu anregen, wieder selbst aktiv zu werden. Die Nachbarin, die die Einkaufsfahrt in die Innenstadt dazu benutzte ein schönes Kleid zu kaufen, kann so dazu anregen, dass andere ihrem Beispiel folgen.

3) Beeinflussung der Kontrollüberzeugungen

- Sind die Kontrollüberzeugungen zu niedrig angesetzt, so sollten diese direkt angegangen werden. Wenn die Betroffenen sich unterschätzen, sich zu wenig zutrauen, sollten ihre positiven Beiträge direkt angesprochen und gewürdigt werden: "Sie (!) haben es jetzt geschafft!" - "Sie (!) können das - ich habe das schon immer gewusst!"

- Bei überhöhten, unrealistischen Kontrollüberzeugungen, wenn die Betroffenen sich also überschätzen, ist eine weitgehende Deckung mit Wunschraum und tatsächlichem Handlungsspielraum nur zu erreichen, wenn die Betroffenen Abschied von ihren unrealistischen Vorstellungen nehmen.

Leugnen

Das Leugnen einer Beeinträchtigung vermag zwar vordergründig die Selbstachtung zu erhalten ("Bald bin ich wieder genauso kompetent, stark, selbstständig wie früher!"), steht aber jeder realistischen Auseinandersetzung mit der Realität und damit jeder Rehabilitation im Wege.

Trauern

Bei der anstehenden Trauerarbeit braucht er Hilfe und Beistand: Menschen, die die Realität eines 'wirklich nicht mehr Könnens' leugnen, ist in dieser Situation kaum das Unrealistische ihrer Sicht klarzumachen. Vor eben dieser Realität fliehen sie ja.

Akzeptieren

Die Wahrheit akzeptieren zu müssen, von den Illusionen Abschied zu nehmen ist ein schmerzhafter Prozess. Bei dieser Trauerarbeit brauchen sie Hilfe und Beistand.

Begleiten

Sie brauchen Begleitung, egal wo sie gerade stehen, egal ob sie die Realität leugnen, sich auflehnen, hadern, verzweifeln oder still und ergeben dulden. Dort wo die Betroffenen stehen, erfahren sie Anteilnahme und Verständnis.

 ?

 !

> Wie würden Sie einem Menschen, der nicht akzeptieren will / kann, dass er für den Rest seines Lebens auf den Rollstuhl angewiesen bleibt, begegnen?

4) Förderung der sozialen Integration

Die soziale Integration bzw. Isolation eines Menschen haben einen nicht zu unterschätzenden Einfluss auf die Leistungen, die Patienten im Rahmen von Rehabilitationsprogrammen zeigen. Die Haltung von Familie, Freundes- und Bekanntenkreis, deren Verständnis und Einfühlungsvermögen hat einen deutlichen Einfluss auf das Gelingen der Rehabilitation (vergl. Meier-Baumgartner u.a., 1992, S. 102 ff).

Vorrangigstes Ziel aller Bemühungen sollte daher immer die Integration in die alten sozialen Systeme sein, in denen der alte Mensch lebte. Wichtig ist nur, dass diese Personen nicht den Aktivierungs-Ansätzen der hauptamtlichen Mitarbeiter zuwiderhandeln,

- wenn sie die Vergrößerung des Wunschraumes verhindern, indem sie dem Betroffenen alle Entscheidungen - noch so gut gemeint - abnehmen.

- wenn sie den Betroffenen in seinen unrealistisch überhöhten Kontrollüberzeugungen bestärken, um ihm vermeintlich Trost zuzusprechen.

Lehrzielkatalog

Sie sollen ...

		vergl. Seite
1	Gerontologie als interdisziplinäre Wissenschaft vom Alter und vom Altern beschreiben können	12
2	den Begriff "Geriatrie" definieren können	12
3	mindestens fünf bei der Erforschung von Alternsprozessen herangezogene Wissenschaftszweige aufzählen können	12
4	den Alternsprozess als biologisch und umweltbedingt beschreiben können	13
5	"Gesundheit" und Kompetenzsteigerung als Zielsetzung der Interventionsgerontologie beschreiben können	14,19
6	drei Ebenen der Interventions-Gerontologie voneinander abgrenzen und beschreiben können	14
7	den Begriff "Kompetenz" definieren können	15
8	Kompetenz in Abhängigkeit von konkreten Umweltanforderungen und Fähigkeiten einer Person beschreiben können	15
9	drei unterschiedliche Formen der "Kompetenz-Steigerung" unterscheiden und beschreiben können	17
10	den Zusammenhang von Informationsverarbeitung und Orientierungsvermögen im täglichen Leben erläutern können	16
11	fünf - bei Überforderungen und Orientierungsstörungen beobachtbare - Reaktionsformen aufzählen und beschreiben können	16
12	fünf verschiedene Formen von Kompetenzen aufzählen und beschreiben können	18
13	elf - der Kompetenzsteigerung verpflichtete - Ansätze der Interventionsgerontologie aufzählen und erläutern können	19 ff
14	beschreiben können, was unter "Geselligkeit" zu verstehen ist	22
15	vier positive Aspekte des gemeinsamen Feierns aufzählen und beschreiben können	22 f
16	drei unterschiedliche Formen von Festen aufzählen und hierfür jeweils drei Beispiele nennen können	23

		vergl. Seite
17	erklären können, was unter "erlernter Hilflosigkeit" zu verstehen ist	24
18	die Begriffe "Wunschraum", "Handlungsspielraum" und "Kontrollüberzeugung" unterscheiden und erklären können, was hierunter zu verstehen ist	24
19	erläutern können, welchen Einfluss das Zusammenspiel von Wunschraum, Handlungsspielraum und Kontrollüberzeugung auf das Wohlbefinden des Einzelnen hat.	24
20	drei Gesichter nennen können, unter denen uns die "erlernte Hilflosigkeit" begegnet	25
21	vier Interventionsmöglichkeiten beschreiben können, die einer "erlernten Hilflosigkeit" alter Menschen entgegenwirken	26 ff

Kapitel 2: Literaturverzeichnis

Dt. Zentrale für Volksgesundheitspflege
e.V. (o. J.)
Interventionsmaßnahmen in Alten-
und Pflegeheimen - Eine Handreichung für die Praxis
Frankfurt am Main, O. J.

Klütsch, Evelyn (1991)
Feste und Feiern (Reihe "Aktives Alter - Gekonnt betreuen und aktivieren")
Hannover, 1991

Lehr, Ursula (1979a)
Interventionsgerontologie
Darmstadt, 1979

Lehr, Ursula (1979b)
Gero-Intervention - das Insgesamt
der Bemühungen, bei psycho-physischem Wohlbefinden ein hohes
Lebensalter zu erreichen
in: Lehr, 1979a

Meier-Baumgartner, Hans-Peter u.a. (1992)
Die Effektivität von Rehabilitation bei älteren Menschen unter besonderer Berücksichtigung psychosozialer Komponenten
bei ambulanter, teilstationärer und stationärer Behandlung
Stuttgart u.a.O., 1992

Olbrich, Erhard (1992)
Das Kompetenzmodell des Alterns
in: Dettbarn-Reggentin, 1992

Ruthemann, Ursula (1992)
Einflussmöglichkeiten des Heimbewohners
in: Altenheim, Heft 5/1992

Wilken, Hedwig (1995)
Die kleinen und die großen Feste des Lebens
in: Altenpflege, Heft 12 / 1995

3. Von der Interventionsgerontologie zur Geragogik

In der Öffentlichkeit ist weitgehend klar, was sich hinter dem Wort 'Pädagogik' verbirgt. Zumindest dahingehend ist Übereinstimmung zu erwarten, dass es etwas mit der 'Erziehung' der heranwachsenden Generation zu tun hat. Mit einer Frage nach der Bedeutung des Wortes 'Geragogik', wird man oft nur ein Kopfschütteln erwarten können.

3.1 Die "Erziehung" alter Menschen

Päd-agogik = Knaben-führung

Das Wort Päd-agogik setzt sich aus zwei griechischen Wörtern zusammen und bedeutet so viel wie 'Knaben-Führung': Kinder und Heranwachsende werden von ihren Erziehern zu verbindlichen Erziehungszielen hingeführt; sie werden erzogen. Unter Andragogik wird die 'Führung der Erwachsenen' [die Erwachsenen-Bildung] verstanden.

3.1.1 Gerontagogik: Wer führt die Greise?

Bereits 1962 sprach der Pädagoge Otto Friedrich Bollnow (1962) von der Gerontagogik, von der 'Führung der Greise'. Hierunter verstand er die Lehre von der 'Erziehung' alter Menschen:

Geront-agogik = Führung der Greise

Er erachtete es nicht als ausreichend, den Senioren auf der einen Seite medizinische Hilfen anzubieten, die darauf hinzielen einzelne Beschwerden zu erleichtern, bzw. auf der anderen Seite durch Unterhaltungsangebote hiervon abzulenken. Vielmehr argumentierte der Autor, dass es notwendig sei Hilfen anzubieten, die den Einzelnen befähigen, sein Alter selbstständig und sinnvoll zu gestalten. Diesen Prozess bezeichnete er als Erziehung alter Menschen und umschrieb ihn mit dem Begriff Gerontagogik.

Auch Bollnow musste sich mit dem Einwand auseinander setzen, dass es unsinnig sei, von einer Erziehung alter Menschen zu sprechen, da nur die Heranwachsenden form- und erziehbar seien, dass alte Menschen hingegen ihre Persönlichkeitsentwicklung schon längst abgeschlossen hätten und in ihrem Wesen fast erstarrt seien. Die Senioren, so hieß es, seien höchstens noch pflegerisch zu betreuen.

Eine solche Kritik verkennt aber das tatsächliche Anliegen der alten Menschen: Wenn uns die Erfahrung lehrt, dass ein großer Teil der Senioren nicht in der Lage ist, sich mit den Fragen des Alters und des Alterns kompetent auseinander zu setzen, so kann eine mögliche Hilfe sich nicht auf die Linderung körperlicher und seelischer Beschwerden beschränken. Vielmehr sollen die Betroffenen befähigt werden, sich mit ihrem Alter aktiv auseinander zu setzen und zu einer sinnvollen Erfüllung der darin liegenden Möglichkeiten angeleitet werden

Wollte Otto Friedrich Bollnow den alten Menschen Hilfen bei der Auseinandersetzung mit ihrem Alter anbieten, so wird die 'Erziehung alter Menschen' in der Umgangssprache doch meist als etwas Negatives gesehen.

"Es dauert lange, bis ich meine Eltern richtig erzogen hatte", sagte eine Klientin in der Sprechstunde zu ihrem Therapeuten. Solche Äußerungen lassen vermuten, dass die alten Menschen hier zu Unmündigen, Abhängigen geworden sind, die - gleich kleinen Kindern - "erzogen" werden (vergl. Kemper, 1989, S. 188).

Tatsächlich beschreibt Erziehung aber etwas ganz anderes als die Manipulation der zu Erziehenden durch einen Erzieher!

3.1.2 'Erziehung' als Bildungshilfe

Erziehung ist im Leben allgegenwärtig und untrennbar mit der Entwicklung des Menschen zu Selbstständigkeit und Selbstbestimmung verbunden. Sie meint immer mehr als eine reine Informationsvermittlung: Unter dem Begriff Erziehung werden alle Hilfen zusammengefasst, die dem Menschen von frühester Kindheit an zuteil werden,

- um ihm eine selbstbestimmte und selbstverantwortete Lebensführung zu ermöglichen. *Erziehungsziele*
- um zu einem selbstständigen Denken, Fühlen, Werten und Handeln gelangen zu können.
- um seine Persönlichkeit ausbilden zu können (Persönlichkeits-Bildung).

Erziehung meint nichts anderes als den Prozess, durch den einzelne Gesellschaftsmitglieder die Persönlichkeitsentwicklung anderer beeinflussen, die hierauf durch Anpassung oder Widerstand reagieren (können). *Persönlichkeitsbildung*

Abb. 1
ATL-Folien-
vorlagen
Kommunizie-
ren
Brigitte Kunz
Verlag
Folie 67

Exkurs 1: Erziehung und Sozialisation

Rollentheorie

Grundbegriffe

☑ **Sozialisation**
- ☞ hineinwachsen des Menschen in die Gesellschaft und die daraus resultierende Übernahme gesellschaftlicher Rollen, Normen & Werte

- ☞ Differenzierung in:
  - ♦ primäre Sozialisation durch die Familie
  - ♦ sekundäre Sozialisation durch Schule, Beruf etc.

☑ **soziale Norm & Werte**
- ☞ Verhaltensregeln, die durch die Gesellschaft, Umfeld etc. aufgestellt & kontrolliert werden
- ☞ Differenzierung in:
  - ♦ geschriebenes Recht
  - ♦ Sitte, Ethik & Brauchtum
  - ♦ Umgangsformen

☑ **Sanktionen**
- ☞ jegliche Art von Reaktion auf ein bestimmtes Verhalten
- ☞ Differenzierung in:
  - ♦ positive Sanktionen: Geld, Beförderung, Liebe
    - ⇨ Belohnung für erwünschtes Verhalten
  - ♦ sanktionsfreie Zone: ohne Reaktion
    - ⇨ akzeptiertes durchschnittliches Verhalten
  - ♦ negative Sanktionen: Konflikte, Abwertung
    - ⇨ Bestrafung für unerwünschtes Verhalten

Der Mensch ist als neugeborenes Kind in viel größerem Umfang auf Hilfen angewiesen als die meisten Tiere, so dass er als *physiologische Frühgeburt Mensch* oder als *Nesthocker* bezeichnet wird. Erwachsene, vor allem die Eltern, bieten aber nicht nur biologische Hilfe bei der Aufzucht (Futterversorgung, Sauberhalten, ...) an, die Beschäftigung mit dem Kind gerät zur *Erziehung*: sie vermitteln dem Kind, wie es sich (als Kind, aber auch später als Erwachsener) zu verhalten hat: Kinder lernen, was zum (Über-) Leben in einer Gesellschaft notwendig ist. Sie erlernen ihre Muttersprache, sie werden mit den geltenden Werten und Normen vertraut gemacht. Dieser gesellschaftliche Lernprozess wird als Sozialisation bezeichnet.

Der Begriff *Sozialisation* beschreibt den Prozess, in dem ein Mensch, der sich viele Verhaltensmöglichkeiten aneignen könnte, ein wesentlich kleineres Verhaltensrepertoire ausbildet, das den Wertvorstellungen der Gesellschaft, in der er lebt, angemessen ist.

Diese Werte und Normen und die damit verbundenen Erwartungen, wie der Einzelne sich zu verhalten hat, nimmt der Heranwachsende aber nicht nur als äußeren Zwang wahr, sie werden "in ihn hineingenommen", sie werden *internalisiert* und als Richtschnur eigenen Handelns übernommen.

Im Rahmen dieser Prozesse von äußerer Vermittlung (Sozialisation) und innerer Übernahme (Internalisation) erlangt der Einzelne die Fähigkeit, selbstständig zu handeln und so zu einem sozialen, gesellschaftlichen Wesen heranzuwachsen.

Exkurs 1.1 Sozialisationsprozess und Erziehung

Während der ersten 5 bis 6 Lebensjahre erhält das Kind in der Familie seine grundsätzliche Prägung. Diese erste Phase wird als *primäre Sozialisation* bezeichnet. In der zweiten Sozialisationsphase (*sekundäre Sozialisation*) tritt das Kind in Freundesgruppen, Kindergärten, Schulen und vergleichbare Einrichtungen. Das Hineinwachsen des Menschen in eine bestehende gesellschaftliche Umwelt bleibt nicht auf bestimmte Lebensalter beschränkt. Erwachsene treten in Kontakt zu Ausbildungsstätten, Betrieben, Kirchen, Bekannten, Vereinen, ... Während des ganzen Lebensvollzuges verlangen soziale Gruppierungen neu hinzugekommenen Mitgliedern immer wieder Anpassung an die vorherrschenden Verhaltensnormen ab.

Primäre und sekundäre Sozialisation

Im Rahmen einer groben Unterscheidung wurde zunächst nur zwischen diesen beiden Sozialisationsphasen unterschieden, wobei jede nicht-primäre als sekundäre Sozialisation bezeichnet wurde. Angesichts der anders gestalteten Sozialisationsbedingungen und -prozesse im fortgeschrittenen und höheren Erwachsenenalter wird hier oft von *tertiärer* (in der Phase der Berufstätigkeit) und *quartärer Sozialisation* (in der nach-beruflichen Lebensphase) gesprochen.

Tertiäre und quartäre Sozialisation

Das, was als *Sozialisation* bezeichnet wird, geht weit über das hinaus, was man gemeinhin mit *Erziehung* bezeichnet. Während der Begriff *Sozialisation* den sozialen Entwicklungsprozess des Menschen, seine Sozialwerdung schlechthin, meint, wird mit dem Wort Erziehung ein ganz bestimmtes Spektrum von Einflüssen auf den Zu-Erziehenden, Erzogenen bezeichnet:

Erziehungsprozesse finden in der Regel zwischen Personen statt; sie meinen diejenigen Hilfen, die Menschen anderen zukommen lassen, um diese zu einer größeren Mündigkeit zu leiten. Diese Art von Beziehung zeichnet sich - anders als Liebe oder Freundschaft - durch ein Mündigkeitsgefälle aus: der Mündige leitet den Unmündigen. Für diese Beziehungsform ist der Begriff **pädagogischer Bezug** gebräuchlich (vergl. Potthoff, Wolf, 1974, S. 54 ff).

Pädagogischer Bezug

Dieser pädagogische Bezug bleibt auch dann gegeben, wenn Erziehende und Zu-Erziehende nicht persönlich miteinander in Kontakt treten. Wollte man den Erziehungsprozess auf das persönliche Geschehen einengen, so wäre dies eine willkürliche Einengung, meint der Sozialpädagoge Klaus Mollenhauer (1979, S. 21 ff). Sofern sich die Absicht eines Erziehenden (eine pädagogischen Willenserklärung) darin niederschlägt, eine soziale oder räumliche Umwelt so zu gestalten, dass dadurch die Entwicklung anderer in einer ganz bestimmten Weise beeinflusst wird, so schlägt sich auch in diesem Tun ein pädagogischer Bezug nieder - unabhängig davon, ob sich die Beteiligten persönlich gegenübertreten oder nicht.

So muss die bewusste Neugestaltung eines Flures, um beispielsweise bessere Orientierung zu ermöglichen, oder eine stimulierende Atmosphäre zu schaffen, als Umsetzung erzieherischen Wollens beschrieben werden.

Intentionale und funktionale Erziehung
☞ Kap. 3.1.5
S. 50 f

Erziehung kann demnach als interpersoneller - sich zwischen Personen gestaltender - **geplanter** (intentionale Erziehung) oder **nicht geplanter** (funktionale Erziehung) Teil des Sozialisationsprozesses beschrieben werden.

Die Entwicklungsmöglichkeiten (nicht nur eines Kindes) hängen von drei grundsätzlich voneinander zu unterscheidenden Faktoren ab:

ökonomische Faktoren

- Wie viel Geld steht einem Menschen zur Verfügung? Inwieweit werden Entwicklungsmöglichkeiten hierdurch beschränkt oder gestärkt?

- Verfügt er über die finanziellen Möglichkeiten, am sozialen Leben teilzunehmen?

- Sind die Betreffenden als Sozialpartner attraktiv? (Können sie z.B. kleine Geschenke machen und Aufmerksamkeiten erweisen?)

ökologische Faktoren

- Wie sind die Wohnverhältnisse einzuordnen?

- Ist es möglich, die Wohnung zu verlassen (ebenerdiger Zugang oder Aufzug bei Körperbehinderung)?

- Sind Einrichtungen des sozialen Lebens erreichbar?

kulturelle Faktoren

- In welchen Werte-Systemen lebt ein Mensch?

- Was wird in einer Gesellschaft von ihm erwartet, was traut man ihm zu?

- Wie gehen Menschen miteinander um? Welche Regeln des Sozialen Umgangs gelten?

Inwieweit wird die Sozialisation älterer Menschen durch diese drei Faktoren beeinflusst. Erläutern Sie dies anhand konkreter Beispiele!

 ?

 !

Exkurs 1.2   Soziale Rollen

Nehmen Sie einmal an, Sie haben sich in einer Senioreneinrichtung beworben und werden von der Heimleiterin zu einem Vorstellungsgespräch eingeladen. Wenn Sie Ihrer zukünftigen Vorgesetzten gegenübertreten, sind Sie sicher neugierig, mit wem Sie es zu tun haben. Das Schreiben, das Sie erhalten haben hat eine Frau Müller unterschrieben, so dass Sie nun schon über einige Informationen verfügen:

- Die Heimleitung wird von einer Frau wahrgenommen, die mit Familiennamen Müller heißt.

- Frau Müller ist ca. 40 Jahre alt.

- Sie trägt einen Ehering; sie ist sehr wahrscheinlich verheiratet.

- Auf dem Schreibtisch stehen drei gerahmte Fotografien: ein Mann, ca. 40 Jahre alt (wahrscheinlich "Herr Müller") und zwei Kinderbilder: Frau Müller ist wahrscheinlich Mutter von zwei Kindern.

Mit diesen Informationen ist Ihnen Ihr Gegenüber nicht mehr ganz unbekannt; aber alles was Sie wissen unterscheidet Frau Müller nicht grundsätzlich von anderen Menschen. Ihre Informationen beschränken sich nur darauf, welche Stellungen bzw. welche Positionen Frau Müller einnimmt und zu welchen anderen Positionen sie in Beziehung steht:

- Frau Müller ist verheiratet; sie ist eine Ehefrau (Position) und hat eine Beziehung zu ihrem Ehemann (Position).

- Frau Müller ist Mutter (Position) von zwei Kindern und steht in Beziehung zu einem Sohn (Position) und einer Tochter (Position).

- Frau Müller ist Heimleiterin (Position) und steht in Beziehung zu Geschäftsführung (Position), Pflegedienstleitung (Position), den Bewohnern der Einrichtung (Positionen), den Ärzten (Positionen), ... Eine Liste, die sich beliebig verlängern ließe.

 Als **Positionen** werden hier alle Orte in einem Feld sozialer Beziehungen bezeichnet.

Obwohl Sie nun über einige Informationen verfügen, wissen Sie vieles noch nicht über Frau Müller:

- Sie wissen nicht, ob sie eine liebevolle oder eine hartherzige Mutter ist.

- Sie wissen nicht, ob sie als Vorgesetzte einen kooperativen oder einen autoritären Führungsstil pflegt.

Was Sie sehr wohl wissen, ist was von Frau Müller erwartet wird, wenn sie eine bestimmte Position einnimmt.

| Welche Erwartungen werden an die Position "**Mutter**" herangetragen? Wer hat diese Erwartungen? Welche Erwartungen werden an die Position "**Heimleiterin**" herangetragen? Wer hat diese Erwartungen? |

Zu jeder Position, die ein Mensch einnimmt, gehören spezifische Erwartungen, die an denjenigen herangetragen werden, der diese Position einnimmt. Diese Erwartungen werden als **soziale Rollen** bezeichnet: Zu jeder sozialen Position gehört eine soziale Rolle!

 Soziale Rollen sind **Bündel von Erwartungen**, denen sich die Träger von Positionen - in einer bestimmten Gesellschaft - gegenübersehen; sie sind der **dynamische Aspekt** der Position!

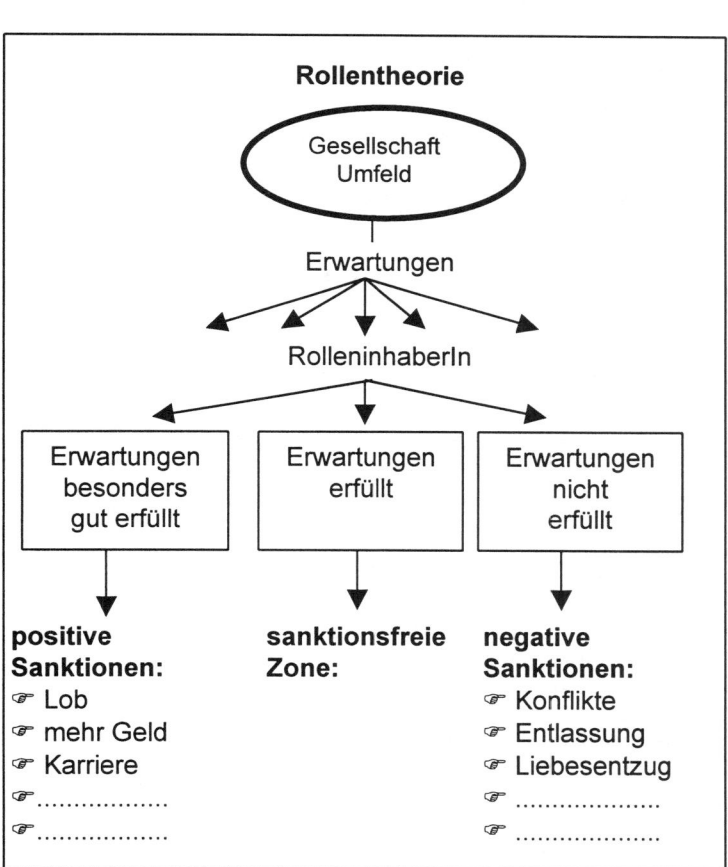

Abb. 2
ATL-Folien-
vorlagen
Kommunizie-
ren
Brigitte Kunz
Verlag
Folie 66

Diese Ansprüche beziehen sich

- zum einen auf das Verhalten, das der Positionsträger zeigen soll-te (*Rollenverhalten*),

- zum anderen auf sein Aussehen und seinen "Charakter" (*Rol-lenattribute*).

Rollenerwartungen müssen von Wünschen, die an konkrete Personen herangetragen werden, unterschieden werden. Soziale Rollen sind an gesellschaftliche Positionen geknüpft, nicht an Personen; sie sind die "Drehbücher", an denen diese ihr Verhalten ausrichten sollten: Die an die Position *Heimleiterin* geknüpften Rollenerwartungen sind unabhängig von der Person *Frau Müller*. Auch wenn diese kündigt und eine andere Person, die Position einnimmt, bleiben die Rollenerwartungen zunächst unverändert.

Die Rollenerwartungen werden nicht von einzelnen Personen, sondern von der Gesellschaft definiert. Die individuellen Wünsche einzelner Mitarbeiter nach großzügigen Urlaubsregelungen sind nicht als soziale Rollenerwartungen zu verstehen!

Soziale Rollen beschreiben erwartetes Verhalten; wie sich der Einzelne in einer konkreten Situation verhalten wird, ist den Rollen nicht zu entnehmen: er kann sich rollenkonform oder aber auch abweichend verhalten.

Rollen als gesellschaftliche Erwartungen sind mit sozialen Zwängen verbunden: Wer seine Rolle nicht spielt, wird bestraft; wer sie spielt wird belohnt, zumindest aber nicht bestraft. Der Soziologe Ralf Dahrendorf (1974, S. 36 ff) unterscheidet drei unterschiedliche Formen von Erwartungen, die sich vor allem durch die Sanktionen (Belohnungen, Bestrafungen), die mit ihnen verbunden sind, unterscheiden.

Muss-Erwartungen

Ein typisches Beispiel für **Muss-Erwartungen** ist das Rechtssystem. Die zugeordneten Sanktionen sind ausschließlich negativer Natur: Wer mit dem Gesetz in Konflikt gerät, muss mit empfindlichen Strafen rechnen; wer Gesetze befolgt, kann mit keinen positiven Zuwendungen rechnen.

 ?

☺ !

Soll-Erwartungen

Welche Rollenerwartungen im Berufsfeld "Altenpflege" sind gesetzlich fixiert? Welche Sanktionen haben diejenigen zu erwarten, die diese Erwartungen nicht erfüllen?

Darüber hinaus existieren jedoch Erwartungen, die - bei Übertretung - die Betroffenen noch nicht mit dem Gesetz in Konflikt bringen, die aber dennoch mit gewichtigen Sanktionen verknüpft sind: Ein Arbeitgeber kann einen Mitarbeiter entlassen, ein Verein kann ein Mitglied ausschließen, eine Kirche kann einzelne Mitglieder mit einem Bann belegen. Neben den Muss-Erwartungen gibt es noch die so genannten **Soll-Erwartungen**, deren Verbindlichkeit kaum geringer ist als die der Muss-Erwartungen.

Die zu erwartenden Sanktionen bei nicht rollenkonformem Verhalten sind gleichfalls meist negativer Natur (Ausschluss); wenngleich derjenige, der den Erwartungen nachkommt sich zumindest der Sympathie seiner Mitmenschen sicher sein kann: auf ihn ist Verlass; er ist vorbildlich!

Welche Sollerwartungen werden an eine Altenpflegerin / einen Altenpfleger in der stationären Altenpflege herangetragen?

 ?

 !

Kann-Erwartungen

Wer einer dritten Art von Rollenerwartungen, den **Kann-Erwartungen**, nachkommt, darf vor allem auf positive Sanktionen hoffen. Wer sein Augenmerk nicht nur den Muss- und Sollerwartungen schenkt, sondern darüber hinaus noch "ein Übriges" tut, kann sich der Wertschätzung seiner Mitmenschen sicher sein; wer stets nur das Notwendigste tut, wer seinen Verpflichtungen "nach Vorschrift" nachkommt, muss in seinem Leben Möglichkeiten gefunden haben, die Geringschätzung bzw. mangelnde Wertschätzung anderer kompensieren zu können.

Die mangelnde Bereitschaft, mit Kollegen und Kolleginnen im Einzelfall den Dienst zu tauschen, die Nicht-Beteiligung an Geburtstags- und Kaffeekassen, die Verweigerung der Teilnahme an betrieblichen Aktivitäten (Betriebsausflüge, Betriebsfeste, gemeinsames Verbringen der Pausen) lässt weder gesetzliche Konsequenzen fürchten, noch wird dieses Verhalten die Kündigung nach sich ziehen. Wohl aber können sich die Betroffenen offener Antipathie gewiss sein.

	Art der Sanktion :		Beispiel:
Art der Erwartung	positiv	negativ	AltenpflegerIn
Musserwartung	-	gerichtliche Bestrafung	Einhalten der Schweigepflicht
Sollerwartung	(Sympathie)	sozialer Ausschluss	Einhalten der Hausordnung
Kann-Erwartungen	Schätzung	(Antipathie)	Beteiligung an der Geburtstagskasse

Welchen Kann-Erwartungen sehen sich Altenpfleger in Ihren Arbeitsfeldern gegenüber?

 ?

 !

Exkurs 1.3   Rollenkonflikte

Abb. 3
ATL-Folien-
vorlagen
Kommunizie-
ren
Brigitte Kunz
Verlag
Folie 68

Rollentheorie

Grundbegriffe

☑ **Rolle & Rollenkonflikt**
  ☞ jeder von uns übernimmt Haupt- & Nebenrollen,
  an die unterschiedliche Erwartungen geknüpft sind
  ☞ wenn diese Erwartungen nicht miteinander
  harmonieren, kommt es zum Rollenkonflikt

☑ **Differenzierung in:**

  ☞ **Interrollenkonflikt**
  ◆ Erwartungskonflikt zwischen zwei & mehreren Rollen
  ◆ Beispiel:
    ⇨ Berufsrolle: Abteilungsleitung
    ⇨ Privatrolle: Tochter, Ehefrau, Vereinsmitglied

  ☞ **Intrarollenkonflikt**
  ◆ Konflikt, der dadurch entsteht, dass andere Personen
  gegensätzliche Forderungen an die Rolle bzw. den Rol-
  leninhaber stellen
  ◆ Beispiel
    ⇨ RolleninhaberIn: Abteilungsleitung
    ⇨ Erwartung vonseiten der Institution: reibungsloser
    Ablauf, auch bei knapper Planstellenbesetzung
    ⇨ Erwartung vonseiten der MitarbeiterInnen: optimale
    Gestaltung der Arbeits- & Freizeitperioden unter Be-
    rücksichtigung der individuellen Wünsche

Werden an den Inhaber einer Position unterschiedliche, nicht miteinander zu vereinbarende Erwartungen herangetragen, so wird von
Rollenkonflikten gesprochen. Zwei Formen von Rollenkonflikten werden unterschieden:

- **Inter-Rollen-Konflikte**
  Konflikte, die sich aus den unterschiedlichen Rollen ergeben, die ein Mensch zu spielen hat.

- **Intra-Rollen-Konflikte**
  Konflikte, die daraus resultieren, dass die Erwartungen, die von verschiedenen Seiten an eine Position herangetragen werden, höchst unterschiedlich sind.

Exkurs 1.3.1 Inter-Rollenkonflikte

Menschen nehmen nicht nur eine Position ein, vielmehr besetzen sie eine Vielzahl unterschiedlicher Positionen. Erwartungen, die an eine Position herangetragen werden, können durchaus in Widerspruch zu den Erwartungen an eine andere Position stehen.

Widersprüchliche Erwartungen

Position A   Position B

Frau Müller ist sowohl Ehefrau und Mutter (Position 1 und 2) als auch Heimleiterin (Position 3). Möglicherweise sind die positionsgebundenen Rollenerwartungen nicht miteinander in Einklang zu bringen: Als "Privatfrau" sieht sie sich mit den Anforderungen, sich ihrer Familie zu widmen, konfrontiert; im Widerspruch dazu stehen möglicherweise die Erwartungen von MitarbeiterInnen und Vorgesetzten, in Notfällen 24 Stunden ansprechbar zu sein und dienstliche Verpflichtungen über das Familienleben zu stellen.

Exkurs 1.3.2 Intra-Rollenkonflikte

Vorge-   Positions-   Bewoh-   -
setzte(r)   inhaber(in)   ner(in)

Nicht selten werden unterschiedliche Erwartungen an eine Position gerichtet. So kann die Berufs-Rolle ***Altenpfleger*** von Vorgesetzten und von den zu Betreuenden durchaus unterschiedlich definiert werden. Verlangen Heim- und Pflegedienstleitung eine rationelle, Zeit sparende und kostengünstige Pflege, die an "abrechenbaren" Versicherungsleistungen orientiert ist, erwarten die alten Menschen Zeit für ein persönliches Gespräch und individuelle Zuwendung.

eigenes Rollenverständnis

Positionsinhaber(in) Vorgesetzte(r)

Eine besondere Spielart des Rollenkonfliktes liegt vor, wenn die von außen an die Position herangetragenen Rollen, nicht mit den Erwartungen in Einklang zu bringen sind, die der Positionsinhaber selber formuliert: So sieht ein Altenpfleger möglicherweise in der psychosozialen Betreuung alter Menschen den Schwerpunkt seiner Arbeit, wohingegen seine Vorgesetzten eine "kostengünstige" Pflege in den Vordergrund stellen.

Der Einzelne kann sich auch selbst überfordern, wenn er sich mit Anforderungen konfrontiert, denen er nicht gewachsen ist.

Überforderung   Altenpflegekräfte können sich mit ihrem eigenen Rollenverständnis überfordern,

* wenn sie von sich Leistungen erwarten, die während der begrenzten Arbeitszeit nicht zu erbringen sind,

* wenn sie sich so mit den Problemen alter Menschen identifizieren, dass sie dies psychisch nicht bewältigen können,

* wenn sie Erwartungen an ihre Arbeit stellen, die mit alten Menschen nicht umzusetzen sind.

Exkurs 1.3.3   Rollenkonflikte: Bewältigungsstrategien

Mit Rollenkonflikten konfrontiert, können Betroffene auf unterschiedliche Strategien der Bewältigung zurückgreifen (vergl. Witterstätter, 1992, S. 31f; Wössner, 1974, S. 87f).

Hinauszögern

Möglicherweise wird eine Entscheidung zunächst einmal hinausgeschoben, um dem Konflikt vorübergehend auszuweichen. Da dieses "Zaudern" den Rollenpartnern nicht verborgen bleibt, wird dieses Verhalten nur vermehrte Aufmerksamkeit und Kontrolle nach sich ziehen

Abwägen

 Rollenerwartungen unterscheiden sich hinsichtlich ihrer Intensität: Personen oder Gruppen, die Rollenerwartungen formulieren, verfügen über unterschiedliche Möglichkeiten zu sanktionieren, d.h. rollenkonformes Verhalten anzuerkennen / zu belohnen und abweichendes Verhalten zu missbilligen / zu bestrafen.

Werden von BewohnerInnen und Vorgesetzten unterschiedliche Rollenerwartungen an eine Altenpflegerin herangetragen, so wird sie sich in der Regel an den Erwartungen orientieren, deren Nicht-Erfüllung für sie mit den größeren Sanktionen verbunden ist. Welche Sanktionen als die empfindlicheren empfunden werden, ist jedoch individuell unterschiedlich. So ist es denkbar, dass sie sich an den Erwartungen von Heim- und Pflegedienstleitung orientiert, da diese über ihre gesicherte berufliche Zukunft bzw. über ihre Karriere befinden; es kann aber auch sein, dass sie sich an den bewohnerseits vorgetragenen Erwartungen orientiert, da sie sich mit diesen stark identifiziert und sie persönliche Dankbarkeit höher bewertet als ihre berufliche Zukunft.

Orientierung am eigenen Rollenverständnis

 Als eine besondere Form des "Abwägens" muss die Orientierung am eigenen Rollenverständnis gewertet werden. Die Betroffenen werden sich an den Erwartungen orientieren, die dem eigenen Rollenverständnis entsprechen: Wer selbst in einer ökonomischen, kostenbewussten Pflege die einzige Möglichkeit sieht, langfristig die Versorgung und Pflege einer immer älter werdenden Gesellschaft, sicherzustellen, wird sich im Konfliktfall eher an den Vorgesetzten orientieren als jemand, der sein Verständnis von der Würde des Einzelnen in den Vordergrund seiner Arbeit rückt und sich den Senioren verbunden fühlt.

Neutralisieren von Rollenerwartungen

 Besteht die Möglichkeit, ein bestimmtes Verhalten von anderen zu erzwingen, so wird von Macht gesprochen. In einem sozialen Feld üben aber nicht alle Personen den gleichen Einfluss aus, so dass es sinnvoll ist, die Sanktionsmöglichkeiten der Rollenpartner gegeneinander abzuwägen. Unter bestimm-

ten Voraussetzungen können sich widersprüchliche Rollenerwartungen gegenseitig aufheben, so dass es dem Betroffenen möglich wird eigene Wege zu gehen. Die Konfrontation mit - im Widerstreit liegenden - unterschiedlichen Erwartungshaltungen ermöglicht dem Einzelnen u. U. einen größeren Freiraum als die direkte Abhängigkeit von nur einer Person oder einer Gruppe!

Jedes Kind konnte die genüssliche Erfahrung machen, dass mögliche Entscheidungen des Vaters bei entgegengesetzter Meinung der Mutter (oder umgekehrt!) aufgehoben waren.

Abschirmung des Rollenverhaltens (gegenüber Beobachtung)

 Wenn - unter bestimmten Rahmenbedingungen - das Handeln einer Person von anderen nicht wahrgenommen werden kann, so sieht sich diese nicht mit möglichen widersprüchlichen Erwartungshaltungen konfrontiert.

Das Handeln bestimmter Berufsgruppen vollzieht sich abgeschirmt von Beobachtung und Kontrolle durch Dritte. Wäre es z.B. Ärzten und Priestern freigestellt, über Dinge zu reden, die ihnen anvertraut wurden, so sähen sie sich sehr bald unterschiedlichen Erwartungshaltungen ausgesetzt, die an sie herangetragen würden: Die Erwartungen vonseiten der Patienten und Gläubigen (Vertraulichkeit und Verschwiegenheit) würden den Erwartungen bestimmter Personen und Gruppen gegenüberstehen, die an einer Veröffentlichung und Weitergabe bestimmter Informationen interessiert sind (z.B. Arbeitgeber, Staatsorgane, ...). Schweigepflicht und Beichtgeheimnis sollen Ärzte und Priester vor möglichen Rollenkonflikten schützen, die dann - zum Nachteil von Patienten und Gläubigen - im Sinne einer Orientierung an den "sanktionsfähigen Sozialpartnern" gelöst würden.

?
!

| Konnten Sie bereits einmal feststellen, wie Pflegende oder zu Pflegende Rollenkonflikte durch Abschirmung ihres Verhaltens begegneten? |

Gegenseitige soziale Unterstützung

 Positionsinhaber sind selten wirklich isoliert: Auch andere Personen sind mit gleichen oder ähnlichen Rollenkonflikten konfrontiert. Wenn die gemeinsamen Interessen erkannt werden, besteht die Möglichkeit, eigene Vorstellungen gemeinsam mit anderen durchzusetzen.

Beschränkung des Rollenfeldes

 Im Einzelfall mag es zunächst sinnvoll erscheinen, die Rollenbeziehung zu einer Position oder Gruppe abzubrechen. Dieser Weg ist aber nur im Einzelfall praktikabel.

Aus dem Weg gehen

Rollen werden nicht nur "gespielt". Sie werden erlernt und geben dem Einzelnen seine **soziale Identität**. Verliert er seine Rollen, so ist davon auch seine soziale Identität betroffen! Der rollenlose Mensch, so sagt der Soziologe Ralf Darendorf (1974, S. 57f), ist für die Gesellschaft ein nicht-existierendes Wesen.

Rollen geben ...

Normen und Leitbilder haben für den Einzelnen eine Orientierungsfunktion. Menschen sind **soziale Wesen**; sie empfinden es als belastend, wenn Norm-Vorschriften als Orientierungshilfen nicht vorzufinden sind.

Orientierungshilfen

Einen Zustand der Normen- und Richtungslosigkeit bezeichnete der französische Soziologe Emile Durkheim (1848 - 1917) als *Anomie*. Durkheim prägte den Begriff des **anomischen Selbstmords** : Besitzen die Werte einer Gesellschaft keine Kraft mehr, so ist dieser Zustand ohne verbindliche Ordnung nicht nur für die Gesellschaft, sondern auch für den Einzelnen tödlich. Eine Zunahme von Selbstmorden und Scheidungen konnte Durkheim in seinen Studien mit anomischen Strukturen in Verbindung bringen.

Anomien

Orientierungsverlust und Suizid

Exkurs 1.4   Besondere Aspekte der "Altersrolle"

Im Alter werden zunehmend Positionen - und die damit verbundenen Rollen - aufgegeben, aber nur wenige neue Rollen werden den Senioren bereitgestellt. Der Sozial-Gerontologe Rudolf Schenda (1972, S. 108) beschreibt bereits 1972 die soziale Situation alter Menschen sehr eindrucksvoll:

Positions- und Rollenverluste

Der Alte hat seine Funktionsfähigkeit im Arbeitsprozeß verloren und damit die Grundlage für eine verhaltenssichernde Rolle auch im Pensionierungsalter. Mit der Autorität verliert der Alte auch die Rolle der Respektperson. In der Anonymität der Großstadt kann von einer Partnerrolle keine Rede mehr sein, und das vor allem nicht nach dem Verlust der Arbeitspartner im Betrieb. Neue Partner zu finden ist dann äußerst schwierig - selbst in einem Altenheim gibt es Kontaktschwierigkeiten. An die Rentner stellt die Gesellschaft keine Rollenerwar-

Respektperson

Partnerrolle

Berufsrolle

tungen mehr und da umgekehrt der Alte keine Rollenerwartungen, außer die, genügsam und gefügig zu sein, mehr erfüllen kann, sinkt sein Status, sinkt sein Prestige, sinkt seine Sicherheit und auch seine Selbsteinschätzung.

Erwartung

☞ **Kap. 5.1.2**
S. 119

Die Position des alten Menschen geht mit negativen Erwartungen wie *Passivität, Verlust intellektueller Leistungsfähigkeit, Rigidität, Nutzlosigkeit, Sozialschmarotzertum, Missmut und Missgunst* (die Liste ließe sich noch beliebig verlängern) einher. Wird dem Einzelnen im Sozialisationsprozess von Kindes Beinen an die Anpassung an gesellschaftliche Erwartungshaltungen nahe gelegt, so vermag dieses negativ gefärbte Fremdbild - bei ungünstigen Rahmenbedingungen - allzu leicht zum eigenen Selbstbild zu werden und die sozialen Beziehungen zu Dritten zu belasten: Sich selbst "minderwertig" empfindende Personen neigen viel stärker dazu (echte oder vermeintliche) Schwächen anderer wahrzunehmen und zu attackieren als solche mit einem gesunden Selbstwertgefühl (vergl. Lehr, 1979, S. 254).

Fehlende und negative Erwartungen

Die zum einen fehlenden zum anderen negativen Verhaltenserwartungen an den alten Menschen, gehen häufig mit Rückzug und Verhaltensunsicherheiten einher.

Desozialisation

Beschreibt der Sozialisationsbegriff das Erlernen des Rollenspiels als Hineinwachsen in die Gesellschaft, so wird die Ausgliederung aus sozialen Gruppen und Beziehungssystemen als **De-Sozialisation** bezeichnet.

Vor dem Hintergrund der Wichtigkeit des sozialen Rollenspiels für die Sicherung der sozialen Identität, muss der mit dem Alter einhergehende Prozess des **Rollenverlustes** durch einen **Rollenwechsel**, der das Erlernen und das Übernehmen neuer Rollen einschließt, ersetzt werden.

Dem Beruf des Altenpflegers / der Altenpflegerin   kommt hier die Funktion eines / einer Sozialisationsagenten / -agentin zu : Den alten Menschen sollen Hilfen bei der Integration in neue Situationen, beim Erlernen neuer Rollen angeboten werden.

Welche Positionen stehen alten Menschen in unserer Gesellschaft noch offen? Welche Rollen-Erwartungen sind mit diesen Positionen verknüpft? Können die Senioren diese Erwartungen erfüllen, oder müssen die geforderten Formen von Rollen-Verhalten ganz (oder teilweise?) neu gelernt werden?

3.1.3 'Bildung' und 'Erziehung'

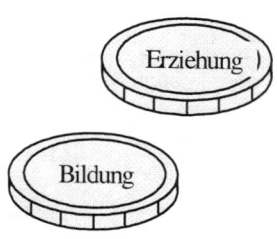

Die Begriffe Bildung und Erziehung beschreiben nur zwei Seiten der selben Medaille.

In seinem Gutachten zur Erwachsenenbildung definierte der "Deutsche Ausschuss für Erziehung und Bildungswesen" 1960, dass derjenige - im Sinne der Erwachsenenbildung - als gebildet anzusehen ist, der sich ständig bemüht, sich selbst, die Gesellschaft und die Welt zu verstehen und diesem Verständnis gemäß zu leben (vergl. Diakonisches Werk, 1979, S. 8). Für Ludger Veelken (1990, S. 39) hat Bildung die Aufgabe, den Menschen mit den Fähigkeiten auszustatten, die es ihm ermöglichen, sich in der politischen, sozialen und beruflichen Welt zurechtzufinden. Dieses Verständnis von Bildung zeigt eine große inhaltliche Nähe zum Kompetenz-Begriff.

Bildung kennzeichnet eine innere Haltung und Geformtheit des Menschen, das Bemühen einen eigenen Standpunkt (immer wieder neu!) zu finden; damit betont sie die Seite des Betroffenen: Bildung ist nach diesem Verständnis immer *Selbst-Bildung*.

Erziehung meint demgegenüber die Unterstützung dieses Bemühens von außen; sie ist *Bildungshilfe*.

Die einseitige Manipulation Heranwachsender, ist keine Erziehung, sondern Manipulation oder Dressur.

Wenn es in der Erziehung um die Ausformung einer inneren Haltung, um das Werden der Persönlichkeit geht, so ist offenbar, dass es sich hierbei nicht nur um ein beschränktes Sachlernen, um eine einseitige Informationsvermittlung geht:

Ein unangemessenes Verhalten (z.B. Schwierigkeiten auf andere Menschen zuzugehen) wird nicht nur durch einen Mangel an Informationen hervorgerufen; vielmehr ist es das Ergebnis der vielfältigen Lebenserfahrungen und unterschiedlichen Erlebnisse. Die Zielsetzung, Menschen zu befähigen, Gefühle zu äußern, Kontakte zu knüpfen, sich durchzusetzen, ist auch im Rahmen der Arbeit mit Erwachsenen und alten Menschen nicht mit einer Vermittlung von Informationen umzusetzen. Vielmehr müssen entsprechende positive Erfahrungen erst ermöglicht werden.

Marginalien:
Bildung: Befähigung zum Leben

☞ Kap. 2.2.1 S. 15

Erziehung

Dressur

3.1.4 Gerontagogik und Interventions-gerontologie

☞ Kap. 3.1.2
S. 33

Erziehung zielt auf die Entwicklung einer inneren Haltung, auf die aktive Stellungnahme des Erzogenen zu den angebotenen Bildungs-Hilfen; sie vollzieht sich in der Begegnung zwischen Menschen und schließt die Möglichkeit der 'Verweigerung' des anderen Partners mit ein.

Über die Ausbildung von Fähigkeiten und Fertigkeiten, die der Bewältigung konkreter Umweltanforderungen dienen, (Kompetenz) hinaus, beinhaltet Bildung aber noch das Bemühen, einen eigenen Standpunkt zu entwickeln, 'sich selbst zu verstehen und diesem Verständnis gemäß zu leben' und zu einem selbstbestimmten Leben zu gelangen.

☞ Kap. 2.2
S. 13 ff

Der Begriff *Interventionsgerontologie*, der Möglichkeiten der Einflussnahme auf das menschliche Verhalten im Rahmen der Gerontologie beschreibt und auf den Abbau unerwünschten und den Aufbau erwünschten Verhaltens hinzielt, hat für den Pädagogen Ludger Veelken (1990, S. 57) immer den Beigeschmack von abweichendem Verhalten, von Krankheit, Straffälligkeit und Auffälligkeit.

Die Interventions-Gerontologie geht auf die Erkenntnis zurück, dass Alterns-Prozesse von außen veränderbar sind. Der alte Mensch selbst wird hierbei allerdings zum Objekt der Betreuung und Behandlung. Ein als defizitär beschriebener Prozess soll durch ganz bestimmte Maßnahmen - der betreuenden / pflegenden Mitarbeiter - gestoppt oder abgeschwächt werden.

Eine bewusste Verweigerung der 'Behandelten' wird als Störfall eingestuft und nicht wie in der Erziehung als Möglichkeit individuellen Wachstums angesehen.

3.1.5 Funktionale und intentionale Erziehung

Ein Erziehungsprozess findet stets zwischen Menschen statt: Ein 'Erzieher' nimmt Einfluss auf das Verhalten und Erleben einer (oder mehrerer) Person(en). In der Erziehungswissenschaft wird zwischen intentionaler und funktionaler Erziehung unterschieden:

- Als intentional bezeichnet man Erziehungsprozesse, die bewusst, beabsichtigt und geplant sind. Zur *intentionalen Erziehung* gehört eine Zielplanung, in der das gewünschte Ergebnis beschrieben ist.

In welchen Situationen versuchen Sie in ihrem privaten Alltagsleben oder im Berufsleben bewusst Einfluss auf das Verhalten alter Menschen zu nehmen? ? !

- Viele Erziehungsprozesse sind aber nicht geplant; sie sind allgegenwärtig, werden aber niemandem bewusst. 'Erzieher' geben Beispiele, wirken als 'Vorbilder', sagen Dinge, die sich widersprechen - ohne es zu merken. Diese nichtbewussten Erziehungsprozesse werden als *funktionale Erziehung* bezeichnet.

Wie häufig kommt es vor, dass alten Menschen Verhaltensweisen abverlangt werden, die einer offiziellen Pflege-(ziel-) planung widersprechen? Fallen Ihnen hierzu Beispiele aus der Praxis ein? ? !

Das Leben in einer Einrichtung, wie in einem Alten- oder Pflegeheim, wird von einer großen Zahl sozialer Regeln, Regelungen und Routinen geprägt, die gelernt werden müssen, an die angepasst wird wenn der Einzelne Schwierigkeiten vermeiden will.

Finden Sie fünf Anpassungsleistungen, die alte Menschen bei Umzug in ein Altenpflegeheim erbringen müssen. ? !

Solange diese Erziehungsprozesse unbewusst bleiben, können Betreuer und Helfer nicht entscheiden, ob sie die Konsequenzen den alten Menschen wirklich zumuten müssen oder zumuten wollen. Zu einer verantwortungsbewussten 'Erziehung' gehört, die Folgen des eigenen Handelns zu hinterfragen.

3.2 Die Ausweitung des Begriffs: 'Geragogik'

Der 1962 von Otto Friedrich Bollnow geprägte Begriff 'Gerontagogik' konnte sich allerdings nicht durchsetzen. Gebräuchlicher ist ein Begriff, den Hilarion Petzold drei Jahre später in einer französisch-sprachigen Veröffentlichung wählte, in der er von *Geragogik* sprach.

Das, was Petzold mit Geragogik umschrieb, geht aber auch inhaltlich über die Ausführungen O. F. Bollnows hinaus. Wie wir noch sehen

☞ Kap. 5.1.3
S. 120 f

werden, wird der Grundstein für die Art und Weise, wie der Einzelne sein Alter vollzieht, bereits in der Kindheit und Jugend gelegt. Eine Auseinandersetzung mit Fragen des Alters schließt immer Fragen nach den Formen des Alterns, also nach den Formen wie der Einzelne alt wurde, mit ein. So beschäftigt sich die Geragogik nicht nur mit Fragen der 'Erziehung alter Menschen', sondern schließt alle pädagogischen Fragestellungen, die mit dem Altern zu tun haben, mit ein.

Geragogik ist jenes Teilgebiet, der Gerontologie und Erziehungswissenschaft, das sich in Forschung, Lehre, Theorie und Praxis mit allen Problemen, Lerninhalten und Lernprozessen befasst, die mit dem Altern und dem Alter zusammenhängen.

Es wäre falsch, Bildungsarbeit mit alten Menschen oder Alten-Bildung mit einer Auseinandersetzung mit den so genannten 'höheren Kulturgütern' gleichzusetzen. Vielmehr soll Bildung zur Bewältigung konkreter Lebenslagen, zur praktischen Lebensführung befähigen.

Lehrzielkatalog

Sie sollen ...

		vergl. Seite
1	die Begriffe "Pädagogik", "Andragogik" Gerontagogik" und "Geragogik" unterscheiden und erläutern können	32 51
2	den Begriff "Erziehung" als Prozess der Einflussnahme auf die Persönlichkeitsentwicklung beschreiben können	33
3	Selbstbestimmung, Selbstständigkeit und Persönlichkeitsentwicklung als Erziehungsziele nennen können	33
4	die Beziehung von "Bildung " und "Erziehung beschreiben können	49
5	"Bildung" als Bemühen um Verständnis von sich selbst, von der Gesellschaft und der Welt - als Befähigung zum Leben - beschreiben können.	49
6	die Begriffe "Gerontagogik" und "Interventionsgerontologie" voneinander abgrenzen können	50
7	Die Begriffe "Kompetenz" und "Bildung" voneinander abgrenzen können	50
8	zwischen intentionaler und funktionaler Erziehung unterscheiden und die Begriffe erläutern können	50 f

Lehrzielkatalog / Exkurs 1

		vergl. Seite
9	den Begriff *Sozialisation* beschreiben	35
10	den Begriff *Internalisierung* beschreiben und von der *Sozialisation* abgrenzen können	35
11	unterschiedliche Phasen der Sozialisation voneinander abgrenzen und beschreiben können	35
12	zwischen den Begriffen *Sozialisation* und *Erziehung* unterscheiden und die Unterschiede beschreiben können	35 f
13	drei verschiedene Arten von Einflüssen unterscheiden können, die die Entwicklungsmöglichkeiten eines Menschen beeinflussen	36 f
14	zwischen *Soziale Positionen* und *Soziale Rollen* unterscheiden und die Unterschiede beschreiben können	38
15	zwischen den Begriffen *Rollenverhalten* und *Rollenattribute* unterscheiden und die Begriffe beschreiben können	39
16	zwischen unterschiedlichen Erwartungsformen in der Sozialisationsforschung unterscheiden, diese Erwartungsformen beschreiben und anhand von Beispielen erläutern können	40 f
17	den Begriff *Rollenkonflikt* erläutern und zwei Formen von Rollenkonflikten unterscheiden können	42 ff
18	sieben unterschiedliche Formen des Umgangs mit Rollenkonflikten unterscheiden, diese erläutern und anhand von Beispielen erklären können	44 ff
19	die Positions- und Rollensituation des alten Menschen in unserer Gesellschaft beschreiben können	67 ff
20	zwei unterschiedliche Formen von Erwartungshaltungen, die älteren Menschen entgegengebracht werden, unterscheiden und diese anhand von Beispielen erläutern können	48
21	die Phase quartärer Sozialisation als Prozess der *Desozialisation* beschreiben können	48
22	den Begriff des *Sozialisationsagenten / der Sozialisationsagentin* beschreiben können	48
23	den Altenpfleger / die Altenpflegerin als Sozialisationsagenten / Sozialisationsagentin beschreiben können	48

Kapitel 3: Literaturverzeichnis

Bollnow, Otto Friedrich (1962)
Das hohe Alter
in: Neue Sammlung 2/1962

Diakonisches Werk der Evangelischen
Kirche in Deutschland [Hrsg.] (1979)
Bildungsarbeit [Reihe: "Hilfe für das
Alter"]
Stuttgart, 1979

Kemper, Johannes (1989)
Was heißt altern? - Psychotherapie in
der zweiten Lebenshälfte
München, 1989

Lehr, Ursula (1979)
Psychologie des Alterns
Heidelberg, 1979 (4. Aufl.)

Schenda, Rudolf (1972)
Das Elend der alten Leute
Düsseldorf, 1972

Veelken, Ludger (1990)
Neues Lernen im Alter - Bildungs- und
Kulturarbeit mit "Jungen Alten"
Heidelberg, 1990

Exkurs 1: Literaturverzeichnis

Dahrendorf, Ralf (1974)
Homo Sociologicus
Opladen, 1974 (14. Aufl.)

Mollenhauer, Klaus (1979)
Einführung in die Sozialpädagogik
Göttingen, 1979 (7. Aufl.)

Potthoff, Willi; Wolf, Antonius (1974)
Einführung in Strukturbegriffe der Er-
ziehungswissenschaft
Freiburg im Breisgau, 1974

Witterstätter, Kurt (1992)
Soziologie für die Altenarbeit
Freiburg im Breisgau, 1992 (8.
Aufl.)

Wössner, Jakobus (1974)
Soziologie
Wien u.a.O., 1974 (6. Aufl.)

4.   Das Konzept der *agogischen Aktion*

Der Wortteil "*agogik* in den Begriffen *Pädagogik, Andragogik, Ge-rontagogik*' und *Geragogik* bedeutet so viel wie etwas oder jeman-den "*führen*".

Ohne Vorsilbe wird unter *Agogik* die *Wissenschaft vom führenden Helfen* und *helfenden Führen* verstanden. Interventionsmaßnahmen, die in einzelnen Menschen oder in Gruppen von Individuen Verände-rungsprozesse initiieren sollen, werden als *agogische Aktion* be-zeichnet (vergl. Eirmbter, 1979, S. 104).

Zuweilen wird Agogik als Oberbegriff gewählt, der die Teildisziplinen Pädagogik, Andragogik und Gerontagogik einschließt.

☞ Kap. 3.1.1
S. 32

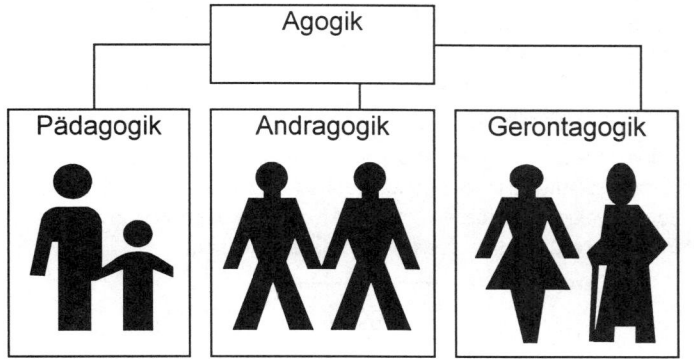

Agogik

Pädagogik   Andragogik   Gerontagogik

Abb. 4

In diesem Sinne steht Agogik als Oberbegriff für *agogische Akti-onen*, deren Zielgruppen sich hinsichtlich ihrer Altersstrukturen unter-scheiden.

Welche Altersstrukturen sind in pädagogischen, andragogischen bzw. gerontagogischen Maßnahmen anzutreffen?

 ?

 !

Wichtiger ist eine Differenzierung *agogischer Aktionen*, in der nicht hinsichtlich der Altersstruktur sondern hinsichtlich der Lebens- und Problemsituation der Zielgruppen unterschieden wird.

Agogische Aktionen können den Bereichen der *Bildungs-*, der *Be-ratungs-* bzw. der *therapeutischen Arbeit* zugeordnet werden.

Als *Bildungsarbeit* werden solche Angebote verstanden, die das In-dividuum zu einer selbstständigen und selbstbestimmten Lebens-

Bildungs-arbeit

führung befähigen sollen. Hier ist an die Vermittlung von Wissen, Kenntnissen, Verhaltenstechniken zu denken.

Beratung

Im Rahmen *sozialer Beratung* (oder sozialer Begleitung) ist an Maßnahmen zu denken, die den Einzelnen befähigen sollen konkrete Situationen zu bewältigen und sich sowohl individuell als auch gesellschaftlich Befriedigung zu verschaffen. Die Vermittlung und Erprobung neuer Rollen und Aktivitäten im Alter ist hier ebenso zu nennen wie die Vermittlung von Informationen über Ansprüche gegenüber Dritten. Angebote sozialer Beratung müssen greifen, bevor es zur Ausbildung unangemessenen, abweichenden Verhaltens kommt.

> Wodurch unterscheiden sich Bildungsmaßnahmen von solchen der sozialen Beratung?

Therapie

Missglückt das lebenslang abverlangte Bemühen, sich an gegebene (neue) Situationen anzupassen, erscheint der Einzelne nicht oder überangepasst, Eva Eirmbter (1979, S. 106f) spricht von *Situationen subnormalen Funktionierens*; hier sind konkrete therapeutische Hilfestellungen angezeigt.

In diesem Zusammenhang ist an die Verleugnung des eigenen Älterwerdens und Altseins ebenso zu denken und wie an das Scheitern bei der Bewältigung altersspezifischer Krisensituationen und das Auftreten regressiver und depressiver Verhaltensweisen.

Abb. 5

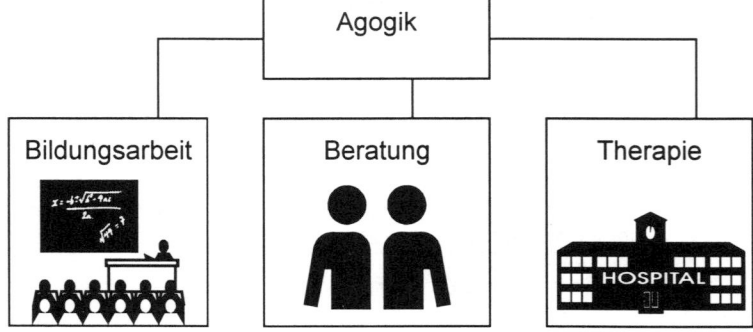

☞ Kap. 2.2
S. 14

> Bildungsarbeit, Beratung und Therapie als Teilbereiche der Agogik stehen als Angebote für Menschen in grundsätzlich anderen Lebens- und Problemsituationen. Können Sie diese Teilbereiche den drei Ebenen der Interventionsgerontologie zuordnen?

4.1 Bildungsarbeit mit alten Menschen

Als Bildungsarbeit im engeren Sinne werden organisierte Lern-Angebote bezeichnet, die darauf hinzielen, ein selbstbestimmtes Leben zu ermöglichen, die Kompetenzen einer Person zu steigern und zu festigen.

In der Regel werden die, der Selbstverwirklichung dienenden, Kenntnisse, Fähigkeiten, Fertigkeiten und Verhaltensmöglichkeiten in Form organisierter Gruppenveranstaltungen vermittelt und erarbeitet.

Da die traditionelle Erwachsenen- und Alten-Bildung nur einen relativ kleinen Teil der Senioren, nämlich Personen mit relativ hohem Schulabschluss, hohem Sozialstatus und gutem Gesundheitszustand, anzusprechen vermag, ist es nahe liegend, den subjektiven Wunsch nach Geselligkeit und dem Erleben von Gemeinsamkeit mit einer Bildungsabsicht zu verbinden: Auch in einer zwanglosen Atmosphäre bieten sich Ansatzpunkte zur Bildungsarbeit:

Im Rahmen offener, gelöster Gespräche können die Interessen der alten Menschen ausgelotet werden. Ihre Neigungen, Fähigkeiten und Bedürfnisse können aufgegriffen und möglicherweise an anderen Orten vertieft werden. Solchermaßen entstandene themenzentrierte Gesprächsgruppen vermitteln nicht das Gefühl, sich in einer 'Bildungsveranstaltung' zu befinden. Es gibt keine starre Trennung zwischen unverbindlichem 'Klönen' und 'Lernen' im Rahmen eines Gespräches; Altenbildung vollzieht sich im Kontext von Geselligkeit und Alltagskommunikation.

Bildungsarbeit und Geselligkeit

Altenbildung kann sich durchaus im Rahmen eines Altennachmittags mit Kaffee und Kuchen oder im Rahmen eines Klub-Abends mit Wein und Aufschnitt vollziehen. Einzelne Formen der Altenhilfe und Angebote der Altenbildung sind nicht strikt voneinander zu trennen - aber sie müssen - und das ist wichtig - unterschieden werden (vergl. Diakonisches Werk, 1979, S. 26).

Zur Bildungsarbeit gehören eine Lernabsicht, der Wille sich anzustrengen und die Bereitschaft sich fordern zu lassen. Im Rahmen von zwanglosen Gesprächen und nicht in Form steriler Vorträge, kann den Senioren vermittelt werden, dass sie mehr können, als bunte Nachmittage zu erleben, Kaffee zu trinken und Gesellschaftsspiele zu spielen.

Gerade diese Gespräche, in denen auch immer wieder das Recht und die Verpflichtung des Einzelnen, seine Erfahrungen an die Jüngeren weiterzugeben, aufgegriffen werden kann, vollziehen sich aber am Rande von Veranstaltungen und Seniorentreffs, 'gekrönt' mit der viel zitierten Tasse Kaffee oder dem frisch gezapften Glas Bier (vergl. Kastilan, 1981, S. 3).

| Haben Sie einmal Bildungsveranstaltungen für Senioren kennen gelernt? Wer war der Veranstalter? Aus welchen sozialen Schichten, Wohngegenden kamen die Teilnehmer? |

4.2   Psychosoziale Beratung in der Altenarbeit

Von Beratung sprechen wir, wenn in einer zwischenmenschlichen Beziehung eine Person (der Berater) einer anderen Hilfen zur Bewältigung ihrer Probleme zuteil werden lässt.

Informations-vermittlung

Psychosoziale Beratung

Beratung kann sich zum einen auf reine Informationsvermittlung beschränken (z.B. Rechtsberatung: 'Verfassung eines Testaments', 'Ansprüche gegenüber Dritten') kann aber auch als psychologischer Hilfeprozess, als tatsächliche Lebenshilfe, bei der Lösung von Problemen aus dem psychosozialen Bereich (z.B. bei Verlust des Partners; Aufgabe der Wohnung; Umzug in eine Senioreneinrichtung), aufgefasst werden.

| Haben Sie bereits einmal Senioren beraten? Welchen Rat suchten die alten Menschen? Wessen Beratung nahmen sie an, wessen Rat lehnten sie ab? Wenn Sie eine Beratungsstelle für alte Menschen einrichten müssten, über welche Fähigkeiten und Kenntnisse müssten Ihrer Meinung nach die BeraterInnen in einer solchen Institution verfügen? |

Zugehende Altenarbeit

Um die so genannten "bildungsungewohnten" alten Menschen, die Bildungseinrichtungen seit jeher fern blieben und fern bleiben, ansprechen zu können, haben sich **Modelle der zugehenden Altenarbeit** bewährt: Die Senioren werden in ihren Wohnungen zu Hause aufgesucht, um dort individuell angesprochen und beraten zu werden. Möglicherweise sind sie dann eher bereit, später auch an Bildungs- oder Gruppenveranstaltungen teilzunehmen.

Im Rahmen dieser persönlichen Gespräche zeichnet sich erst ab, in welche konkreten Lebens- und Problembereiche der Einzelne integriert ist und welche Kompetenzen ggf. der Stärkung bedürfen. Die Ziele solcher Veranstaltungen sind nicht vorab, von einem besserwissenden Kursleiter, aus der Literatur zu formulieren, sie sind erst im Kontakt mit den Betroffenen selbst zu erarbeiten.

In ersten Untersuchungen konnte bestätigt werden, dass durch die Hausbesuche tatsächlich Personen angesprochen werden konnten, die bisher nicht zu den Nutznießern von Bildungsangeboten gehörten. Sie zählten - zur sonst als bildungsabstinent eingestuften - sozialen Unterschicht und unterschieden sich durch ihren Schulabschluss, durch ihr Einkommen und durch fehlende Erfahrungen mit Kurs- und Gesprächsangeboten von den "alteingesessenen" Teilnehmern, die sich alleine, ohne persönliche Einladung, zu einer Teilnahme an den Veranstaltungsangeboten entschieden haben (vergl. Karl, 1990, S. 49).

Bildungs-abstinenz

Berater müssen aber erst einmal "über die Türschwelle kommen", sie müssen in der Lage sein, den Kontakt zu den einzelnen Menschen anzubahnen (vergl. hierzu: Wingchen, 2000).

Schwellen

Anlässe für einen solchen Besuch können sein:

• Gratulationen anlässlich von Geburts- oder Namenstagen

• Einladung zu (jahreszeitlichen) Festen

• Überbringen des Pfarrbriefes

• Begrüßung Neueingezogener in Gemeinde oder Einrichtung

Welche weiteren Möglichkeiten / Vorwände einer Kontaktaufnahme fallen Ihnen noch ein?

Wenn diese räumliche Hürde genommen wurde, muss aber auch ein menschlicher Zugang gefunden werden, soll der Kontakt nicht schon sehr schnell im Sande verlaufen.

Menschlicher Zugang

Um in Kontakt zu bleiben, kommt es darauf an, ein 'gutes Klima' zu schaffen, ein positives Gefühl, eine positive Wertschätzung zwischen Besucher und dem aufgesuchten alten Menschen aufzubauen.

Eines der eindeutigsten Ergebnisse der Forschung zur zwischenmenschlichen Sympathie ist die Tatsache, dass man - zumindest bei anfänglichen Kontakten - solche Menschen sympathisch findet, die einem ähnlich sind, die mögen, was man selbst mag (vergl. Zimbardo, 1983, S. 606).

Gemeinsame Vorlieben

Möglicherweise bestehen gemeinsame Interessen oder Hobbys, die den Grundstock einer Gemeinsamkeit legen und eine Brücke zum Gegenüber bauen können:

- Unter Umständen haben sie diesbezügliche Informationen von Dritten (z.B. Nachbarn).

- Vielleicht lassen Bilder oder andere Accessoirs in der Wohnung auf besondere Vorlieben schließen.

- Abzeichen oder Plaketten können den Menschen als Mitglieder bestimmter Gruppen (Hundesportverein, Tennisklub) ausweisen.

4.3 Therapie in der Arbeit mit alten Menschen

Das Wort "Therapie" ist aus der Heilkunde bekannt und beschreibt die Behandlung, die einem Kranken zuteil wird, um diesen wieder genesen zu lassen. Demnach ist es durchaus sinnvoll, diesen Begriff zunächst auf den Umgang mit Kranken, mit "Patienten" anzuwenden.

> Welche Therapeuten arbeiten mit alten Menschen zusammen? Welche Therapieformen kennen Sie?

☞ Kap. 4
S. 56

Therapie im psychosozialen Bereich könnte dann als ein Sonderfall der Beratung für Menschen mit Problemen im seelischen oder sozialen (zwischenmenschlichen) Bereich, die die Lebensqualität der Betroffenen erheblich einschränken, aufgefasst werden (Stufe des subnormalen Funktionierens agogischer Aktionen).

> Welche Probleme tragen alte Menschen mit sich herum? Machen diese eine Therapie notwendig? In welchen Situationen würden Sie einen Therapeuten hinzuziehen?

Therapie: nachträgliche Pädagogik

Als Therapie bezeichnete Hilfen zielen darauf ab, aufgetretene Entwicklungsdefizite, psychische Störungen und Erkrankungen bzw. Formen abweichenden Verhaltens zu beseitigen, zumindest aber zu mindern. Die Psychoanalytikerin Ruth Cohn (1988, S. 176) beschrieb *Pädagogik* als *die Kunst, Menschen zu leiten* und zu sich selbst zu entlassen, *Therapien* hingegen als die *Kunst, mögliche Fesse-*

lungen zu lösen: Therapie als nachträgliche Pädagogik; (geglückte) Pädagogik als das Überflüssigmachen therapeutischer Korrekturen.

Neben diesem reparativen Aspekt der Therapie werden in der humanistischen Psychologie auch Angebote, die darauf hinzielen die körperliche, geistige und emotionale Entwicklung zu fördern, bevor es zu möglichen Fehlentwicklungen kommen kann, als Therapie bezeichnet. Man spricht vom evolutiven, d.h sich entwickelnden Aspekt der Therapie.

Reparative und evolutive Aspekte von Therapie

Diese Ansätze, die darauf abzielen, mit therapeutischen Mitteln eine mögliche Fehlentwicklung im Vorfeld zu verhindern (Therapie für Gesunde), müssen im Sinne Ruth Cohns als ein Aspekt der Bildungsarbeit aufgefasst werden: Es geht um die Förderung selbstbestimmten kompetenten Handelns im Alltag, um das Überflüssigmachen nachträglicher (therapeutischer) Korrekturen.

4.4 Rehabilitation in der Arbeit mit alten Menschen

Im Rahmen von Rehabilitationsmaßnahmen werden die noch entwicklungsfähigen Ressourcen im Individuum ins Auge gefasst. Damit kann sie von einer diagnosebezogenen Behandlung, die eine Fehlentwicklung zu beheben sucht (reparativer Aspekt der Therapie) abgegrenzt werden. Rehabilitation setzt nicht an etwas Krankem oder etwas Fehlendem an, sondern an dem, was vorhanden und noch entwicklungsfähig ist.

Das Wort 'Rehabilitation' wurde bereits 1844 in einer geradezu modernen Form benutzt. Der Staatsrechtsgelehrte Ritter von Buss umschrieb mit diesem Begriff seine Forderung einem Erkrankten zu ermöglichen, sich wieder zu der Stellung zu erheben, von der er einst hinabgestiegen. Solchermaßen sollte er ein Gefühl seiner persönlichen Würde wiedererlangen (vergl. Matthes, 1989, S. 32).

Die geriatrische Rehabilitation zielt auf die größtmögliche Unabhängigkeit, Selbstständigkeit und Eigenverantwortlichkeit der alten Menschen ab, auch wenn eine 'Wiederherstellung des früheren Zustandes' oftmals nicht mehr möglich ist.

Externe und

interne Rehabilitation

- Als externe Rehabilitation werden jene Maßnahmen bezeichnet, die darauf hinzielen den alten Menschen wieder in sein soziales Umfeld einzugliedern.

- Wo dies nicht mehr möglich ist, sollen Maßnahmen interner Rehabilitation dem auf dauernde Hilfe und Betreuung Angewiesenen ein Lebensumfeld gestalten, in dem er seine Selbstständigkeit - unter Berücksichtigung seiner Gewohnheiten - weitestgehend erhalten kann.

Bei chronischen Erkrankungen greift die Reduzierung auf eine rein medizinische Rehabilitation zu kurz. Soziale und psychische Faktoren sind für den Rehabilitationsprozess ebenfalls von enormer Bedeutung: In der Praxis sind es vor allem psychische und soziale Komponenten, die die physischen Faktoren einer 'Behinderung' überlagern und zu einer Reduzierung der Lebensqualität führen (vergl. Meier-Baumgartner u.a., 1992, S. 107).

4.5   Milieu-Therapie

Da sich Geist, Seele und Körper des Menschen nicht trennen lassen, der Mensch immer als eine ganzheitliche Einheit erscheint, zielt Rehabilitation nicht nur auf eine Verbesserung der körperlichen Befindlichkeit, sondern auch auf die Verbesserung sozialer und geistiger Fähigkeiten.

4.5.1   Milieu-Therapie als übergeordneter Begriff

In der Literatur zur stationären psychiatrischen Behandlung hat sich der Begriff der 'Milieu-Therapie' fest etabliert. Hierbei handelt es sich nicht um eine Alternative zu den bestehenden Behandlungsverfahren. Vielmehr wird Milieu-Therapie hier als übergeordneter Begriff benutzt: Alle therapeutischen Verfahren eines Krankenhauses werden in der Milieu-Therapie koordiniert und aufeinander abgestimmt. Es ist sicher nicht unproblematisch, ein Konzept, das für Psychiatrische Krankenhäuser entwickelt wurde, auf den Bereich der Seniorenarbeit zu übertragen. Aber hier wie dort geht es darum, negative Auswirkungen der Institutionalisierung zu verhindern bzw. zu kompensieren (vergl. Dt. Zentrale für Volksgesundheitspflege, o.J.).

Ursula Lehr (1979b, S. 19) unterscheidet vier Stufen der Milieu-Therapie, unter denen die verschiedensten Formen von Interventionstechniken zusammengefasst werden:

4.5.1.1 Die Ausgestaltung der räumlichen Umgebung im Sinne zunehmender körperlicher, psychischer und sozialer Stimulierung

In diesem Zusammenhang ist zu fragen: Inwieweit unterstützt die architektonische Ausstattung die Bedürfnisse des alten Menschen nach Selbstständigkeit und Orientierungsmöglichkeiten?

- Gibt es hinreichend Handläufe, rutschfeste Böden, Möglichkeiten zum Ausruhen und 'Klönen'?

- Wurden Barrieren wie Treppen oder schwer zu öffnende Türen vermieden?

- Existieren Bilder, die Abwechslung in die Eintönigkeit langer Flure bringen?

- Entspricht der Wandschmuck dem Schönheitsempfinden der alten Menschen oder den ästhetischen Vorstellungen von Innenarchitekt und Leitung?

- Wie abwechslungsreich sind Flure und Zimmertüren gestaltet?

- Sind Hinweisschilder und Uhren sicht- und lesbar?

Wie sieht die räumliche Umgebung in den Einrichtungen aus, die Sie kennen? Was müsste Ihrer Meinung nach geändert werden?

 ?
 !

Exkurs 2:
Die Generationenfolge des Pflegeheimbaus in der Bundesrepublik Deutschland

Die Mitarbeiter des Instituts für Altenwohnbau des Kuratoriums Deutsche Altershilfe / Köln (KDA, 1988) unterscheiden drei unterschiedliche Entwicklungsstufen bzw. Generationen" des Pflegeheimbaus nach 1945.

Die nach dem zweiten Weltkrieg Ende der Vierzigerjahre und im Verlauf der Fünfzigerjahre vorherrschenden Einrichtungen lassen sich als "Verwahranstalten" beschreiben; die Bewohnerinnen und Bewohner wurden als "Insassen" bezeichnet. Im Vordergrund stand das Bedürfnis, alten Menschen in der Nachkriegszeit einen Ess- und einen Schlafplatz (zunächst noch in Massenschlafsälen, später in Vier-, Drei- und Zweibettzimmern) anbieten zu können.

Fehlende Betriebs- und Gemeinschaftsräume zeichneten diese frühen Einrichtungen stationärer Altenhilfe ebenso aus wie eine minimale Ausstattung und eine hohe Belegungsdichte:

Belegungsdichte			*Ausstattungsmerkmale*	
13,1 qm pro Bewohner			1 WC	für 7,8 Bewohner
4-Bett-Zimmer	6,0	qm / Bewohner	1 Waschbecken	für 2,3 Bewohner
3-Bett-Zimmer	6,5	qm / Bewohner	1 Einbauwanne	für 19,5 Bewohner
2-Bett-Zimmer	7,0	qm / Bewohner	1 Stationsbad	für 39,0 Bewohner

1. Generation
**1940er bis Anfang
1960er Jahre
Leitbild: Verwahranstalt
...pflegebedürftiger
„Insasse" wird
„verwahrt"**
- aus hohem Bedarf
  und wirtschaftlichen
  Zwängen resultierende
  einfachste Versor-
  gungsform
- extrem hohe Belegungsdichte
- räumliche Enge
- minimale technische Ausstattung
- erschwerte Pflege

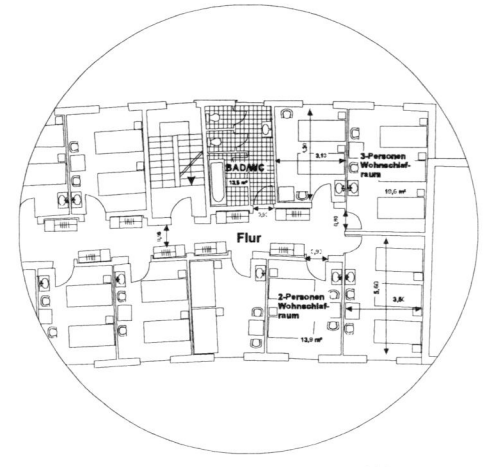

Abb. 6

In Einrichtungen der zweiten Generation sollten die Mängel der frühen Einrichtungen überwunden werden. Die Pflege Bettlägeriger sollte erleichtert werden. Erfahrungen aus dem Krankenhausbau wurden zur Richtschnur bei der Planung von Pflegeeinrichtungen:

- Pflegeabläufe wurden optimiert

- Bewohner wurden zu "Patienten"

- Hygiene und Technik wurden sehr stark betont, Bedürfnisse nach "Wohnkomfort" und Behaglichkeit weniger berücksichtigt.

1979 stellte der Deutsche Verein für öffentliche und private Fürsorge (S. 33) in seiner "Nomenklatur der Veranstaltungen, Dienste und Einrichtungen der Altenhilfe" eine bauliche Verwandtschaft von Krankenhäusern und Altenpflegeheimen heraus.

Das Pflegekonzept lässt sich als "reaktive Pflege" beschreiben. Im Mittelpunkt der Beachtung standen die Gebrechen und Defizite der alten Menschen, die "Versorgungs-" und "Pflegeverrichtungen" passiv als Patienten über sich ergehen ließen. Der Begriff der "Station" wurde aus der Krankenhaus-Pflege übernommen.

Meist in den Keller- und Untergeschossen wurden hydro- und ergotherapeutische Abteilungen und Einrichtungen eingerichtet, die jedoch - an den Bedürfnissen alter Menschen "vorbeigeplant" - häufig ungenutzt blieben. Um die Auslastung dieser Angebote sicherzustellen, sollten keine Einrichtungen mit weniger als 80 Plätzen konzipiert werden (vergl. Deutscher Verein, 1979, S. 34).

Belegungsdichte	*Ausstattungsmerkmale*
28,5 qm pro Bewohner	1 WC für 4 - 6 Bewohner
3-Bett-Zimmer 9,2 qm / Bewohner	1 Waschbecken für 2 bzw. 3 Bewohner
2-Bett-Zimmer 10,8 qm / Bewohner	1 Stationsbad für 35 Bewohner

2. Generation
1960er bis 1970er Jahre
Leitbild: Krankenhaus
...pflegebedürftiger
„Patient" wird
„behandelt"
- Optimierung von
  Teilaspekten der
  Pflegeabläufe
  (z.B. Fäkalienbeseitiungung)
- Überbetonung der Technik
- stereotype räumliche
  Organisation
- reaktive Pflege (Funktions-
  mängel der Alten werden
  als gegeben hingenommen)
- Rehabilitation erfolgt außerhalb der Station

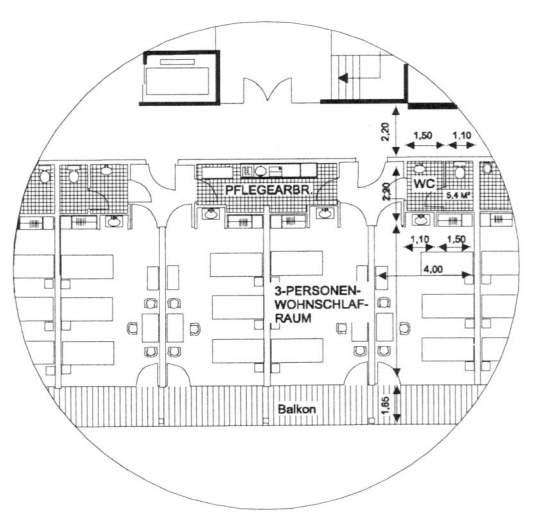

Abb. 7

In den Achtzigerjahren wurde vermehrt den Wohnbedürfnissen alter Menschen Augenmerk geschenkt; Pflegeeinrichtungen wurden als "Lebensräume" verstanden.

Nicht die Defizite bzw. die "Behandlungsbedürftigkeit" alter Menschen stand im Mittelpunkt des Interesses, seinen Bedürfnissen und seinen tatsächlichen (Rest-) Fähigkeiten wurde Aufmerksamkeit geschenkt: Das Kompetenz-Modell des Alters löste das Defizit-Modell ab.

Bei der Gestaltung der Wohn- und Schlafbereiche sollten möglichst viele Merkmale einer normalen Wohnung wieder zu finden sein und die Wünsche nach individueller Möblierung weitgehend ermöglicht werden. Den Bedürfnissen nach sozialer Integration und Kommunikation sollte durch die Gestaltung von Gemeinschaftsräumen und Gemeinschaftsflächen Rechnung getragen werden. Institutionen der Altenpflege sollten als *Zuhause* verstanden werden.

Die Wünsche,

- im eigenen Sessel, auf dem eigenen Sofa sitzen zu können,
- im eigenen Bett in der eigenen Bettwäsche schlafen zu können,
- vom eigenen, lieb gewonnenen Geschirr, mit dem eigenen Besteck essen zu können

sind ernst zu nehmen und in der Praxis umzusetzen!

Belegungsdichte	*Ausstattungsmerkmale*
38,8 qm pro Bewohner 2-Bett-Zimmer 13,0 qm / Bewohner 1-Bett-Zimmer 15,7 qm / Bewohner	1 WC für 1 bzw. 2 Bewohner 1 Waschbecken für 1 Bewohner 1 Dusche für 1 bzw. 2 Bewohner 1 Stationsbad für 20 Bewohner

3. Generation
1980er Jahre
Leitbild: Wohnheim
...pflegebedürftiger
„Bewohner" wird
„aktiviert"
- Versuch, Wohnbedürfnisse
  und Pflegeerfordernisse
  zu verbinden
- diskretes Angebot der
  technischen Versorgung
- räumliche Gestaltung des
  Wohnumfeldes
- Motivation zur Selbstständigkeit
- Aktivierung im Wohnbereich
- mehr Individualität/Privatheit
- mehr Kommunikation

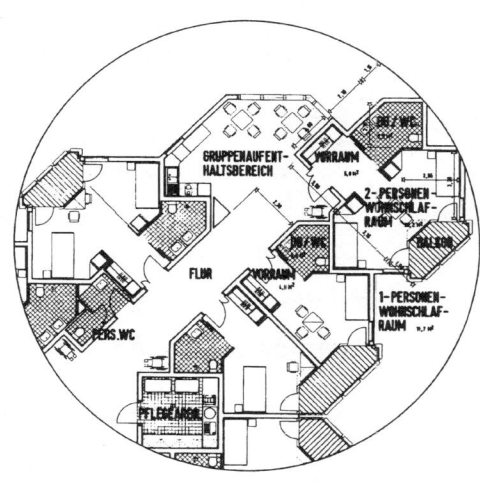

Abb. 8

Welche Wünsche und Bedürfnisse alter Menschen blieben in den
Einrichtungen der stationären Altenpflege, die Sie bereits kennen
lernten, noch unberücksichtigt? - Sehen Sie Möglichkeiten, Pfle-
geinstitutionen für diese Form "normalen Lebens" zu öffnen?

 ?
 !

4.5.1.2 Das Bereitstellen von Aktivitätsmöglich-
keiten

Hier ist an eine breite Palette von Angeboten aus der Beschäftigungs-Therapie ebenso zu denken, wie an unterhaltsame Grup-
penaktivitäten, Gesprächskreise, Bildungsveranstaltungen oder Konzertabende.

Selbst-
bestimmtes
Handeln

Zu fragen ist aber auch, welche Möglichkeiten zu selbstbestimmten Aktivitäten bestehen: Können eigene Tiere oder Blumen versorgt werden; kann jemand für sich kochen, was ihm schmeckt?

Kontakte

Ferner ist zu überlegen, ob der alte Mensch in seine gewohnten Beziehungen zu Partnern, Freunden, Bekannten und Nachbarschaft eingebunden bleiben bzw. in diese zurückgeführt werden kann. Welche Angebote können dies unterstützen?

> Wo können alte Menschen in den Einrichtungen der Altenhilfe noch aktiv sein? Welche Aktivitäten werden angeboten? Wer bestimmt wann diese Aktivitäten stattfinden (dürfen)? Wer bestimmt, welche Personen an den Veranstaltungen teilnehmen (dürfen)? Welchen Aktivitäten können oder dürfen alte Menschen nicht mehr nachgehen?

Exkurs 3:

Psychoanalytische Aspekte in der Milieu-Therapie

Geht es im Rahmen milieutherapeutischer Interventionsmaßnahmen darum, negative Auswirkungen der Institutionalisierung zu verhindern bzw. zu kompensieren, so soll im Folgenden abgeklärt werden, welche Maßnahmen aus dem psychoanalytischen Persönlichkeitsmodell Sigmund Freuds abzuleiten sind.

An dieser Stelle geht es nicht um die Möglichkeiten einer psychoanalytischen Behandlung alter Menschen, die in die Hand erfahrener ärztlicher und nicht-ärztlicher Psychotherapeuten gehört. Unprofessionelle, dilettantische Therapie-Versuche von Laien sind häufig kein Schritt zu mehr Lebensqualität im Alter; vielmehr vermögen sie psychische Prozesse auszulösen, die zu kontrollieren die Akteure überfordert.

Pflegende sollen vielmehr befähigt werden, unter Kenntnis psychoanalytischer Modelle, nicht unter Anwendung psychoanalytischer therapeutischer Techniken (!), Pflege so zu gestalten, dass seelisches Wachstum ermöglicht und potenziellen Fehlentwicklungen vorgebeugt wird.

**Exkurs 3.1   Wie sich Sigmund Freud den Aufbau
der Person vorstellte:
Das Instanzenmodell**

Freud unterscheidet drei Instanzen der Persönlichkeit: das **Es**, das **Ich** und das **Über-Ich**. Diese drei Instanzen lassen sich als drei voneinander unabhängige Motivationssysteme beschreiben.

Das"**Es**" strebt nach Triebbefriedigung, welche als lustvolle Entspannung erlebt wird. Der Druck unbefriedigter Triebe wird hingegen als Unlustspannung wahrgenommen. Das "**Es**", ein Ort der Triebe und der Leidenschaften, ist nach dem **Lustprinzip** organisiert. Es strebt nach Befriedigung ohne jeden Aufschub, ohne jede Logik und Moral. Sigmund Freud beschrieb das Neugeborene als "zunächst nichts als Es".

Das Es

Lust-Prinip

Abb. 9

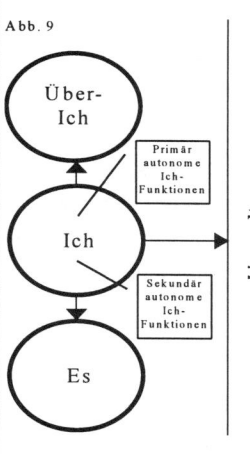

Das Ich

Schon bald sieht das Kind sich mit Versagungen konfrontiert. Seine Triebwünsche werden nicht immer und unmittelbar erfüllt; die Realität macht sich nachdrücklich bemerkbar und der Säugling wird sich seiner Grenzen bewusst. In der Auseinandersetzung mit der äußeren Realität erstarkt ansatzweise eine neue Instanz, das "**Ich**", welches ein bewusstes Orientieren und Handeln in der Welt ermöglicht und für das **Realitätsprinzip** steht.

*Realitäts-
prinzip*

Orientiert sich das Kind an den Anforderungen der Umwelt, so werden diese zunächst durch die Ansprüche der Eltern repräsentiert, auf die es angewiesen ist und deren Liebe es nicht verlieren will.

Im Folgenden geschieht nun etwas Eigenartiges: Richtet das Kind sein Verhalten zunächst an den elterlichen Ansprüchen aus, um deren Liebe nicht zu gefährden, so gehorcht es bald auch dann, wenn die Eltern nicht zugegen sind. Es ist, als würde nun eine innere Stimme dem Kind einflüstern was falsch und richtig ist, was es zu tun und was es zu unterlassen hat.

Das Kind hat die elterlichen Ge- und Verbote als seine eigenen übernommen. Dieser Prozess der "Verinnerlichung" von Werten wird als

Das Über-Ich
Moralitäts-
prinzip

Internalisierung bezeichnet und schafft eine neue Instanz: das, das **"Moralitätsprinzip"** repräsentierende, *"Über-Ich"*.

Im Mittelpunkt des Freudschen Persönlichkeitsmodells steht das *Ich*, das zwei unterschiedliche Funktionen wahrnehmen muss: zum einen ist das *Ich* der Ort der Wahrnehmung, des Denkens, der Realitätsprüfung, der Urteilsfähigkeit und des Erinnerns, man spricht von

Bewusste und

unbewusste

Ich-Funktionen

primär-autonomen ober bewussten Ich-Funktionen, zum anderen wird es von drei Seiten "unter Druck" gesetzt und muss zwischen den Triebwünschen des Es, den moralischen Normen des Über-Ich und den Anforderungen der Realität vermitteln: dies sind die sekundär-autonomen oder unbewussten Ich-Funktionen.

Exkurs 3.2 *Freuds Vorstellungen vom "Bewusstsein": Das Schichtenmodell*

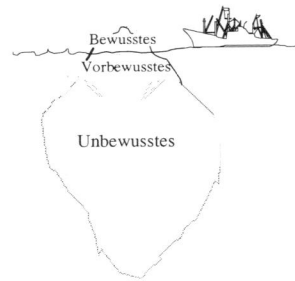

Die menschliche Psyche gliederte Sigmund Freud - er sprach vom seelischen Apparat - in drei unterschiedliche Systeme, die unterschiedliche Eigenschaften und Funktionen haben und die er das *Unbewusste*, das *Vorbewusste* und das *Bewusste* nannte. Der seelische Apparat ist für ihn einem Eisberg vergleichbar: nur der geringste Teil ist über der Wasser-

Abb. 10

oberfläche sichtbar, der größte Teil, er soll dem Unbewussten entsprechen, ist unter der Wasseroberfläche unsichtbar.

Sowohl **vor-** als auch unbewusste Inhalte sind **nicht-bewusst.** Während **Unbewusstes** dem Bewusstsein jedoch unzugänglich ist (nicht bewusst werden kann), sind die Inhalte des Vorbewussten zwar im Augenblick nicht aktiviert, grundsätzlich jedoch erinnerbar.

Sigmund Freud entwickelte dieses Modell vor dem Hintergrund der Frage, unter welchen Bedingungen ein nicht-bewusster Inhalt, eine nicht-bewusste Vorstellung Eingang ins Bewusstsein findet. Nach Freuds Vorstellung greifen die einzelnen Systeme hierbei nicht harmonisch wie eine Zahnrad-Kombination ineinander, so dass Vorstellungen aus dem Unbewussten an die Oberfläche des Bewusstseins gehoben werden können. Vielmehr ist im Vorbewussten eine Kraft wirksam ("Zensur" genannt), die bestimmten, mit den Anforderungen der Umwelt nicht vereinbaren, Inhalten Widerstand entgegensetzt und die Bewusstwerdung verhindert (vergl. Kösters, 1985, S. 91 f).

In dem System *Unbewusst* finden sich also Fantasien, Erlebnisse und Gefühle, die dem Bewusstsein unzugänglich sind und die, um *bewusst* werden zu können, das *vorbewusste* System passieren müssen, wo bestimmte Vorstellungen abgewiesen werden. Ist die Vorstellung zu mächtig und die Zensur zu schwach, so kann ein Inhalt "verschlüsselt" - in Form von Träumen, Fehlleistungen ("unbeabsichtigte" Versprecher) oder als neurotisches Symptom (das als psychisches oder körperliches Leiden wahrgenommen wird) - ins Bewusstsein gelangen.

Im *Unbewussten* verlaufen seelische Prozesse nach dem *Primärvorgang*, der triebhafte Wünsche tendenziell sofort zu befriedigen sucht, vergleichbar einem Säugling, der keinerlei Nahrungsaufschub duldet, wenn er hungrig ist. Hier herrscht das, auf unmittelbare und volle Befriedigung drängende, *Lustprinzip*. | Primärvorgang

Drängen unbewusste triebhafte Wünsche auf unverzügliche Befriedigung (Primärvorgang), so funktioniert der seelische Apparat außerhalb des Unbewussten nach dem "Sekundärvorgang": Triebregungen können kurz- oder längerfristig aufgeschoben bzw. zurückgestellt werden, wenn sie mit unserer Vernunft oder den Anforderungen von Realität und ÜBER-ICH nicht in Einklang zu bringen sind (Realitätsprinzip). | Sekundärvorgang

Exkus 3.3   *Wie sich Sigmund Freud die Entwicklung der Person vorstellte: Das Phasenmodell*

Sigmund Freud beschreibt die Entwicklung des Menschen in einem fünf-stufigen Phasenmodell.

Während der ersten, *oralen Phase* erlebt das kleine Kind seine Körperoberfläche, seine Haut im Allgemeinen, seine Mundschleimhaut im Besonderen, als eine erogene Zone, deren Reizung als lustvoll erlebt wird. Das lustvolle Saugen an der Mutterbrust sichert dem kleinen Erdenbürger das Überleben; die zunächst in Anlehnung an eine lebenswichtige Körperfunktion (Nahrungsaufnahme) entstehende Lust ist aber nicht nur an die Sättigung gebunden: Alles wird in den Mund gesteckt, Greifbewegungen von Händen und Armen erweitern das Aktionsfeld, an allem wird gesaugt, die Welt wird über die Haut und über den Mund erfahren. | Orale Phase

Erogene Zone Einverleibungs-tendenzen	Diese Entwicklungsphase (sie erstreckt sich über das erste Lebensjahr, überschneidet sich dann aber bis zu 2½ Jahren mit der nächsten Entwicklungsstufe) erhielt ihren Namen nach der stimulierbaren erogenen Zone: das aus dem Lateinischen stammende Wort "oral" bedeutet so viel wie "den Mund betreffend", "durch den Mund". Das erste Lebensjahr wird aber nicht nur von der Biologie der Nahrungsaufnahme bzw. von der damit verbundenen erfahrbaren Lust bestimmt; es ist mehr als eine Phase der organischen Reifung, es ist eine Stufe der psycho-sexuellen Entwicklung. Gekennzeichnet ist sie durch das Prinzip des "Haben-" und "Einverleibenwollens", gleichgültig ob es sich um Nahrung, Spielsachen oder Zuwendung handelt. Alle Bemühungen etwas intensiv aufzunehmen, so genannte "Einverleibungstendenzen", sind ihrem Wesen nach oral.

Fixierungen

Das Gebundenbleiben an eine frühe Entwicklungsstufe wird in der Psychoanalyse als *Fixierung* bezeichnet. Werden die spezifischen Bedürfnisse einer Entwicklungsphase zu wenig oder zu intensiv befriedigt, wird das individuelle Verhalten weiterhin phasentypische Züge erkennen lassen.

Orale Fixie-rungen

Orale Fixierungen zeigen sich nicht nur in

- Bedürfnissen nach verstärkter oder verringerter Nahrungsaufnahme und
- ausgeprägten Einverleibungstendenzen von "Streicheleinheiten" (Habenwollen von Zuwendung, Anerkennung; Herausgehobensein, ...).

Tobias Brocher (1971, S. 26f) nennt auch

- schnelle und plötzliche Kränkbarkeit,
- narzisstische Überempfindlichkeit,
- Neigung zu Depressionen und
- (kompensatorisch zur Depressionsneigung) die Neigung auf sich aufmerksam zu machen.

Anale Phase

Die nächste Entwicklungsstufe wird, gleichfalls in Anlehnung an die erogene Zone, als *anale Phase* bezeichnet und erstreckt sich über das 2. und 3. Lebensjahr. Die Stimulierung der Afteröffung (Anus)

Ausscheiden

wird als lustvoll erfahren. Im Rahmen der Reinlichkeitserziehung wird das Interesse des Kindes auf die Ausscheidungsorgane und -funktionen gelenkt. Konnte das Kind Ausscheidungsvorgänge zuvor, ohne jede Kontrolle, als lustvoll erleben, muss nun die Beherrschung der Schließmuskeln erlernt werden. Durch Verweigerung kann das Kind

Bindung der Mutter

die Mutter an sich binden: "Einhalten" und Festhalten an seinen Ausscheidungen kann insofern als Lust erfahren werden, als es die (Aufmerksamkeit der) Mutter länger an sich binden kann, auch wenn der Kontakt u.U. als bedrohlich und strafend erlebt wird. *Anales Verhalten* kann dazu benutzt werden, die Mutter an sich zu binden; ein vergleichbares "festhaltendes" Gebaren halten viele Erwachsene aufrecht. Tobias Brocher (1971, S. 29) spricht von der *zähen Klebrigkeit des Kontaktes* mancher Menschen.

Das Erlangen der Kontrolle über die Ausscheidungsorgane wird als *machtvoll* erlebt und ist für die menschliche Entwicklung von besonderer Bedeutung: Der Verlust der Darm- und / oder Blasenkontrolle aufgrund einer Erkrankung oder eines Unfalls wird von Erwachsenen als einschneidendes, direkt das Selbstbewusstsein tangierendes Erlebnis erfahren.

Kontrolle und Macht

Seine Ausscheidungen sind für das Kind etwas, das es hergibt oder hergeben muss: Sie sind das Erste, worüber es verfügen kann. So verwundert kaum, dass Besitztum mit einer analen Sprache beschrieben wird: "Der *stinkt* vor Geld", "Geld *stinkt* nicht", "*Scheiß*geld". Anders als das "Habenwollen" der oralen Entwicklungsphase geht es hier nicht um Einverleibungstendenzen sondern um das Ansammeln, Anhäufen, Bewahren.

Besitztum: geben oder behalten

Die Suche nach Macht, Kontrolle (über Situationen und Menschen) und Geld im Erwachsenenleben kann als eine *anale* Fixierung beschrieben werden.

Aufgrund aktiver und passiver Aggressionsgefühle wird von der analsadistischen Entwicklungsstufe als einer Trotzphase gesprochen. Sowohl lustvolle Zerstörungswünsche als auch Fantasien des Zerstörtwerdens treten auf.

Die dritte Entwicklungsstufe wird als phallische Phase bezeichnet; sie erstreckt sich über das 4. bis 6. Lebensjahr und leitet ihren Namen aus dem Geschlechterunterschied ab, den die Kinder bis dahin entdeckt haben. Die Erkenntnis, dass es penislose Wesen (Mädchen, Frauen) gibt, ist für Jungen allerdings erschreckend: sie entwickeln die Fantasie, dass dieses Organ ihnen auch noch abhanden kommen könne (Kastrationsangst). In Kinderspielen werden die Geschlechterrollen erprobt.

Phallische Phase

Kastrationsangst

Die dritte Entwicklungsstufe wird vom Ödipuskomplex bestimmt: Jungen entwickeln sexuelle Regungen gegenüber der Mutter, Mädchen ähnliche Fantasien gegenüber dem Vater. Hierbei sind die Kinder ausgeprägten Gefühlsgegensätzen ausgeliefert. Zum einen entwickeln sie eine ausgeprägte Zuwendung zum gegengeschlechtlichen Elternteil, gleichzeitig aber eine Rivalität / Ablehnung gegenüber dem gleichgeschlechtlichen: der seine Mutter liebende Junge rivalisiert mit seinem Vater, möchte diesen störenden "Nebenbuhler" beseitigen. So genießen es Jungen, wenn sie ihre Mutter für sich haben und der "rivalisierende" Vater nicht da ist. Bei Mädchen verläuft dieser Prozess umgekehrt.

Die ödipalen Wünsche bringen den Jungen in einen Konflikt: Zum einen begehrt er die Mutter und rivalisiert mit dem Vater; zum anderen fürchtet er aber dessen Strafe (die mögliche Kastration: Kastrationsangst). Er löst diesen Konflikt indem er danach trachtet, wie der Vater zu werden: Er identifiziert sich mit dem Vater, das Vaterbild wird in das eigene ÜBER-ICH aufgenommen.

Erste Vorläufer des ÜBER-ICH entwickeln sich bereits im ersten Lebensjahr; nach dem dritten Lebensjahr kann man bereits von einem ÜBER-ICH sprechen, mit Abschluss des Ödipus-Komplexes wird das ÜBER-ICH des Jungen durch die Identifikation mit dem Vater, Freud spricht auch von der "Identifikation mit dem Aggressor", komplettiert.

Latenzzeit

Die Phase zwischen dem 6. und 12. Lebensjahr bezeichnete Freud als "Latenzzeit". Die Sexualität tritt in den Hintergrund, die Kinder sind weithin unauffällig, intellektuelle und soziale Aspekte der Entwicklung treten in den Vordergrund. Die Existenz einer solchen Phase wird kontrovers diskutiert. So glauben einige Wissenschaftler, dass die sexuelle Aktivität vor der Pubertät, abgesehen durch deutliche Umwelteinschränkungen, nicht unterbrochen wird (vergl. Behnke, 1972, S. 39).

Pubertät

weibliche ...

Die Pubertät wird durch die Ausprägung der primären und sekundären Geschlechtsorgane bestimmt. Während der Pubertät durchleben die Kinder den schnellsten Wachstumsschub nach der Geburt. Der Beginn des "Jugendalters" wird bei Mädchen mit dem Eintreten der ersten Menstruation (*Menarche*) gleichgesetzt, durchschnittlich tritt sie im Alter von 12½ Jahren auf, wobei eine Variationsbreite vom 8. bis zum 16. Lebensjahr besteht.

... und männliche

In der männlichen Pubertät - im Durchschnitt beginnt sie zwei Jahre später als die weibliche - stellt sich das Auftreten des nächtlichen Samenergusses (*Pollution*) ein, der Menarche vergleichbares, wenn auch nicht so herausragendes, Erlebnis dar. Der Zeitpunkt des Pubertätsbeginns ist ähnlich breit gestreut wie bei den Mädchen.

Unter **Pubertät** wird die aus biologisch-autonomen Quellen aus-
gelöste körperliche Reifung / Veränderung verstanden. Die in dieser
Entwicklungsphase festzumachenden psychischen Veränderungen
werden als **Adoleszenz** bezeichnet.

Pubertät
und
Adoleszenz

Aus der Entdeckung der Genitalfunktion und dem Erreichen des **Ge-
nitalprimats** (Unterordnung oraler und analer Triebstrebungen unter
die Geschlechtsfunktion, Erleben von Lustempfindungen an den Primären Sexualorganen), erwachsen auch soziale Veränderungen und
Verpflichtungen.

Genitalprimat

Die Fragen "Wer bin ich?" und "Was will ich?" rücken in den Mittelpunkt. Die gesellschaftlichen Rollen von Mann und Frau werden ein-
genommen, das Erwachsenwerden ist nicht nur biologische Entwicklung, sondern auch psychische soziale Reifung.

Exkurs 3.4   Die Abwehrmechanismen

Die Triebvorgänge des ES drängen nach Triebabfuhr und Befriedigung; Sigmund Freud umschrieb die Wirkweise des ES so, dass wir
nicht leben, sondern gelebt werden. Das ES erscheint wie ein bro-
delnder, mit Energie gefüllter, Kessel, dessen Druck vom ICH kontrolliert wird. Dieses hält quasi einen Deckel auf dem Druck-Gefäß
und ermöglicht durch Anheben desselben eine kontrollierte Triebabfuhr.

Dem Ich kommt u.a. die Aufgabe zu, zwischen den Ansprüchen des
ES, des ÜBER-ICH und der Umwelt zu vermitteln (unbewusste Ich-
Funktionen). Jede seelische Aktivität Erwachsener kann als Ergebnis
des Zusammenspiels dieser Instanzen aufgefasst werden. All zu oft
ist das ICH aber ein schwacher Herrscher über Triebe und Gewissen,
so dass als ein Ziel jeder Therapie die ICH-Stärkung formuliert werden kann: Wo ES ist, soll ICH werden!

☞ Exkurs 3.1
S. 69

Ist das ICH in seiner Vermittlungsaufgabe überfordert, dienen so genannte **Abwehrmechanismen** seiner Entlastung: Durch Verdrän-
gungsprozesse - Verdrängungen bezeichnet Junker (1977, S. 433)
als Oberbegriff der Abwehrmechanismen - versucht das ICH, sich
gegen Triebansprüche und unerträgliche Affekte zu schützen (vergl.
Eikmann, 1979, S. 49) und ein gut lebbares psychisches Gleichgewicht in Stand zu setzen.

Entlastung
des ICH

Verdrängungs-
prozesse

Zu den häufigsten Abwehrmechanismen zählen, neben der Verdrängung, die Isolierung, die Projektion, die Identifikation mit dem Aggressor, die Regression (vergl. hierzu, Radebold, Bechtler, Pina, 1984,

Seite 87 ff), die Verschiebung, die Rationalisierung und die Reaktionsbildung.

Exkus 3.4.1   Die Verdrängung

 Werden unzulässige Inhalte, Gedanken, Wünsche aus dem Bewusstsein ins Unbewusste verbannt oder verdrängt, so wird dieser Prozess als **Verdrängung** bezeichnet. Verdrängtes ist aber nicht verschwunden; es befindet sich nunmehr nur an einem anderen Ort, dem Unbewussten. Von dort drängt es immer wieder verschlüsselt, man könnte sagen "unter falschem Namen", ins Bewusstsein. An die Stelle der verdrängten Vorstellung tritt eine neue, die Freud (1917, S. 304) als neurotisches Symptom erkannte: neurotische Symptome als Befriedigungsersatz.

Neurose:
missglückte
Verdrängung

Die Verdrängung ist jedoch nicht die Neurose, sondern nur ihr Wegbereiter. Neurotisches Handeln resultiert aus den Vorgängen, die dem ES eine Entschädigung, eine "Ersatzbefriedigung" sichern sollen. Die Neurose besteht in der Reaktion gegen die Verdrängung; sie ist eine missglückte Verdrängung!

Sigmund Freud (1917, S. 207f) selbst, berichtet von folgendem Fall aus seiner eigenen Praxis. Eine Patientin konsultierte den Arzt wegen einer neurotischen Zwangshandlung.

"Eine nahe an 30 Jahre alte Dame, die an den schwersten Zwangserscheinungen litt, ..., führte unter anderem folgende merkwürdige Zwangshandlung mehrmals am Tage aus. Sie lief aus ihrem Zimmer in ein anderes nebenan, stellte sich dort an eine bestimmte Stelle bei dem in der Mitte stehenden Tisch hin, schellte einem Stubenmädchen, gab ihr einen gleichgültigen Auftrag oder entließ sie auch ohne solchen und lief dann wieder zurück. Das war nun gewiss kein schweres Leidenssymptom, aber es durfte doch die Wissbegierde reizen. Die Aufklärung begab sich nun auf die unbedenklichste, einwandfreieste Weise unter Ausschluss jedes Beitrags vonseiten des Arztes. Ich weiß gar nicht, wie ich zu der Vermutung über den Sinn dieser Zwangshandlung, zu einem Vorschlag ihrer Deutung hätte kommen können. So oft ich die Kranke gefragt hatte "Warum tun Sie das? Was hat das für einen Sinn?" hatte sie geantwortet "Ich weiß es nicht!". Aber eines Tages, nachdem es mir gelungen war, ein großes prinzipielles Bedenken bei ihr niederzukämpfen, wurde sie plötzlich wissend

und erzählte, was zur Zwangshandlung gehörte. Sie hatte vor zehn Jahren einen weitaus älteren Mann geheiratet, der sich in der Hochzeitsnacht impotent erwies. Er war unzählige Male in dieser Nacht aus seinem Zimmer in ihres gelaufen, um den Versuch zu wiederholen, aber jedes Mal erfolglos. Am Morgen sagte er ärgerlich "Da muss man sich ja vor dem Stubenmädchen schämen, wenn sie das Bett macht", ergriff eine Flasche roter Tinte, die zufällig im Zimmer war, und goss ihren Inhalt aufs Betttuch, aber nicht gerade auf eine Stelle, die ein Anrecht auf einen solchen Fleck gehabt hätte. Ich verstand anfangs nicht, was diese Erinnerung mit der fraglichen Zwangshandlung zu tun haben sollte, da ich nur in dem wiederholten Aus-einem-Zimmer-in-das-andere-laufen eine Übereinstimmung fand und etwa noch im Auftreten des Stubenmädchens. Da führte mich die Patientin zum Tisch im zweiten Zimmer und ließ mich auf dessen Decke einen großen Fleck entdecken. Sie erklärte auch, sie stelle sich so zum Tisch hin, dass das zu ihr gerufene Mädchen den Fleck nicht übersehen könne. Nun war an der intimen Beziehung jener Szene in der Brautnacht und ihrer heutigen Zwangshandlung nicht mehr zu zweifeln, aber auch noch allerlei zu lernen.

Vor allem wird klar, dass sich die Patientin mit ihrem Mann identifizierte; sie spielte ihn ja, indem sie sein Laufen von einem Zimmer ins andere nachahmte. Dann müssen wir, um in der Gleichstellung zu bleiben, wohl zugeben, dass sie das Bett und Betttuch durch den Tisch und die Tischdecke ersetzt. Das schiene willkürlich, aber wir wollen nicht ohne Nutzen Traumsymbolik studiert haben. Im Traum wird gleichfalls sehr häufig ein Tisch gesehen, der aber als Bett zu deuten ist. Tisch und Bett machen mitsammen die Ehe aus, da steht dann leicht eines für das andere.

Der Beweis, dass die Zwangshandlung sinnreich ist, wäre bereits erbracht; sie scheint eine Darstellung, Wiederholung jener bedeutungsvollen Szene zu sein, aber wir sind nicht genötigt, bei diesem Schein Halt zu machen; wenn wir die Beziehung zwischen den beiden eingehender untersuchen, werden wir wahrscheinlich Aufschluss über etwas Weitergehendes, über die Absicht der Zwangshandlung erfahren. Der Kern derselben ist offenbar das Herbeirufen des Stubenmädchens, dem sie den Fleck vor Augen führt, im Gegensatz zur Bemerkung ihres Mannes "Da müsste man sich vor dem Mädchen schämen!". Er - dessen Rolle sie agiert - schämt sich also nicht vor dem Mädchen, der Fleck ist demnach an der richtigen Stelle. Wir sehen also, sie hat die Szene nicht einfach wiederholt, sondern sie fortge-

setzt und dabei korrigiert, zum Richtigen gewendet. Damit korrigiert sie aber auch das andere, was in jener Nacht so peinlich war und jene Auskunft mit der roten Tinte notwendig machte, die Impotenz. Die Zwangshandlung sagt also: "Nein, es ist nicht wahr, er war nicht impotent". Sie stellt diesen Wunsch nach Art eines Traumes in einer gegenwärtigen Handlung als erfüllt dar, sie dient der Tendenz, den Mann über sein damaliges Missgeschick zu erheben.

Dazu kommt alles andere, das ich Ihnen von dieser Frau erzählen könnte; richtiger gesagt: alles, was wir sonst von ihr wissen, weist uns den Weg zu dieser Deutung der an sich unbegreiflichen Zwangshandlung. Die Frau lebt seit Jahren von ihrem Mann getrennt und kämpft mit der Absicht, ihre Ehe gerichtlich scheiden zu lassen. Es ist aber keine Rede, dass sie frei von ihm wäre; sie ist gezwungen, ihm treu zu bleiben, sie zieht sich von aller Welt zurück um nicht in Versuchung zu geraten, sie entschuldigt und vergrößert sein Wesen in ihrer Fantasie. Ja, das tiefste Geheimnis ihrer Krankheit ist, dass sie durch diese ihren Mann vor übler Nachrede deckt, ihre örtliche Trennung von ihm rechtfertigt und ihm ein behagliches Sonderleben ermöglicht. So führt die Analyse einer harmlosen Zwangshandlung auf geradem Weg zum innersten Kern eines Krankheitsfalles, verrät aber gleichzeitig ein nicht unansehnliches Stück des Geheimnisses der Zwangsneurose überhaupt. Ich lasse Sie gern bei diesem Beispiel verweilen, denn es vereint Bedingungen, die man billigerweise nicht von allen Fällen fordern kann. Die Deutung des Symptoms wurde hier von der Kranken mit einem Schlag gefunden ohne Anleitung oder Einmengung des Analytikers, und sie erfolgte durch die Beziehung auf ein Erlebnis, welches nicht wie sonst, einer vergessenen Kindheitsperiode angehört hatte, sondern im reifen Leben der Kranken vorgefallen und unverlöscht in ihrer Erinnerung geblieben war."

Unterdrückung und Verdrängung

Von der Verdrängung zu unterscheiden ist die **Unterdrückung**, ein Prozess der bewusst abläuft und somit **nicht** zu den Abwehrmechanismen gezählt wird. So kann der Ekel vor dem physischen Zustand eines zu Pflegenden unterdrückt werden ("ist zwar unangenehm, aber die Verrichtung solcher Tätigkeiten gehört zu meinem Berufsalltag!"); die dieser Person entgegengebrachte Ablehnung kann aber auch verdrängt (unbewusst) werden und bei missglückter Verdrängung auf der Symptomebene auf sich aufmerksam machen.

Exkurs 3.4.2   Die Isolierung

Bei der Abwehr sehr starker Gefühle von Angst, Gram und Trauer ist oft zu beobachten, dass das beunruhigende Ereignis, z.B. der Verlust einer wichtigen Körperfunktion oder eines geliebten Menschen, zwar bewusst wird, aber losgelöst, isoliert von den damit verbundenen Gefühlen, bleibt.

Betroffene berichten dann, scheinbar unberührt, in einem Nebensatz, von schwer wiegenden Ereignissen wie tödlichen Erkrankungen oder dem Verlust geliebter Menschen. Häufig nehmen Angehörige Verstorbener den Tod kühl und distanziert, ohne jede Gefühlsregung zur Kenntnis; ein Verhalten dass nicht zwangsläufig als "Lieblosigkeit" gedeutet werden muss!

Exkurs 3.4.3   Die Projektion

Von Projektionen wird gesprochen, wenn beunruhigende Gefühle und Wahrnehmungen nicht bei sich selbst erlebt, sondern - wie mit einem Projektor - auf einen anderen Menschen projiziert, d.h. dort nicht nur wahrgenommen, sondern ggf. auch öffentlich kritisiert und angeprangert werden. So kann ein notorisch untreuer Ehemann, seiner Frau den Kontakt zu anderen Männern vorwerfen; bzw. ein Mitarbeiter, der keine Neuigkeit für sich behalten kann, sich über den bösartigen "Kollegen-Tratsch" beklagen.

Mit den Worten "Was siehst du den Splitter im Auge deines Bruders, und den Balken in deinem eigenen Auge beachtest du nicht?" wandte sich Jesus in der Bergpredigt an seine Zuhörer.

Exkurs 3.4.4   Die Identifikation mit dem Aggressor

Als Identifikation mit dem Aggressor wird das Phänomen bezeichnet, dass ein Mensch sich unbewusst mit den Ansichten und Vorurteilen einer mächtigen Person seiner Umwelt identifiziert und diese - als seine eigenen - übernimmt. Ein Verhalten, das im Rahmen des Ödipus-Komplexes zentrale Bedeutung in der Biografie gewinnt. So können sich ältere Menschen entsprechend der Ansicht "mächtiger" Pfleger verhalten, die sie als abgebaut, pflegebedürftig oder aber unfreundlich einstufen. Eine Änderung der Einstellungen des Personals führt oft zu einer schlagartigen Verbesserung der Selbsteinschätzung alter Menschen.

Auch ist zu beobachten, dass - mit unfreundlichem Verhalten Pflegender konfrontierte - alte Menschen sich zum Anwalt der Aggressoren machen und Verständnis für deren Verhalten in einer "unerträglichen" Arbeitssituation einfordern.

Durch systematische Verwirrung, Einschüchterung, der Vermittlung von Furcht, Hilf- und Hoffnungslosigkeit, kann in einem Gegenüber fast jedes Verhalten provoziert werden.

**Totale
Institutionen**

Als *totale Institutionen* werden Einrichtungen bezeichnet, in denen die normale Trennung der Lebensbereiche "Arbeit", "Freizeit" und "Schlafen" aufgehoben ist, und

1. alle Aktivitäten am selben Ort stattfinden,
2. der Tagesrhythmus exakt von außen (vor-)geplant ist,
3. den "Insassen" kaum Möglichkeiten individueller Äußerungen eingeräumt werden,
4. eine deutliche Distanz zwischen Mitgliedern und Personal existiert.

Am Beispiel Psychiatrischer Krankenhäuser und Gefängnisse wurden die Strukturen *totaler Institutionen* zuerst untersucht (vergl. Siegrist, 1975, S. 197, 224).

Totale Institutionen bieten ideale Rahmenbedingungen für Umerziehungsprozesse ("Gehirnwäschen") Erwachsener. Der in den USA forschende Psychoanalytiker und Terrorismus-Forscher Friedrich Hakker (1978, S. 59 ff) beschreibt eindrucksvoll, wie durch den Verlust gewohnter Ordnungen und Strukturen, durch gezielte Erniedrigung, durch Sozialkontakte, die von grenzenloser Willkür getragen sind und unvorhersehbar (sympathisch-einfühlend oder drohend-quälerisch) verlaufen, Situationen geschaffen werden, deren einzige Berechenbarkeit in ihrer Unberechenbarkeit liegt. Mit dem (bewussten oder verdrängten) Wissen um die ehemalige kindliche Abhängigkeit und zu infantiler Passivität verdammt, ist es möglich, dass die Aggressoren zu eltern-ähnlichen Identifikationsfiguren erstarken, die "verinnerlicht" werden können und so dem Opfer eine Wendung von duldender Passivität zu neuer Aktivität ermöglichen.

In bestimmten Erziehungs-"Anstalten" und in militärischen Einrichtungen sollen solche Identifikationsprozesse - von als Aggressoren auftretenden Vorgesetzten - gezielt provoziert werden.

Exkurs 3.4.5 Die Regression

 Unter Regressionen werden Verhaltensweisen verstanden, die als Rückkehr zu einer früheren Entwicklungsphase gedeutet werden.

Im Sinne des Freud'schen Phasenmodells der Entwicklung können Regressionen als "rückläufige Bewegung auf eine dieser früheren Stufen" (Freud, 1917, S. 168) verstanden werden. Sigmund Freud verglich die fortschreitende Entwicklung mit der Wanderung eines Volkes, das an seinem Wege starke Abteilungen, Depots (Fixierungen) zurückgelassen hat. Wird diesem Volk das weitere Voranschreiten verwehrt, so wird es sich zu einer dieser "Befestigungen" zurückziehen (Regression). Regressionen sind somit nicht unabhängig von den Fixierungen früherer Entwicklungsschritte: je ausgeprägter die Fixierung, umso eher wird die Regression, bei äußeren Schwierigkeiten, zu eben dieser ausweichen.

Das, in seiner Vermittlungsfunktion überforderte, ICH sucht sich zu entlasten, indem es - wieder Kind geworden - die Verantwortlichkeit des Erwachsenen-ICH hinter sich lässt. Auch Zustände extremer Deprivation, Müdigkeit, Schwäche bei Erkrankungen oder in der Rekonvaleszenz können Regressionen auslösen.

Nicht selten wird von pflegenden Mitarbeitern eine - hypochondrisch anmutende - Beschäftigung mit altersspezifischen Schwierigkeiten bei den Ausscheidungen (Stuhlgang, Wasserlassen) beobachtet. Auch von ausgesprochen aggressiven Impulsen, Vorwürfen und trotzige Verhaltensweisen wird berichtet. (vergl. Radebold, Bechtler, Pina, 1987)

Anale Regression
Ausscheidungen
trotziges Verhalten

Die Auseinandersetzung mit Ausscheidungen und trotziges Verhalten verweisen auf typische Merkmale der zweiten Entwicklungsstufe im Freudianischen Phasenmodell der Entwicklung. Aber auch das zwanghafte Sammeln und Anhäufen von "nutzlos" erscheinenden Gegenständen und Materialien (Papier, Zeitungen, leere Jogurtbecher, Essensreste) sind hier ebenso zu nennen wie ausgesprochene Verarmungsideen.

Sammeln

Die akzentuierte Beschäftigung mit Essen und Trinken, mit Genussmitteln und Medikamenteneinnahme können als orale Regressionen

Orale Regression

verstanden werden. In den Mittelpunkt des Lebens können aber auch die Besorgtheit um den eigenen Körper, die Angst vor Krankheiten und Verunstaltungen aber auch Wünsche nach Versorgung, Verwöhnung und entsprechender Pflege treten.

Mitarbeitern fällt oft das "anklammernde" Verhalten auf, das aber nicht - wie im Rahmen anal akzentuierter Verhaltensweisen - als Ausdruck von Macht- und Verfügungsansprüchen über andere Menschen missverstanden werden darf, sondern vielmehr als die Einverleibung von "Streicheleinheiten" erklärbar wird. So wird bei Verweigerung auch weniger trotzig, aggressiv als vielmehr gekränkt, weinerlich reagiert.

Exkurs 3.4.6   Die Verschiebung

Von Verschiebungen wird gesprochen, wenn aufgestaute, in der Regel feindselige, Gefühle, nicht den Personen entgegengebracht werden, die diese auslösten, sondern auf andere Personen oder Objekte *verschoben* werden, die als weniger bedrohlich eingestuft werden.

So kann ein Mitarbeiter, der sich über die Pflegedienstleitung geärgert hat und nun wütend ist, seine Wut gegenüber dem Vorgesetzten äußern oder sie auf eine dritte Person *verschieben* und sich an einem Praktikanten oder zu Hause an einem Famlienmitglied, an seinem Haustier oder an einer Zimmertür, die nun "etwas liebloser" ins Schloss geworfen wird, abreagieren

Exkurs 3.4.7   Die Rationalisierung

Werden als unangenehm empfundene Verhaltensweisen vermieden, diese Vermeidungen aber mit logischen Erklärungen *rationalisiert*, so wird dieser Mechanismus als *Rationalisierung* bezeichnet.

So ist es möglich, dass die eigenen Rechte - aus Angst - nicht eingefordert werden, dass dieses Nicht-Handeln aber nicht als ängstlich, sondern als wohl überlegt ("eigentlich ist es besser so!") dargestellt wird. Wird der Kontakt zu schwierigen (aggressiven, verwirrten, sterbenden) alten Menschen von Pflegenden als unangenehm empfunden und gemieden, so wird dies häufig mit "Personalknappheit" oder unaufschiebbaren anderen Verpflichtungen *rationalisiert*.

Rationalisierungen sind keine bewussten Lügen, um wohl überlegtes Verhalten vor Dritten zu rechtfertigen, sondern Abwehrmechanismen zur Entlastung des eigenen ICH. Der Unterschied zwischen *Lüge* und *Rationalisierung* ist mit dem Gegensatz von *Verdrängung* und *Unterdrückung* vergleichbar. Rationalisierende lügen nicht nur ihr Gegenüber, sondern sich selbst an!

Rationalisierung und Lüge

Exkurs 3.4.8   Die Reaktionsbildung

Bei *Reaktionsbildungen* werden bedrohlich empfundene Gefühle in ihr Gegenteil verkehrt. Einem Menschen entgegengebrachte Gefühle der Geringschätzung und Ablehnung können so durch ein äußerst zuvorkommendes, freundliches Verhalten ersetzt werden. So kann beobachtet werden, dass Mütter, die einem Kind unbewusst Gefühle der Aggressivität entgegenbringen, sich durch eine extrem fürsorgliche Haltung hervortun.

Auch in pflegerischen Berufsfeldern können zu Pflegenden entgegengebrachte negative Gefühle im Rahmen der Reaktionsbildung durch besondere Zuwendung "ersetzt" werden. Auch hier handelt es sich nicht um bewusste Schauspielerei, um dem "anderen etwas vorzumachen", sondern um einen Abwehrmechanismus zur Entlastung des eigenen ICH.

Reaktionsbildungen und "schauspielern"

Welche Ereignisse in der Biografie älterer Menschen können nach Ihrer Meinung zu Überforderungen unbewusster ICH-Funktionen führen?
Inwieweit kann die Lebenssituation "Altenheim" zu einer Überforderung unbewusster ICH-Funktionen führen?
Welche Möglichkeiten sehen Sie, diesen Überforderungen vorzubeugen und das ICH zu entlasten / zu stärken?

☹ ?
☺ !

4.5.1.3 Die Anwendung von Techniken zur Verhaltensänderung

 Direkt auf Verhaltensänderungen der Bewohner/innen zielende (therapeutische) Maßnahmen sind hier zu nennen. Die regelmäßige Durchführung eines Kontinenz-Trainings gehört ebenso in diesen Zusammenhang wie ein Realitäts-Orientierungs-Training mit gerontopsychiatrisch veränderten alten Menschen.

> Wer bestimmt, welches Verhalten verändert werden soll? Wer legt fest, wie das neue / wünschenswerte Verhalten aussehen soll.

Erlerntes Verhalten

Exkurs 4:
Lernpsychologische Aspekte in der Milieu-Therapie

Lernpsychologen gehen davon aus, dass menschliches Verhalten durch Lernprozesse erworben wird. Dies gilt für als angemessen angesehenes Verhalten ebenso wie für unangemessenes. So gehen Verhaltenstherapeuten davon aus, dass pathologisches (abweichendes, "krankhaftes") Verhalten durch Lernprozesse verändert werden kann.

Im Folgenden sollen die Grundlagen des Konditionierungslernens beschrieben und anschließend ihre therapeutische Anwendung vorgestellt werden.

Exkurs 4.1 Das klassische Konditionieren nach Iwan Petrowitsch Pawlow

Iwan Pawlow, ein russischer Physiologe, lebte von 1849 bis 1936; er entwickelte aus Versuchsreihen mit seinen Hunden eine Theorie, die als *klassisches Konditionieren* oder als *russische Reflexologie* bekannt ist. Für seine Forschungen erhielt Pawlow 1904 den Nobelpreis für Medizin.

Unbedingter Reflex:

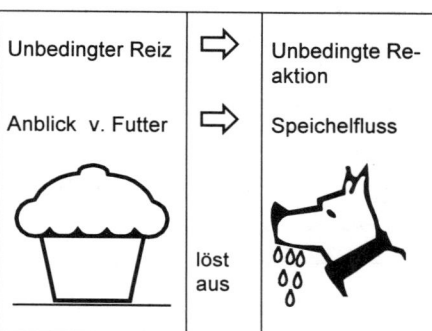

Menschen verfügen
(wie alle Säugetiere)
über angeborene (oder
unbedingte)- Reflexe.
Ein solcher Reflex, der
sich aus einem Reiz
und einer Reaktion zu-
sammensetzt, ist z B.
der Speichelfluss von
Hunden, wenn sie ihr
Futter sehen.

Abb. 14

| Unbedingter Reiz | ⇨ | Unbedingte Re- aktion |
| Anblick v. Futter | ⇨ | Speichelfluss |

löst aus

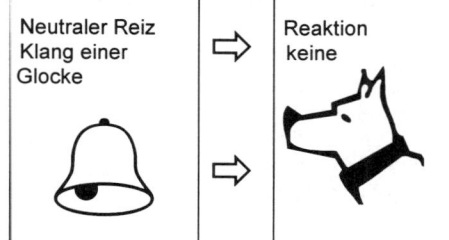

Neutrale Reize (z.B. der
Klang einer Glocke) zie-
hen keine Reaktion
nach sich, sie sind für
den Hund bedeutungs-
los:

| Neutraler Reiz Klang einer Glocke | ⇨ | Reaktion keine |

Wenn jedoch der neutrale Reiz mehrfach gemeinsam mit dem unbedingten Reiz (also der Klang der Glocke gemeinsam mit dem Fres-
sen) angeboten wurde, dann trat später bei einem isolierten Glocken-
klang der Speichelfluss auf.

Der mehrmals mit dem unbedingten Reiz gleichzeitig angebotene
neutrale Reiz zog jetzt die gleiche Reaktion nach sich, wie der unbedingte Reiz. Der neutrale Reiz war nun nicht mehr "neutral". Pawlow
nannte ihn einen **bedingten Reiz**; die Reaktion, die ihm folgte war eine bedingte Reaktion; die Einheit von bedingtem Reiz und bedingter
Reaktion ist ein bedingter Reflex:

bedingter Reiz und neutraler Reiz gemeinsam angeboten ...

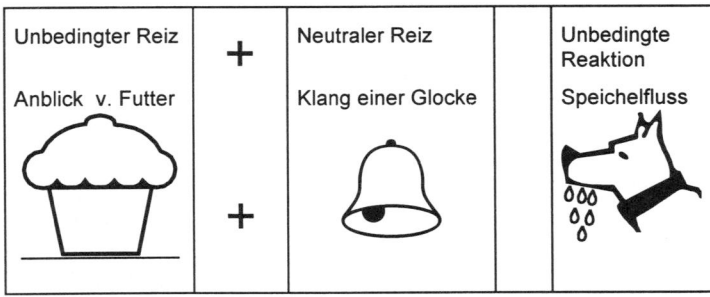

| Unbedingter Reiz

Anblick v. Futter | + | Neutraler Reiz

Klang einer Glocke | Unbedingte Reaktion

Speichelfluss |

| ... **führen zur Ausbildung bedingter Reflexe.**

Folgt der unbedingte Reiz dem neutralen in einem zeitlichen Abstand von 0,2 bis 1 Sekunde, werden die besten Lernergebnisse erzielt. | Bedingter Reiz (vorher neutraler Reiz)
Klang einer Glocke | Bedingte Reaktion
Speichelfluss |

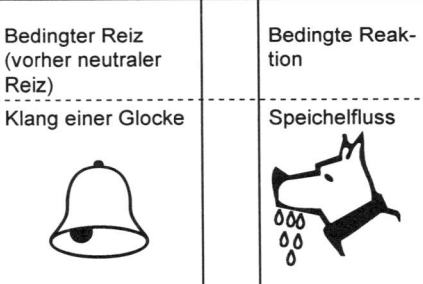

Längere Zeitabstände (länger als 5 Sekunden) führen zu deutlichen Verschlechterungen (vergl. Larbig, 1980, S. 162).

"Lernendes" Immunsystem

Aber auch jeder willentlichen Kontrolle entzogene Prozesse (wie die Arbeit der Immunsystems) sind durch Lernprozesse beeinflussbar. An der Universität Münster wurde folgende Versuchsreihe durchgeführt:

Unbedingter Reflex:

Unbedingter Reiz	⇨	Unbedingte Reaktion
Adrenalin-Injektion	⇨	Vermehrung der weißen Blutkörperchen

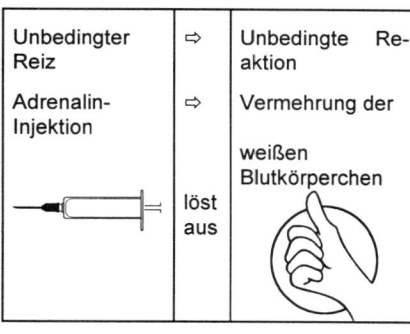 löst aus

Versuchspersonen wurde, unmittelbar nachdem diese ein Brausebonbon in den Mund genommen hatten, eine Substanz injiziert, von der bekannt ist, dass sie das Abwehrsystem stimuliert: Adrenalin. Nach der Injektion ist im Blutbild eine Verdreifachung der Abwehrzellen nachweisbar. Dieser Ablauf wurde dreimal wiederholt. Am fünften Tag wurde das Experiment nochmals durchgeführt, allerdings mit einer gravierenden Änderung: Statt einer Adrenalin-Injektion folgte den Brausebonbon eine Injektion mit Kochsalzlösung.

Neutraler Reiz	⇨	Reaktion
Brausebonbon	⇨	keine

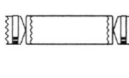

Neutraler Reiz Brausebonbon	+	Unbedingter Reiz Adrenalininjektion	⇨	Unbedingte Reaktion Vermehrung der weißen Blutkörperchen
	+		⇨	

⇩

Auch ohne Adrenalingabe war im Blutbild die Vermehrung der Abwehrzellen nachweisbar. Das Immunsystem hatte "gelernt", auf die geschmackliche Reizung zu reagieren.

Bedingter Reiz (vorher neutraler Reiz) Brausebonbon	⇨	Bedingte Reaktion Vermehrung der weißen Blutkörperchen
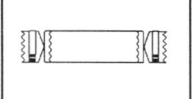	⇨	

Abb. 12

Reiz- generalisie- rung	Von **Reizgeneralisierung** wird gesprochen, wenn nicht nur der kondi-tionierte Reiz, sondern auch solche, die ihm ähnlich sind, die bedingte Reaktion auslösen. Der amerikanische Psychologe John B. Watson (1878 - 1958) führte in den Zwanzigerjahren des vorigen Jahrhun-derts ein zwar interessantes, aber grausames und ethisch höchst be-denkliches Experiment durch, das als der Fall "little Albert" in die Psy-chologie-Geschichte Einzug hielt.

Der Fall "little Albert"

Albert, ein elfmonatiger Waisenjunge, hielt sich gerne in Professor Watsons Laboratorium auf, um dort mit den weißen Laborratten zu spielen. Als Albert eine seiner geliebten Ratten streichelte, intonierte Watson hinter seinem Rücken einen Furcht erregenden Lärm; das Kind, verängstigt, weinte und versuchte wegzukrabbeln. Nach fünf Versuchsdurchgängen reichte bereits der Anblick einer der - einst so geliebten - Ratten, um in Albert die Angstreaktion auszulösen.

Aber nicht nur der Anblick einer Ratte wurde zum angstauslösenden Reiz; auch andere kleine Pelztiere (z.B. weiße Kaninchen) wurden zu Angstauslösern (vergl. Heil, 1978, S. 55; Larbig, 1980, S. 163).

> Vergegenwärtigen Sie sich den Versuchsablauf von Prof. Watson:
> - Was war der unbedingte, der neutrale bzw. der bedingte Reiz?
> - Welche Reaktion war die unbedingte Reaktion, welche die bedingte?

Reflexlernen wird in der Praxis überall dort wirksam, wo unbedingte und neutrale Reize (beabsichtigt oder unbeabsichtigt) gemeinsam auftreten. So kann das Auftreten einer Harninkontinenz z.B. klassisch konditioniert werden.

Abb. 13

Kältereize vermögen Harndrang, bei ge-schwächter Blasen-funktion Harnfluss, auszulösen.
So kann sich beim Verlassen des war-men Gebäudes und beim Auftreten von Kältereizen Harn-drang / -fluss ein-stellen.

Unbedingter Reiz	Unbedingte Reaktion
Kältereiz	Harndrang

Erlernte Inkontinenz

Vergegenwärtigen Sie sich folgende Situation: Beim Verlassen des Gebäudes muss die automatisch öffnende Außentür passiert werden.

Der Anblick der sich öffnenden Tür (optischer Reiz) führt zu keiner Reaktion. Bei winterlichen Spaziergängen hingegen ist der optische Reiz (Wahrnehmung der Tür) unmittelbar an die Kältewahrnehmung gebunden: gemeinsames Auftreten des neutralen und des unbedingten Reizes.

Neutraler Reiz	+	Unbedingter Reiz	Unbedingte Reaktion
Anblick der Tür		Kältereiz	Harndrang

Bedingter Reiz	Bedingte Reaktion	Nach der Konditionierung kann - nach Passieren der Außentür - auch der Frühlingsspaziergang, trotz deutlich gestiegener Temperaturen, von Harndrang begleitet werden!
Anblick der Tür	Harndrang	

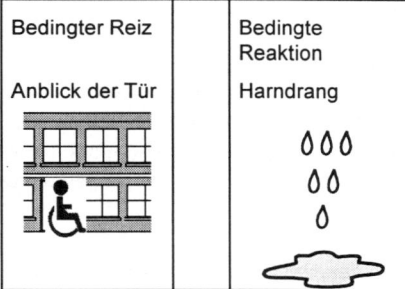

Um bei winterlichen Spaziergängen das Risiko durchnässter Kleidung auszuschließen, legt eine Pflegekraft unmittelbar vor Verlassen des Hauses ("Wenn doch was passieren sollte, ...") immer noch rasch eine Einlage ein.
Könnte dieses Verhalten eine Konditionierung auslösen? Begründen Sie ihre Entscheidung.

 ?

 !

Exkurs 4.2   Operantes Konditionieren

Klassisches Konditionieren

Ein anderes Lernmodell des Konditionierens, das operante Konditionieren, wurde in den USA von dem Psychologen Burrhus F. Skinner entwickelt. Voraussetzung für die Bildung bedingter Reflexe ist, dass zuvor bereits ein angeborener, unbedingter Reflex existiert. Die angeborene Reaktion wird nach der Konditionierung durch einen neuen **bedingten** Reiz ausgelöst.

Operantes Konditionieren

Tiere, und dies gilt auch für Menschen, sind jedoch nicht nur re-aktiv, vielmehr sind sie von sich aus aktiv! Diese Verhaltensweisen wirken auf die Umwelt und sind mit Konsequenzen für den Handelnden verbunden. Wird eine Konsequenz als angenehm empfunden, so wird das vorausgegangene Verhalten in Zukunft wahrscheinlich häufiger gezeigt, wird die Konsequenz unangenehm wahrgenommen, so wird das Verhalten seltener (oder gar nicht mehr) auftreten. "Wirken", "einwirken" - im Sinne von aktiv sein - heißt im Englischen "to operate"; dieses Lernmodell wird als **operantes Konditionieren** bezeichnet: Lernen aus den Konsequenzen von Handlungen.

Positive und negative Verstärker

Die einer Handlung folgende Konsequenz, die dazu führt, dass das Verhalten in Zukunft häufiger auftritt, wird als **Verstärker** bezeichnet. Angenehm empfundene Reize werden als **positive Verstärker** bezeichnet. **Negative Verstärker** sind unangenehm wahrgenommene Reize, die aus einer Situation entfernt werden, was als angenehme Konsequenz empfunden wird.

So sind ein Bonbon oder ein Wort der Anerkennung **positive Verstärker**. Unangenehm laute Musik, die abgestellt wird, unbequeme Kleidung, der man sich entledigt, sind **negative Verstärker**.

Einer Handlung können grundsätzlich sieben verschiedene Arten von Konsequenzen folgen:

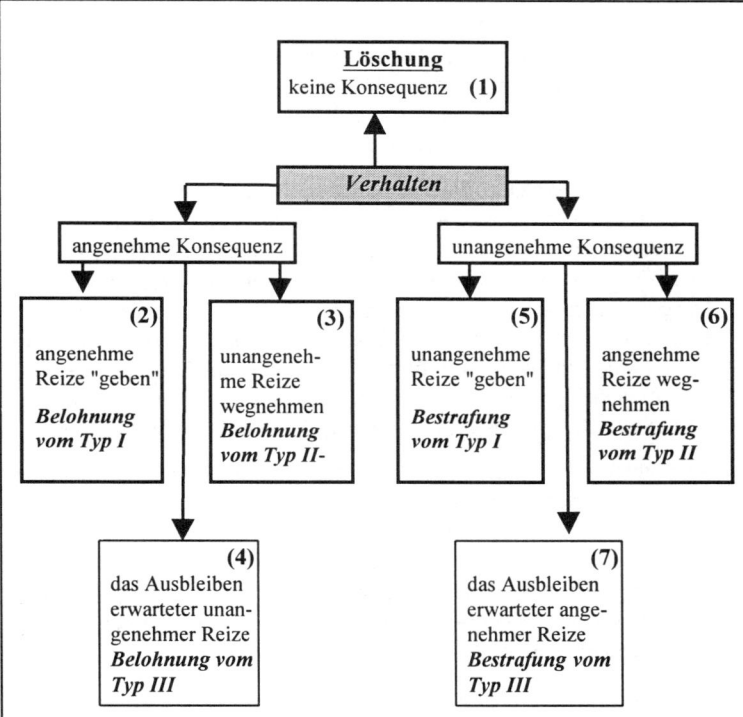

Dass das Ausbleiben erwarteter Belohnungen unangenehm empfunden wird, ist für jeden Menschen nachvollziehbar, dem versprochene Vergünstigungen und Versprechungen vorenthalten blieben. Das versprochene Fahrrad, das - wegen mangelhafter Schulnoten - nicht die Krönung des Kindergeburtstages wird, ist eine typische Bestrafung vom Typ III.

Nicht so offensichtlich ist, dass das Ausbleiben erwarteter Strafen Belohnungen gleichkommt. Dennoch kann jedermann die Erfahrung machen, dass nicht von Konsequenzen begleitete Drohungen nicht nur ineffektiv bleiben, sondern erst recht zu vermehrtem Fehlverhalten führen. Das Ausbleiben der zu erwartenden negativen Reize kommt einem Schulterklopfen gleich. Eine Vermehrung von Reglementierungen und angedrohten Strafen bei Zuwiderhandlungen, wird bei inkonsequenter Umsetzung derselben zu einem effektiven Training für Regelverletzungen.

Gelernte Regelverletzungen

Wichtig ist, wie die Konsequenzen von den Betroffenen selbst bewertet werden. So wird möglicherweise der identische Reiz von einer Person als angenehm, von einer anderen als unangenehm empfunden: Wer Süßigkeiten mag, wird ein Bonbon als Belohnung wahrnehmen, wer "das süße Zeug" ekelig findet auf keinen Fall!

Folgt einem Verhalten gar keine Konsequenz, so wird dies als *Löschung* bezeichnet. Bleiben die Verstärker auf Dauer aus, so wird das Verhalten immer seltener auftreten. In diesem Zusammenhang wird ein Phänomen bedeutsam, das als *intermittierende Verstärkung* bezeichnet wird. Als der junge Burrhus F. Skinner mit Versuchstieren im Lernlabor arbeitete, musste er feststellen, dass er nicht genug Futtertabletten hatte, mit denen er die Tiere üblicherweise "belohnte". Um mit dem geringen Vorrat arbeiten zu können, entschied er sich, nur jedes zweite "richtige" Verhalten zu verstärken.

Intermittierende Verstärkung bedeutet also, dass die angenehme Konsequenz nur nach einer bestimmten Quote (nach jedem zweiten, jedem dritten, jedem vierten, jedem ... Verhalten) auftreten. Bleiben nach dem Lernprozess die Verstärker aus (diese Phase wird als Löschungsphase oder Extinktionsphase bezeichnet), so wird das Verhalten häufiger und länger gezeigt, als solches, das regelmäßig (man spricht von kontinuierlicher Verstärkung) verstärkt wurde.

- Kontinuierlich verstärkte Lernprozesse verlaufen schneller, sie werden aber auch schneller wieder "verlernt": sie sind leicht zu löschen!

- Intermittierend verstärkte Lernprozesse verlaufen langsamer; sie sind aber *löschungsresistenter*; sie widersetzen sich der Löschung, werden nicht so leicht "verlernt"

Die beiden Verstärkerformen können miteinander kombiniert werden: So wird ein neues Verhalten bei kontinuierlicher Verstärkung relativ schnell erlernt; wird anschließend weiter intermittierend verstärkt, wird das Verhalten löschungsresistenter!

Löschungsresistent sind nicht nur

1. intermittierend verstärkte Lernprozesse, sondern auch

2. stark gefühlsmäßig besetzte Erlebnisse, die z.B. mit starken Ängsten verbundene Lernerfahrungen: der Fall "little Albert"

3. erlernte psychosomatische Störungen - z.B. Magenschmerzen beim Anblick der Schule - (vergl. Wirsing, 1986, S. 79)

4. Situationen, in denen eine **Löschung** (kein Auftreten von Konse-quenzen) nicht von außen zu arrangieren ist, weil die betreffende Person sich selbst verstärkt. Ein Phänomen, das in dem folgen-den Ärzte-Witz beschrieben wird.

In einer psychiatrischen Klinik fiel einem neuen Arzt ein Patient auf, der auf dem Flur immer sehr laut mit seinen Fingern schnippte. Nie-mand - weder Mitpatienten, noch Pflegepersonal, noch Ärzte - küm-merten sich um dieses auffällige Verhalten. - Eines Tages sprach der junge Mediziner den Mann an und fragte "Warum schnippen Sie ei-gentlich immer so laut auf dem Flur?" - "Damit halte ich mir die Wölfe vom Leib!" antwortete der Mann. "Aber auf dem Flur sind weit und breit keine Wölfe zu sehen!" - "Eben", meinte der Patient, "die Sache funktioniert!" und ging laut "schnippend" weiter.

| Was hielt das Verhalten des Mannes aufrecht? |
| Um was für eine Form von Konsequenz handelt es sich? |

 ☹ ?

☺ !

Kurt Wirsing (1986, S. 80) veranschaulicht das Prinzip des operanten Konditionierens an einem von Frederic Kanfer (amerikanischer Lern-psychologe) entwickelten Schema:

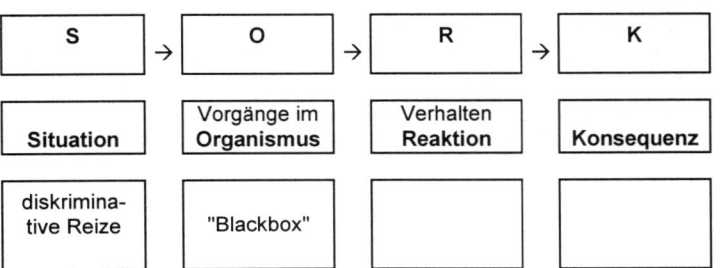

Abb. 14

- In einer bestimmten Situation: **"S"**,

- läuft im Organismus irgendetwas ab, was dazu führt, dass ein bestimmtes Verhalten gezeigt wird. Diese Vorgänge sind für Au-ßenstehende nicht zu erkennen oder zu analysieren. Deshalb wird der Organismus **"O"** "Blackbox" (ein verschlossener, schwarzer Kasten, in den man nicht hineinsehen kann) genannt.

- zu beobachten - und mit wissenschaftlichen Methoden zu erfas-sen - sind das gezeigte Verhalten **"R"**

- und die Konsequenzen **"K"**.

Die Ausgangssituation, in der sich ein Lernvorgang abspielt, weist ganz bestimmte Reize auf, durch die sie sich von anderen Situationen unterscheidet. Diese "unterscheidenden" Reize werden **diskriminative Reize** (von *to discriminate*, engl.: unterscheiden) genannt.

Diskriminative Reize und Konsequenzen

In operanten Lernsituationen treten somit zwei verschiedene Formen von Reizen auf: **diskriminative Reize**, die die Situation bestimmen, und Reize, die als **Konsequenzen** dem Verhalten folgen und dieses ggf. verstärken.

Diskriminative Reize setzen dem Organismus das Signal, ein operant konditioniertes Verhalten zu zeigen. Ein Fahrschüler, der gelernt hat "anzufahren", ohne den Motor "abzuwürgen", wird dieses Verhalten nur bei bestimmten diskriminativen Reizen zeigen. So wird er stehen bleiben, solange die Ampel "rot" zeigt, anfahren, wenn sie auf "grün" umspringt (diskriminativer Reiz).

Folgt in einer bestimmten Situation einem Verhalten ein Verstärker, so wird dieses Verhalten in Zukunft häufiger auftreten: Jedes Verhalten, auch sinnloses, selbstschädigendes wird auf diese Weise gelernt. In einem klassischen Experiment zur Lernpsychologie wurde Versuchstieren (Tauben) in ihren Käfigen alle 15 Sekunden Futter verabreicht. Was die Tiere zuvor taten hatte keinen Einfluss auf die Futtergabe. Bereits nach kurzer Zeit waren die Tiere "wunderlich" geworden. Ein Vogel machte andauernd Rotationsbewegungen um seine eigene Achse; ein anderer spreizte immer wieder den linken Flügel und das linke Bein; ein dritter machte in einer Ecke des Käfigs andauernd Verbeugungen; ein vierter sprang andauernd auf der Stelle herum (vergl. Großmann, 1969, S. 25).

Welchen Zusammenhang vermuten Sie, zwischen der willkürlichen Futtergabe im 15-Sekunden-Rhytmus und dem "schrulligen" Verhalten der - vorher unauffälligen - Tauben?

Im vorigen Abschnitt wurde eine nicht organisch bedingte Form von Urin-Inkontinenz als mögliches Ergebnis eines klassischen Konditionierungsprozesses beschrieben. Inkontinenz ist aber auch operant zu konditionieren:

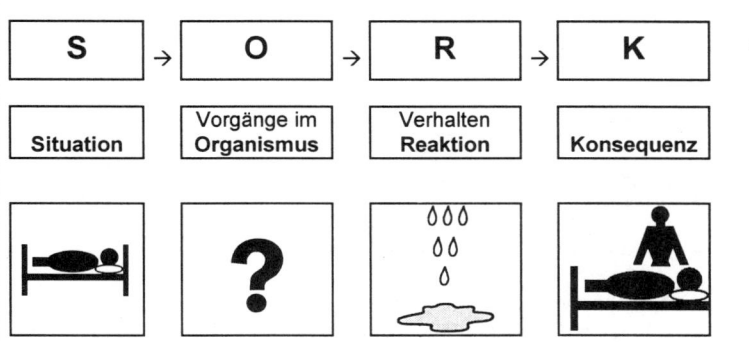

Abb. 15

S

In einer ganz konkreten Situation:
Einzug in ein Alten-Pflegeheim nach Oberschenkelhals-
bruch Doppelzimmer, Mitbewohnerin ist verwirrt, ein Gefühl
von "Verlassensein", ...

O

Ein nicht bekannter Vorgang im Organismus ("Blackbox")
führt dazu, dass ...

R

... eine Bewohnerin ("Frau X") einnässt.
Eine organisch bedingte Inkontinenz liegt nicht vor.

K

Die Konsequenz dieses Verhaltens ist, dass Mitarbeiter sich
Zeit für Frau X nehmen, dass sie gewaschen und neu ange-
kleidet wird, dass man sich ihr zuwendet, sie tröstet, ...

Auch wenn es für viele Menschen eine unangenehme Erfahrung ist,
damit konfrontiert zu werden, dass die Ausscheidungsfunktionen nicht
mehr zu kontrollieren sind, können die Zuwendungen doch so angenehm empfunden werden (sekundärer Gewinn), dass das der Verstärkung vorausgegangene Verhalten nun häufiger auftritt.

Wichtig ist, dass das erlernte Verhalten ***nicht bewusst*** eingesetzt
wird, um Mitarbeiter zu manipulieren. In der Praxis kann die mögliche
Konsequenz aber auch ganz anders ausfallen: Schimpfen, Geringschätzung, "ruppige", wenig zärtliche Pflegehandlungen könnten auch
mögliche Konsequenzen für Frau X sein.

Abb. 16

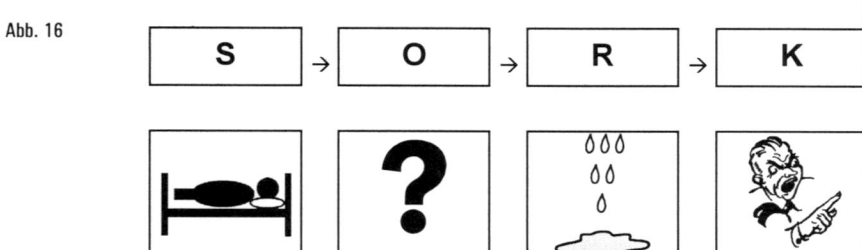

Auch unangenehme Konsequenzen können jedoch Verhalten verstärken. Negative Reize sind auch eine Form von Zuwendung: Lieber negative Zuwendung als gar keine!

Aus der Praxis wird immer wieder berichtet, dass alte Menschen, die in Pflegeeinrichtungen inkontinent waren, nach ihrem Auszug, bzw. nach der Rückkehr in ihre eigene Wohnung oder der Integration in ein neues Wohnumfeld (z.B. Einzug bei den Kindern) plötzlich keine Kontinenz-Probleme hatten.
Interpretieren Sie dieses Phänomen vor dem Hintergrund Ihres Wissens um *diskriminative Reize*!

Exkurs 4.3   Verhaltensformung

Ein Zielverhalten, das sehr komplex ist und sich aus vielen Verhaltenseinheiten zusammensetzt, kann nur dann erreicht werden, wenn der Lernprozess in einzelne Lernschritte zergliedert wird.

Wird als erwünschtes Zielverhalten beschrieben, dass ein inaktiver Bewohner sich wieder selbstständig ankleiden kann, so wird nicht erst das erwünschte Endverhalten "verstärkt", sondern die einzelnen Schritte, die hierhin führen: "Strümpfe anziehen", "Unterbekleidung anziehen", ...

Prinzip der stufenweisen Annäherung

Als **Verhaltensformung "nach dem Prinzip der stufenweisen Annäherung"** wird ein Ansatz bezeichnet, bei dem die einzelnen Elemente zunächst isoliert verstärkt, mit zunehmender Zeit aber nur noch die dem Zielverhalten zunehmend ähnlicher werdenden, komplexen Verhaltensweisen belohnt werden.

Ein gewünschtes Zielverhalten kann in der Altenpflege so beschrieben werden, dass sich ein Bewohner wieder selbstständig ankleiden kann; als ein Teil dieses komplexen Endverhaltens muss das Anziehen der Strümpfe erlernt werden, das sich wiederum aus einzelnen Teilschritten zusammensetzt:

- Aufrollen eines Strumpfes, um ihn besser über die Zehen ziehen zu können

- den Strumpf über die Zehen ziehen

- den Strumpf über die Ferse ziehen

- den Strumpf über die Wade ziehen

Erfährt zunächst jeder einzelne Schritt eine Verstärkung, so werden später nur noch komplexere Schritte (das Anziehen eines Strumpfes bzw. das Anziehen beider Strümpfe) belohnt. Zum Schluss müssen die einzeln erlernten Teilschritte zu einem Ganzen zusammengefügt werden.

Findet die Reihenfolge der einzelnen Lernschritte keine Beachtung, wird die Kombination der einzelnen, erfolgreich zu absolvierenden, Sequenzen willkürlich. Die einzelnen Handlungen werden umgesetzt, aber nicht in der richtigen Reihenfolge: Möglicherweise wird das Hemd über den Pullover gezogen und beide Kleidungsstücke werden anschließend in den Bund der zuletzt angezogenen Hose gestopft. Der Unterbekleidung kann man sich dann zuletzt zuwenden.

Eine andere Form der Verhaltensformung wurde in Tierversuchen erprobt: Zirkustiere sind in der Lage, sehr umfangreiche Kunststücke vorzuführen. Eine Belohnung erhalten sie von ihren Trainern jedoch nur nach der letzten Reaktion.

Bildung von Reaktionsketten

Eine Ratte mit Namen Barnabus lernte

	• eine Treppe hinaufzusteigen
anschließend	• eine Leiter wieder hinabzusteigen
anschließend	• ein Spielzeugauto an einer Kette zu sich heranzuziehen
anschließend	• in das Spielzeugauto einzusteigen
anschließend	• mit dem Auto zu einer zweiten Leiter zu fahren und auszusteigen
anschließend	• die zweite Leiter hinaufzusteigen
anschließend	• durch ein Rohr zu kriechen
anschließend	• in einen kleinen Aufzug zu steigen
anschließend	• an einer Kette zu ziehen, die eine Fahne hochzog und den Aufzug zur Ausgangsplattform zurückbrachte

- wo sie einen Hebel drückte und eine Futterpille erhielt.

(vergl. Zimbardo, 1983, S. 216)

Bei dieser Art der Verhaltensformung, der **"Bildung von Reaktions-ketten"**, wird das Zielverhalten gleichfalls in einzelne Schritte unter-teilt, die in eine zeitliche Reihenfolge gebracht werden: Zuerst soll das Verhalten "X" erlernt werden; anschließend "Y", danach "Z", usw.

Im Rahmen der praktischen Umsetzung wird zunächst das letzte Glied dieser Verhaltenskette operant konditioniert: Barnabus lernte den Hebel zu drücken, um seine Futterpille zu erhalten. Als die Ratte dies gelernt hatte, wurde sie in den Aufzug gesetzt, der sie zu dem Hebel brachte, mit dem sie sich Futter beschaffen konnte. Nachdem Barnabus die angenehme Konsequenz des Aufzugfahrens kennen gelernt hatte, war es nicht mehr schwierig ihm beizubringen sich durch ein Rohr zu zwängen, das ihn zum Aufzug gelangen ließ.

Diese Lernmethode lässt sich, wie fast alle im Tierversuch analysier-ten Modelle der Lernpsychologie, auch auf die Situation lernender Menschen übertragen. Besinnen Sie sich des alten Menschen, der wieder lernen soll sich ohne Hilfen anzuziehen: Soll der sich selbst-ständig ankleidende Senior zuletzt seinen Pullover überziehen, so wird dieses Verhalten als erstes konditioniert. Soll dem Überziehen des Pullovers das Anziehen der Hose vorausgehen, so wird dieses als zweiter Lernschritt in Angriff genommen. Das Zuknöpfen des Hemdes - als drittes Element - soll möglicherweise dem Ankleiden der Hose vorausgehen. Als vierter Lernschritt kann das Überziehen des Hemdes, als fünfter möglicherweise das Anziehen des Unter-hemdes beschrieben werden

fünfter Schritt	vierter Schritt	dritter Schritt	zweiter Schritt	erster Schritt
Unterhemd anziehen	Oberhemd anziehen	Oberhemd zuknöpfen	Hose anziehen	Pullover anziehen

Beim Umsetzen des ersten Lernschrittes folgt dem Verhalten **_Über-ziehen des Pullovers_** als Konsequenz möglicherweise ein Lob. Der diskriminative Reiz, der dem Verhalten vorausging, war das Anziehen der Hose. Nicht jedes **_Pullover-Überziehen_** wird verstärkt, die Beloh-nung erfolgt nur dann, wenn der Pullover nach dem Ankleiden der Hose (=diskriminativer Reiz) angezogen wird:

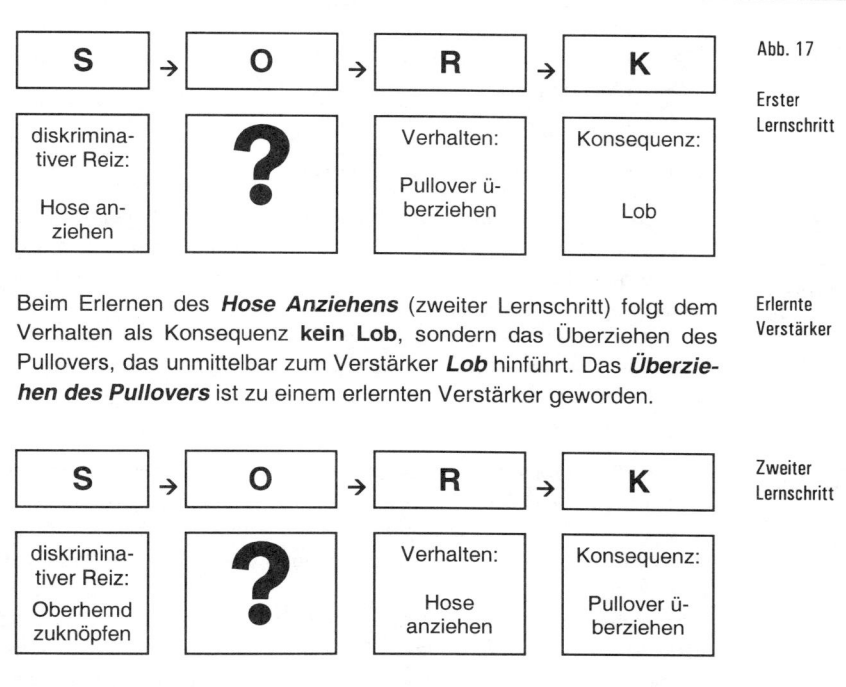

Abb. 17

Erster Lernschritt

Beim Erlernen des **Hose Anziehens** (zweiter Lernschritt) folgt dem Verhalten als Konsequenz **kein Lob**, sondern das Überziehen des Pullovers, das unmittelbar zum Verstärker **Lob** hinführt. Das **Überziehen des Pullovers** ist zu einem erlernten Verstärker geworden.

Erlernte Verstärker

Zweiter Lernschritt

So wird bei der praktischen Umsetzung dieses Lernmodells jedes einzelne Glied der Kette zum diskriminativen Reiz für den nächsten und zum Verstärker für den vorangegangenen Schritt:

	diskriminativer Reiz	Verhalten	Konsequenz
1. Lernschritt	Anziehen der Hose	Überziehen des Pullovers	z.B. Lob
2. Lernschritt	Zuknöpfen des Oberhemdes	Anziehen der Hose	Überziehen des Pullovers
3. Lernschritt	Überziehen des Oberhemdes	Zuknöpfen des Oberhemdes	Anziehen der Hose
4. Lernschritt	Überziehen des Unterhemdes	Überziehen des Oberhemdes	Zuknöpfen des Oberhemdes

?

 !

Erstellen Sie zwei Übungsprogramme (einmal nach dem "Prinzip der stufenweisen Annäherung"; einmal nach dem "Reaktionsketten-Prinzip") um einen inaktiven Bewohner zu einer selbstständigen Durchführung der Morgentoilette anzuleiten

Exkurs 4.4   Lernen am Modell

☞ Exkurs
3.4.4
S. 79 f
"Idendifikation
mit dem Ag-
gressor"

Zwei unterschiedliche Nachahmungsmechanismen werden unterschieden: das a*ngepasste Abhängigkeitsverhalten* und das *Kopierverhalten* (vergl. Correll, 1974, S. 222 ff). Ersteres verläuft *meistens unbewusst*: Bevorzugt werden die Verhaltensweisen einer Autoritätsfigur oder eines Idols nachgeahmt; ein Mechanismus, der z.B. Teil eines Identifikationsprozesses mit einem mächtig erfahrenen Gegenüber ist. Einstellungen, Sprechweise, Vokabular, die Art sich zu bewegen und zu kleiden werden vom Nachahmenden kopiert.

Beim *Kopierverhalten* hingegen werden bestimmte Verhaltensformen eines Vorbildes *bewusst* nachgeahmt. Im Rahmen der fachpraktischen Pflegeausbildung vermittelte Verhaltensweisen werden zunächst von einer Person, die sie schon beherrscht, *ab-kopiert*. So ist es nicht nötig, alle Erfahrungen erst selbst zu machen: Komplexe Verhaltensweisen anderer können übernommen oder auch in Zukunft vermieden werden. Muss eine Pflegekraft wahrnehmen, dass das Verhalten eines Kollegen einen alten Menschen zutiefst kränkt und dieser - als Konsequenz - deutliche Missachtung erkennen lässt, so kann sie sich hierauf einstellen und vergleichbare eigene Fehler in Zukunft vermeiden.

Externe Verstärker sind beim Imitationslernen zwar nicht unabdingbar, sie führen aber zu einer deutlichen Verbesserung des Lernens (vergl. Redlin, 1977, S. 31). So wird der Kopierende zunächst die Verhaltensweisen eines Modells übernehmen, mit denen dieses erfolgreich ist, für die es *verstärkt* wird. Diese Konsequenzen, die das Modell erfährt, werden als s*tellvertretende Verstärker* bezeichnet. Darüber hinaus ist wichtig, ob der Kopierende mit dem, vom Modell übernommenen, Verhalten eine Verstärkung erfährt.

Als bevorzugte Lernmodelle werden Menschen gewählt (vergl. Wirsing, 1987, S. 87), die

- dem Lernenden ähnlich sind

- dem Lernenden erfolgreich scheinen

- vom Lernenden geliebt werden

- vom Lernenden als machtvoll erlebt werden

- deren Status vom Lernenden als hoch eingestuft wird

Exkurs 4.5   Angewandte Lernpsychologie: Techniken zur Verhaltensänderung

Die therapeutische Anwendung der "Lerntheorien" mit dem Ziel einer Verhaltensänderung wird als *Verhaltenstherapie* bezeichnet. Als unangemessen erachtetes Verhalten entsteht - bei Ausschluss organischer Ursachen - ebenso wie jedes Verhalten als Folge von Lernprozessen.

Im Folgenden werden einige verhaltenstherapeutische Ansätze vorgestellt. Wie oben beschrieben, geht es um die Änderung beobachtbaren Verhaltens, nicht um Verständnis für die im Individuum ablaufenden Prozesse ("Blackbox"). Zwar wurde auch die Verhaltenstherapie weiterentwickelt und neuere Ansätze ("kognitive Verhaltenstherapie", "rational emotive Therapie") wenden sich auch innerpsychischen Prozessen zu. In dieser kurzen Übersicht soll aber die kurze Darstellung der "Klassiker" genügen (vergl. Zimbardo, 1983, S.555 ff).

Die große Effektivität und die leichte Anwendung dieser Techniken durch Angehörige des Pflegedienstes sind gleichzeitig als problematisch einzustufen (vergl. Ritter-Vosen, 1979, S. 323):

- Lerntechniken können auch bei Personen, die mit ihrer Umwelt nicht mehr in verbale Kommunikation treten, angewandt werden; in solchen Fällen sogar meist ohne Einwilligung und ohne Wissen der Betroffenen.

- Verhaltensweisen, die den täglichen Tagesablauf empfindlich stören, werden von der Umgebung - nicht von den Betroffenen - als unangemessen eingestuft (z.B. Schreien, Einnässen, Einkoten, Unselbstständigkeit) und eine Verhaltensänderung wird zum Ziel einer therapeutischen Intervention.

- Die Kenntnis verhaltenstherapeutischer Techniken und das Wissen um die Möglichkeit der Verhaltensmanipulation stärkt die Machtposition der Pflegenden gegenüber den Gepflegten. Sie verfügen über den Zugriff auf alle materiellen (Essen, Trinken, Beleuchtung) und sozialen (Zuwendung, Anerkennung) Verstärker.

- Willkürliches Gewähren von Verstärkern bzw. von Verstärkerentzug sind nicht nur eine Missachtung der Menschenwürde sondern möglicherweise Leistungsverweigerung: Für das Dessert hat der alte Mensch bereits bezahlt; hier handelt es sich um eine vertraglich geregelte Leistung des Heimes, nicht um eine "Belohnung", die erst durch willfähriges Verhalten "verdient" werden muss!

Exkurs 4.5.1 Löschung

Beim Ausbleiben von Verstärkern wird das unerwünschte Verhalten seltener und verschwindet sogar ganz. Im Alltag ist in der Tat oft festzustellen, dass unbeachtet bleibendes (also nicht-verstärktes) Verhalten von selbst unterbleibt.

Sekundäre Gewinne

Häufig werden unerwünschte Verhaltensweisen von Konsequenzen "begleitet", die als *sekundärer Gewinn* bezeichnet werden. So ist ein "nicht-gehen-können" zunächst mit unangenehmen Konsequenzen verbunden (Hilflosigkeit, Abhängigkeit von anderen, Verlust der Eigenständigkeit); gleichzeitig ziehen diese *primären Konsequenzen* noch andere nach sich (Abhängigkeit sichert Zuwendung durch andere, Hilflosigkeit sichert Beachtung, ...), die als *sekundärer Gewinn* bezeichnet werden. Sekundäre Gewinne als Verhaltenskonsequenzen können bewirken, dass Verhalten - trotz unangenehmer *primärer Konsequenzen* - aufrechterhalten wird.

Löschung führt auch dann zu keiner Verhaltensänderung, wenn von mehreren Seiten verstärkt wird. Bleiben einzelne Verstärker aus, so können andere durchaus das Verhalten aufrecht halten. Das Ignorieren nicht-sozialen, rücksichtslosen Verhaltens eines Gruppenmitglieds durch den Gruppenleiter wird ineffektiv bleiben, wenn der Betreffende durch sein Tun die Anerkennung oder ein ängstliches "zu Willen sein" anderer Teilnehmer provoziert und genießt.

Exkurs 4.5.2   Positive Verstärkung

Beim Verstärkungslernen werden erwünschte Verhaltensweisen mit angenehmen Konsequenzen gekoppelt.

In der Praxis wird der Ansatz der **Löschung** unerwünschten Verhaltens meist in Kombination mit der **positiven Verstärkung** des angemessen erachteten Handelns verbunden,

Kombination

Wie würden sie **Löschung** und **positive Verstärkung** bei der Versorgung eines Bewohners mit einer operant konditionierten Inkontinenz anwenden, um dieses "unerwünschte Verhalten" zu ändern?

 ?

 !

Exkurs 4.5.3   Aversionstherapie

Dass die unangenehmen Konsequenzen, die einem bestimmten Verhalten folgen, dazu führen, dass dieses Verhalten in Zukunft nicht mehr gezeigt wird, entspricht der Logik unseres Denkens. Als gezielte Technik zur Verhaltensänderung ist dieser Ansatz aber problematisch.

- Zum einen sind die Betroffenen leicht in der Lage, zwischen der Lernsituation in einer Klinik und der gewohnten Umgebung zu unterscheiden. War es z.B. möglich Sexualstraftäter durch Gabe von aversiven Reizen (Elektroschocks oder Einblasen von Ammoniakgas in die Nase) im Lernlabor "umzukonditionieren", so dass z.B. Kinderpornographie physiologisch folgenlos bleibt, so kann nach Therapieende im Wohnumfeld ein "Rückfall" nicht ausgeschlossen werden.

- Darüber hinaus setzt aversionstherapeutisches Verhalten eine totale Verhaltenskontrolle voraus: Jedes nicht angemessene Tun muss mit negativen Konsequenzen belegt werden. In einem Lernlabor, in dem die Versuchspersonen sich der Kontrolle der Versuchsleiter nicht entziehen können (z.B. indem sie fixiert werden), ist dies möglich; in einer normalen Wohnsituation, auch in einem Pflegeheim, aber nicht!

Viele unangemessenen Verhaltensweisen werden, obwohl häufig von aversiven Konsequenzen gefolgt, immer wieder folgenlos bleiben.
Welche Lernergebnisse vermuten Sie nach solchen "intermittierenden Bestrafungen"?

 ?

 !

- Im Einzelfall kann ein aversiver Reiz durchaus als "Verstärker" auftreten: negative Zuwendung sichert dem Betroffenen Aufmerksamkeit und kann somit durchaus angenehm wahrgenommen werden.

- Nicht zuletzt müssen aversive Reize in der Altenhilfe als Formen der Körperverletzung angesehen werden, so dass aversionstherapeutisches Arbeiten nicht nur aus Gründen der Effektivität, sondern auch aus ethischen Überlegungen nicht zur Anwendung kommt.

Kritisch zu fragen ist, inwieweit eine böse Bemerkung, ein böser Blick oder auch eine bestimmte Form von Pflegeverrichtungen als Anwendungen aversiver Reize zu verstehen sind.

Exkurs 4.5.4   Desensibilisierung

Reziproke
Hemmung
von ...

Dieser Therapieansatz, der bei Verhaltensproblemen, die mit großen Ängsten verbunden sind, Anwendung findet, wird auch als *reziproke Hemmung* bezeichnet. Reziproke Hemmung bedeutet so viel wie *wechselseitige* oder *gegenseitige Hemmung*. Zwei Dinge schließen sich grundsätzlich aus: Entspannung und Ängste. Angst kann keine Entspannung hervorrufen; bei Entspannung kann keine Angst auftreten. Auf diese Erkenntnis baut die *Desensibilisierung* auf:

1. Zunächst wird eine Angsthierarchie erstellt. Angstauslösende Reize werden in eine Reihenfolge gebracht, wobei der Reiz mit der geringsten angstauslösenden Wirkung an erster Stelle steht, der mit der stärksten Wirkung an letzter Stelle. Bei einer Angst vor Spinnen würde z.B. an erster Stelle die Vorstellung oder das Bild einer Spinne stehen, an letzter Stelle eine große haarige Spinne, die über den Arm krabbelt.
2. Anschließend ist es notwendig, dass die Betroffenen sich entspannen. Im Rahmen von klinischen Therapien kommen Entspannungstechniken wie die verkürzte Form des autogenen Trainings oder die progressive Muskelrelaxation nach Jakobson zur Anwendung.
3. In einer dritten Phase werden die Betroffenen - entspannt - mit dem schwächsten angstauslösenden Reiz konfrontiert. Beim Auftreten von Ängsten wird der Reiz sofort zurückgenommen und nach der Beruhigung mit dem nächst schwächeren Reiz neu begonnen.

Bleibt der schwächste Reiz in dieser Hierarchiekette folgenlos (=angstlos), so kommt es zu einer Generalisierung dergestalt, dass ähnliche Reize gleichfalls keine Angst auslösen und die Auseinandersetzung mit dem nächstgrößeren Angstauslöser in Angriff genommen werden kann.

Eine Bewohnerin einer Pflegeeinrichtung soll ein Vollbad nehmen. Bei Betreten des Badezimmers lässt die alte Dame deutlich erkennen, dass der Gedanke an ein Wannenbad sie beunruhigt; beim Heranführen an die gefüllte Wanne reagiert sie mit deutlicher Angst und weint. Lassen wir die Frage, ob es keine Alternativen zur Badeprozedur gibt, außer Acht, so stellt sich die Frage: Wie können Sie - unter Anwendung der Desensibilisierungstechnik - die Angst der alten Dame vor Vollbädern reduzieren? Was wäre - vor dem Hintergrund des klassischen Konditionierens - zu erwarten, wenn nach der Konfrontation mit dem stärksten erfahrenen angstauslösenden Reiz (Anblick der vollen Badewanne) auf einen nicht angstbesetzten Reiz bei der Körperhygiene ausgewichen wird: "Dann wasche ich Ihnen jetzt schnell Gesicht und Oberkörper mit dem Waschlappen ab!"?

 ?

 !

Exkurs 4.5.5 Reizüberflutung

Reizüberflutungen werden auch als *Implosivtherapie* bezeichnet. Den Betroffenen soll die Möglichkeit, den angstauslösenden Reizen auszuweichen, genommen werden. Der stärkste angstauslösende Reiz bei einer Spinnenphobie wäre z.B. die Erfahrung, mit hunderten von Spinnen in einer Telefonzelle eingesperrt zu sein. Die Panik entlädt sich nach innen (daher Implosion, nicht Explosion); bei mehrfacher, folgenlos bleibender Wiederholung, verliert der Angstauslöser seine Wirkung.

Reizüberflutungen als Beispiel verhaltenstherapeutischer Intervention sollen hier der Vollständigkeit halber Erwähnung finden, im Berufsfeld Altenpflege finden sie keine Anwendung.

Bei einer klinischen Anwendung, unterziehen sich Patienten freiwillig dieser Prozedur, nachdem sie über die Art der Durchführung informiert wurden. Zudem wird von seiten der behandelnden Ärzte abgeklärt, ob sie den Belastungen gesundheitlich gewachsen sind.

Ein bestimmendes "Jetzt stellen Sie sich mal nicht so an!" und die Durchführung eines Zwangs-Vollbades sind keine "Therapie", sondern eine strafbare Handlung, eine konkrete Form von Körperverletzung!

Exkurs 4.5.6   Verhaltenstherapie und Modell-Lernen

Im Rahmen des Modellernens (amerikanisch: modeling) kommt es zu Verhaltensänderungen, wenn das erwünschte Verhalten von anderen übernommen werden kann. Es wird zwischen aktiv beteiligten Modeling (in vivo Modeling) und symbolischen Modeling unterschieden.

Wird beim symbolischen Modeling ein Modell (in einer wirklichen Situation oder in einem Film) betrachtet, so besteht beim in-vivo-Modeling darüber hinaus die Möglichkeit, selbst aktiv zu werden: Im Beispiel der oben beschriebenen Badephobie könnte ein Mitarbeiter beim symbolischen Modeling mit der Hand im Wasser herumfahren, beim in-vivo-Modeling der badeunwilligen Dame selbst ermöglichen, ihre Hand in das Wasser zu tauchen.

4.5.1.4   Einstellungsänderung und Training des gesamten Mitarbeiterteams

Nur Mitarbeiter/innen, die die Ergebnisse gerontologischer Forschung  kennen und bereit sind, überholte Einstellungen aufzugeben, können beitragen die obigen Stufen der Milieu-Therapie in die Praxis umzusetzen.

Welche Möglichkeiten sehen Sie, die Lebensumwelt älterer Menschen
• in ihrer häuslichen Umgebung
• in einem Alten (Wohn-) Heim
• in einem Pflegeheim
im Sinne der Milieu-Therapie zu gestalten?

4.5.2 Milieu-Therapie als ergänzender Begriff

Demgegenüber versteht sich Milieu-Therapie aber nicht nur als ein "Mehr" an einzelnen Programmen und Konzepten: Nicht im Durchlaufen' zusätzlicher Angebote in Form von Gesprächskreisen, Einzelfallhilfen, Veranstaltungsprogrammen (zwischen Badetermin und Mittagessen), nicht im Weiterreichen' einzelner Senioren von Experten zu Experten der unterschiedlichsten Berufsgruppen ist das Wohlergehen älterer Menschen begründet, sondern im alltäglichen Miteinanderumgehen, in der Art des sich angenommen, aufgehoben und respektiert Fühlens.

 Ursula Lehr (1979b, S. 19) verweist auf Studien, aus denen hervorgeht, dass dem Umgangston in einer Einrichtung, der Atmosphäre, dem 'Geist eines Hauses' eine größere Bedeutung für das Wohlbefinden und die Gesundheit der Bewohner/innen zukommt als speziellen Therapie-Programmen. Die Art und Weise, *wie* Mitarbeiter mit alten Menschen umgehen, scheint von einem größeren Einfluss zu sein als das, **was** sie tun.

Alle Geschehnisse, die zeitlich und örtlich neben den bekannten Therapieverfahren ablaufen, und denen eine wie immer geartete - therapeutische bzw. rehabilitative - Bedeutung zukommt, werden im Rahmen der Milieu-Therapie im Auge behalten. Wir sprechen von Milieu-Therapie als komplementärem oder ergänzendem Begriff.

Edgar Heim (1985, S13) beschreibt die Prinzipien der Milieutherapie sowohl als Grundannahme eines therapeutischen Modells, wie auch als Leitmaximen einer Unternehmensführung. Die Formen der Organisationsgestaltung bzw. der Mitarbeiterführung und des 'Betriebsklimas' müssen als 'therapeutische Wirkfaktoren' beschrieben werden.

Unternehmensführung

Hier greift Heim auf die 'Prinzipien der therapeutischen Gemeinschaft' von Maxwell Jones (1976, 1978) zurück. Mit Blick auf die Situation in der Psychiatrie beklagte der englische Psychiatrie-Kritiker, dass in vielen Universitätskliniken ausgezeichnete Psychiater und Forscher tätig sind, dass diese dort aber in einer Umgebung von Misstrauen, Lärm, Neid, Rivalität und fehlender Kommunikation arbeiten müssen. In einer solchen Umgebung entwickelt sich keine Atmosphäre, die natürliches Lernen und persönliches Wachstum zulässt. Kritisch fragt Maxwell Jones an, ob Therapeuten, die mit ihren eigenen zwischenmenschlichen Problemen nicht fertig werden, in der Lage sind, ihre Patienten erfolgreich zu behandeln.

Die von Maxwell Jones aufgeworfenen Fragen sind durchaus auf die Situation der Altenhilfe zu übertragen:

Probleme lösen

- Sind Mitarbeiter, die nicht in der Lage sind, ihre eigenen zwischenmenschlichen Probleme konstruktiv zu lösen, in der Lage sich einfühlend den Problemen älterer Menschen zuzuwenden?

Modelle

- Bietet ein Mitarbeiterteam, das über kein angemessenen Problemlösungsverhalten verfügt, den alten Menschen ein Imitationsmodell, ihre eigenen Schwierigkeiten kooperativ zu lösen?

Anzustreben ist die Schaffung eines Umfeldes, das dem Einzelnen persönliches Wachstum, das Erfahren von Ganzheit, Geborgenheit, Angenommensein, Orientiertheit und Sinngebung ermöglicht.

Räumliche und zwischenmenschliche Beziehung

So bedeutsam auch die Beachtung des Einflusses der räumlichen Situation auf das Verhalten des Einzelnen ist, so ist doch zu betonen, dass gerade dem Verhalten des jeweiligen gegenüber Auftretenden hier große Aufmerksamkeit zu schenken ist. Carl Rogers - der Begründer der Gesprächs-Psychotherapie - argumentiert, dass für alle Berufsgruppen, in deren Praxis es um die Beziehung zu Menschen geht, die Beschaffenheit dieser zwischenmenschlichen Beziehung das wichtigste Element für den Erfolg darstellt (vergl. Wingchen, 2000). Das Verhalten des Helfenden sollte von

☞ Kap. 7.4.2
S. 188

- Kongruenz: Echtheit, Aufrichtigkeit, Ehrlichkeit

- Empathie   Einfühlungsvermögen; die Fähigkeit, Erfahrungen aus der Sicht des Gegenübers nachzuempfinden, die Bereitschaft, sich "in seine Haut" hineinzuversetzen und die Situation aus seiner Perspektive zu betrachten

- Akzeptanz: uneingeschränkte Wertschätzung, Wärme, positive Annahme - ohne Vorbedingungen; eine von Höflichkeit und Respekt getragene Form des Miteinanderumgehens

getragen sein.

> Beschreiben Sie Situationen aus ihrer bisherigen beruflichen Praxis, in denen Sie
>
> • Kongruenz,
> • Empathie,
> • Akzeptanz
>
> im Kollegenkreis und im Kontakt mit alten Menschen erleben konnten *oder* vermissen mussten.

Soll ein Mitarbeiter diese Fähigkeiten in seiner Berufspraxis umsetzen, so ist er selbst auf ein Umfeld angewiesen, das ihm erlaubt, sich zu seinen Gefühlen, zu seiner Ganzheit zu bekennen, sich ohne Maske zu zeigen. Dies ist überhaupt erst die Voraussetzung für das Verstehen und Wertschätzen des Gegenübers.

> Vergegenwärtigen Sie sich einmal Situationen, in denen Kollegen ein solches Verhalten nicht zeigten oder nicht zeigen konnten.

Im Idealfall sollten Entscheidungsprozesse nicht durch einseitige Leitungsentscheidungen umgangen oder durch Mehrheiten im Rahmen von Abstimmungsprozessen beendet werden, wichtig ist, dass ein gemeinsamer, von allen Beteiligten zu tragender, Konsens erarbeitet wird.

Wenn unterschiedliche Meinungen ausgetauscht wurden, die unterschiedlichen Vorstellungen in all ihren Schattierungen gehört wurden, jedes Gruppenmitglied die Möglichkeit hatte, die eigene Meinung mit der der anderen im direkten Austausch zu vergleichen, kommt es anschließend darauf an, den gemeinsamen Nenner zu finden, der jeden individuellen Standpunkt in Einklang mit den gemeinsamen Gruppenzielen bringt.

Konsensfindung

Die Umsetzung solcher Einstellungen und solcher Gruppenprozesse bleibt zwangsläufig nicht auf die Mitarbeiter-Ebene beschränkt:

• Zum einen bleibt die Art und Weise, wie Kollegen miteinander umgehen nicht ohne Einfluss auf die Lebenssituation der alten Menschen (s.o.),

Sammeln Sie für sich Beispiele, wie anstehende Entscheidungs-
prozesse im Mitarbeiter-Team durch
• Leitungsentscheidungen
• Mehrheitsabstimmung
• Konsensfindung
beendet wurden. Überlegen Sie, in welchen Situationen welcher
Weg sinnvoll scheint.

• zum anderen sollte auch der Zugang zum alten Menschen von
diesen Prinzipien getragen sein.

Welche Möglichkeiten sehen Sie, den Umgang mit alten Menschen
auf einen gemeinsamen Konsens aufzubauen?
Welche Möglichkeiten sehen Sie, alte Menschen in ihre Entscheidungen mit einzubeziehen?
Wie können Sie einem alten Menschen zeigen, dass Sie ihn mit
seinen Anliegen ernst nehmen, respektieren und akzeptieren?

Lehrzielkatalog

Sie sollen ...

		vergl. Seite
1	erläutern können, was unter dem Begriff "Agogik" zu verstehen ist	55
2	die Zielgruppen "agogischer Aktionen" hinsichtlich ihrer Altersstruktur und hinsichtlich ihrer Problemsituation unterscheiden können	55 f
3	Bildungs-, Beratungs- und therapeutische Arbeit als Teilgebiete agogischen Handelns nennen können	56
4	erläutern können, was unter Bildungsarbeit im engeren Sinne zu verstehen ist	57 f
5	Möglichkeiten der Verschränkung von Bildungsarbeit und geselligen Angeboten beschreiben können	57 f
6	erläutern können, was unter psychosozialer Beratung zu verstehen ist	58 f
7	Zwei unterschiedliche Formen von Beratungsarbeit unterscheiden und erläutern können	58
8	erklären können, was unter dem Begriff "zugehende Altenarbeit" zu verstehen ist	58
9	erläutern können, was unter dem Begriff "Therapie" zu verstehen ist	60
10	Ruth Cohns Abgrenzung pädagogischen und therapeutischen Arbeitens beschreiben können	60 f
11	zwei unterschiedliche Aspekte von Therapie voneinander abgrenzen und beschreiben können	61
12	erläutern können, was unter "Rehabilitation" zu verstehen ist und welche Zielsetzung rehabilitatives Arbeiten verfolgt	61
13	zwischen interner und externer Rehabilitation unterscheiden können und die beiden Verständnisse von Rehabilitation beschreiben können	62
14	zwischen Milieu-Therapie als übergeordnetem Begriff und Milieu-Therapie als ergänzendem Begriff unterscheiden und die beiden Ansätze beschreiben können	62 107
15	vier Stufen der Milieu-Therapie (als übergeordnetem Begriff) aufzählen und beschreiben können	63, 67 84, 106
16	die Art und Weise des Miteinander-Umgehens im Kollegenkreis als bedeutsam für die Lebensqualität der Bewohner/innen in Einrichtungen der Altenhilfe beschreiben können	107 f
17	die Prinzipien der Milieu-Therapie als Leitmaxime einer Unternehmensführung beschreiben können	107
18	Konsensbildung als Idealfall der Entscheidungsfindung beschreiben können	109

Lehrzielkatalog / Exkurs 2

Sie sollen ...

		vergl. Seite
19	drei Generationen des Pflegeheimbaus unterscheiden und beschreiben können	64 ff
20	erläutern können, inwieweit der Begriff "Verwahranstalt" für Einrichtungen der ersten Generation Verwendung fand	64
21	das Pflegekonzept in Einrichtungen der zweiten Generation als "reaktive Pflege" beschreiben können	65
22	die Orientierung am Krankenhausbau als Planungskriterium für Einrichtungen der zweiten Generation beschreiben können	65
23	Das Defizit- und das Kompetenz-Modell des Alters bestimmten Generationen des Pflegeheimbaus zuordnen können	66

Lehrzielkatalog / Exkurs 3

Sie sollen ...

		vergl. Seite
24	Sigmund Freuds Instanzenmodell beschreiben können	69 f
25	Lust-, Realitäts- und Moralitätsprinzip den einzelnen Instanzen zuordnen können	69 f
26	zwischen bewussten (primär-autonomen) Ich-Funktionen und unbewussten (sekundär-autonomen) Ich-Funktionen unterscheiden und diese beschreiben können	70
27	Sigmund Freuds Schichtenmodell beschreiben können	70 f
28	Sigmund Freuds Phasenmodell der Entwicklung beschreiben können	71 ff
29	erläutern können, was unter „erogenen Zonen" zu verstehen ist	72
30	die erogenen Zonen der einzelnen Entwicklungsstufen beschreiben können	72 ff
31	das Prinzip des Habenwollens und Einverleibenwollens einer Entwicklungsphase zuordnen können	72
32	erläutern können, was unter einer „Fixierung" zu verstehen ist	72
33	erklären können, welche beiden unterschiedlichen Erfahrungen Fixierungen begünstigen	72
34	sechs Verhaltensformen aufzählen können, in denen sich orale Fixierungen zeigen	72
35	das Habenwollen im Sinne von Ansammeln, Anhäufen, Bewahren einer Entwicklungsstufe zuordnen können	73

36	die Suche nach Macht, Kontrolle (über Sachen und Menschen) und Besitz als anale Fixierungen beschreiben können	73
37	beschreiben können, was der Psychoanalytiker Tobias Brocher mit dem Begriff „zähe Klebrigkeit des Kontaktes" meint	73
38	beschreiben können, wie das Erlernen der Kontrolle über die Ausscheidungsorgane von einem Kind empfunden wird	73
39	beschreiben können, wie der Verlust der Kontrolle über die Ausscheidungsorgane von einem Erwachsenen empfunden wird	73
40	das Erleben des „Ödipuskomplexes" einer Entwicklungsphase zuordnen können	73 f
41	den Verlauf des Ödipuskomplexes bei Jungen beschreiben können	73 f
42	zwischen Pubertät und Adoleszenz unterscheiden können	74 f
43	die Bedeutung der Abwehrmechanismen erläutern können	75
44	acht Abwehrmechanismen unterscheiden und beschreiben können	76 ff
45	zwischen „Unterdrückung" und „Verdrängung" unterscheiden können	78
46	Neurosen als missglückte Verdrängung beschreiben können	76

Lehrzielkatalog / Exkurs 4

Sie sollen ...

		vergl. Seite
47	das Modell des klassischen Konditionierens beschreiben können	84 ff
48	zwei Formen von Reflexen unterscheiden können	85 f
49	drei Arten von Reizen und zwei Arten von Reaktionen unterscheiden können	85 f
50	den Begriff "Reizgeneralisierung" erläutern können	88
51	die Entstehung einer - nicht organisch bedingten - Harninkontienz mit dem Modell des klassischen Konditionierens beschreiben können (vergl. L-Ziel 60)	88 f
52	das Modell des operanten Konditionierens beschreiben können	90 ff
53	sieben Formen von Konsequenzen, die einem Verhalten folgen können, unterscheiden können	91
54	zwischen positiven und negativen Verstärkern unterscheiden können	90
55	erläutern können, was unter "intermittierenden Verstärkern" zu verstehen ist	92
56	erläutern können, was unter "löschungsresistentem Verhalten" zu verstehen ist	92 f

		vergl. Seite
57	beschreiben können, was zur Entwicklung löschungsresistenten Verhaltens führt	92 f
58	beschreiben können, was im Modell des operanten Konditionierens unter den Begriffen *Situation* (S), *Organismus* (O), *Verhalten* (R) und *Konsequenz* (K) zu verstehen ist	93
59	erläutern können, was unter diskriminativen Reizen zu verstehen ist	94
60	die Entstehung einer - nicht organisch bedingten - Harninkontinenz mit dem Modell des operanten Konditionierens beschreiben können (vergl. L-Ziel 51)	95 f
61	erläutern können, was unter dem Begriff "Verhaltensformung" zu verstehen ist	96
62	zwei Formen von Verhaltensformung unterscheiden und beschreiben können	96 ff
63	die Umsetzung beider Formen der Verhaltensformung an einem Beispiel aus der Altenpflege erläutern können	96 ff
64	zwischen Kopierverhalten und angepasstem Abhängigkeitsverhalten unterscheiden können	100
65	beschreiben können, nach welchen Kriterien Menschen als Lernmodelle erwählt werden	101
66	sechs Ansätze der Verhaltenstherapie aufzählen und beschreiben können	102 ff
67	erläutern können, wie unangemessenes Verhalten - nach Ansicht der Lernpsychologen - entsteht	101
68	den Begriff "sekundärer Gewinn" erläutern können	102
69	das mögliche Zusammenspiel von "Löschung" und "sekundärem Gewinn" in der Verhaltenstherapie beschreiben können	102
70	beschreiben können, mit welchem lernpsychologischem Ansatz die Löschung in der Praxis kombiniert wird	103
71	erläutern können, inwiefern die Umsetzung einer "Aversionstherapie" in der Praxis der Altenpflege als vierfach problematisch anzusehen ist	103 f
72	die Desensibilisierung als dreistufigen Ansatz beschreiben können	104
73	zwischen symbolischem und in-vivo-Modeling unterscheiden und die beiden Ansätze beschreiben können	106

Kapitel 2: Literaturverzeichnis

Cohn, Ruth (1988)
Von der Psychoanalyse zur The-
menzentrierten Interaktion
Stuttgart, 1988

Diakonisches Werk der Evangelischen
Kirche in Deutschland [Hrsg.] (1979)
Bildungsarbeit [Reihe: "Hilfe für das
Alter"]
Stuttgart, 1979

Dt. Zentrale für Volksgesundheitspflege
e.V. (o. J.)
Interventionsmaßnahmen in Alten-
und Pflegeheimen - Eine Handreichung für die Praxis
Frankfurt am Main, O. J.

Eirmbter, Eva (1979)
Altenbildung - zur Theorie und
Praxis
Paderborn u.a.O., 1979

Heim, Edgar [Hrsg.] (1978)
Milieu-Therapie;
Bern u.a.O., 1978

Heim, Edgar (1985)
Praxis der Milieu-Therapie
Berlin u.a.O., 1985

Jones, Maxwell (1976)
Prinzipien der therapeutischen Ge-
meinschaft
Bern u.a.O., 1976

Jones, Maxwell (1978)
Von der Therapeutischen Gemeinschaft zum offenen System
in: Heim, 1978

Karl, Fred (1990)
Neue Wege in der sozialen
Altenarbeit
Freiburg im Breisgau, 1990

Kastilan, Franz (1981)
Bildungsarbeit für Senioren
Reihe "Vorgestellt"; KDA-Köln;
Folge 20, Juli 1981

Lehr, Ursula (1979a)
Interventionsgerontologie
Darmstadt, 1979

Lehr, Ursula (1979b)
Gero-Intervention - das Insgesamt der
Bemühungen, bei psycho-physischem
Wohlbefinden ein hohes Lebensalter zu
erreichen
in: Lehr, 1979a

Meier-Baumgartner, Hans-Peter u.a. (1992)
Die Effektivität von Rehabilitation bei älteren Menschen unter besonderer Berücksichtigung psychosozialer Komponenten bei ambulanter, teilstationärer
und stationärer Behandlung
Stuttgart u.a.O., 1992

Matthes, Werner (1989)
Pflege als rehabilitatives Konzept
Hannover, 1989

Wingchen, Jürgen (2000)
Kommunikation und Gesprächsführung
für Pflegeberufe
Hagen, 2000

Zimbardo, Philip G. (1983)
Lehrbuch der Psychologie
Berlin u.a.O.; 1983

Exkurs 2: Literaturverzeichnis

Dt. Verein für öffentliche und private Fürsorge (1979)
Nomenklatur der Veranstaltungen, Dienste und Einrichtungen
der Altenhilfe
Frankfurt, 1979

KDA / Kuratorium Deutsche Altershilfe (1988)
Neue Konzepte für das Pflegeheim -
auf der Suche nach mehr Wohnlichkeit
(Band 46 der Schriftenreihe "vorgestellt"
Köln, Dezember/1988

Exkurs 3: Literaturverzeichnis

Behnke, Burghard (1972)
    Psychoanalyse in der Erziehung
    München, 1972
Brocher, Tobias (1971)
    Psychosexuelle Grundlagen der Entwick-
    lung
    Opladen, 1971
Dahrendorf, Ralf (1974)
    Homo Sociologicus
    Opladen, 1974 (14. Aufl.)
Eikmann, Jörg (1979)
    Die Psychoanalyse nach Sigmund Freud
    in: Sieland, Siebert, 1979
Freud, Sigmund (1916 -1917 / 1981)
    Vorlesungen zur Einführung in die Psy-
    choanalyse
    Frankfurt am Main,1981
Freud, Sigmund, (1933 / 1981)
    Neue Folge der Vorlesungen zur Einfüh-
    rung in die Psychoanalyse
    Frankfurt am Main, 1981
Grotjahn, Martin (1955)
    Analytische Psychotherapie bei älteren
    Patienten
    in: Petzold, Bubolz, 1979
Hacker, Friedrich (1978)
    Freiheit, die sie meinen
    Hamburg, 1978

Junker, Helmut (1977)
    Einführung in die Psychoanalyse
    in: Hornstein, Walter u.a. [Hrsg.]
    Beratung in der Erziehung
    Frankfurt am Main, 1977
Kösters, Paul-Heinz (1985)
    Die Erforscher der Seele
    Hamburg, 1985
Petzold, Hilarion; Bubolz, Elisabeth [Hrsg.]
    (1979)
    Psychotherapie mit alten Menschen
    Paderborn, 1979
Radebold, Hartmut; Bechtler, Hildegard; Pina,
    Ingeborg (1984)
    Therapeutische Arbeit mit älteren Menschen
    Freiburg im Breisgau, 1984
Siegrist, Johannes (1975)
    Lehrbuch der Medizinischen Soziologie
    München, Wien, Baltimore, 1975 (2. Aufl.)
Sieland, Bernhard; Siebert, Madlen [Hrsg.]
    (1979)
    Klinische Psychologie für Pädagogen
    Braunschweig, 1979

Exkurs 4: Literaturverzeichnis

Correll, Werner (1974)
    Lernen und Verhalten
    München, 1974 (4. Aufl.)
Großmann, Klaus E. (1969)
    Psychologie des Verhaltens
    in: "Bild der Wissenschaft"
    Begabung und Erfolg
    Stuttgart, 1969
Heil, Klaus D. (1978)
    Programmierte Einführung in die Psy-
    chologie
    Stuttgart, 1978 (5. Aufl.)
Larbig, Wolfgang (1980)
    Psychologische Theorien zur Genese von
    Verhaltensstörungen
    in: Wittling, 1980

Redlin, Wiltraud (1977)
    Verhaltenstherapie - Möglichkeiten und
    Grenzen ihrer Anwendung
    Bern, Stuttgart, Wien, 1977
Ritter-Vosen, Xenia (1979)
    Verhaltenstherapie mit älteren Men-
    schen
    in: Petzold, Bubolz, 1979
Wirsing, Kurt (1986)
    Psychologisches Grundwissen für Al-
    tenpflegeberufe
    München, Weinheim, 1986 (3. Aufl.)
Wittling, Werner [Hrsg.] (1980)
    Handbuch der klinischen Psychologie,
    Band 3
    Ludwigsburg, 1980
Zimbardo, Philip G. (1983)
    Lehrbuch der Psychologie
    Berlin u.a.O.; 1983

5 Die Zielgruppen geragogischer Arbeit

Geragogik wurde als jenes Teilgebiet der Gerontologie und Erziehungswissenschaft beschrieben, das sich allen Problemen, Lerninhalten und Lernprozessen zuwendet, die mit dem Alter und dem Altern zusammenhängen.

☞ Kap. 3.2
S. 52 f

Da der Mensch sich sein ganzes Leben auf sein Alter hinentwickelt, müsste eine erzieherische Begleitung vom Kindergarten bis zum Sterbelager andauern. Schon im 17. Jahrhundert erkannte der große tchechische Pädagoge Comenius, dass die Menschenbildung nicht in einem bestimmten Lebensalter abgeschlossen ist; auch im Erwachsenenalter kann man von einer 'Erziehung durch Lebensbewältigung' sprechen. Comenius, der eigentlich Johann Amos Komensky hieß, seinen Namen aber der Zeit entsprechend lateinisch schrieb, beschrieb neben der Erziehung in Kindheit und Jugendalter eine **"Schule des Mannesalters"**, des **"Greisenalters"** und des **"Todes"**.

5.1 Zielgruppe: Kinder

Schon die heranwachsende Generation wird mit Fragen des Alterns und Alters konfrontiert. Kinder entwickeln aufgrund verzerrter Darstellungen in Kinderbüchern und Werbe-Anzeigen ein einseitiges Bild von der Lebenssituation alter Menschen. Im Märchen erscheint die alte Frau als soziale Leiche, als Hexe, abgesondert alleine im Wald lebend, wo sie sich durch Bosheit, Hässlichkeit und Wertlosigkeit hervortut (vergl. Schenda, 1972).

Kinderbücher

5.1.1 Kinder sehen alte Menschen

In der Werbung taucht der alte Mensch als Konsument von Prothesen und Medikamenten auf, was Rückschlüsse auf seinen desolaten Gesundheitszustand zulässt, oder er muss sich von Schwiegertöchtern und Enkeln klarmachen lassen, dass er wieder das falsche Produkt erwarb. So konnten Kinder allabendlich im Werbefernsehen eine Großmutter erleben, die nicht verstehen konnte, dass ein bestimmter Brotaufstrich nur in Verpackungen zu finden ist, auf denen eben dieser Produktname steht: "Aber Oma ...!!! Nur wo xyz draufsteht ist xyz 'drin!"

Werbung

?

 !

> Kennen Sie Werbeanzeigen oder Werbespots aus Film, Fernsehen und Radio, in denen ältere Menschen dargestellt werden? Wie treten die Senioren hier auf?

1994 berichteten die **FAZ** (3.2.1994) und die Zeitschrift **Altenpflege** (Heft 4/1994) über eine von der Landesanstalt für das Rundfunkwesen in Kiel vorgestellte Studie, in der nicht nur herausgestellt wurde, dass ältere Menschen im Fernsehen unterrepräsentiert sind, dass ihre Darstellung vielmehr als "peinlich" und "stereotyp" bezeichnet werden muss. Vor allem ältere Männer wurden in Fernsehsendungen und Filmen häufig als Exzentriker und Clowns vorgeführt. In Nachrichten- und Magazinsendungen treten Senioren zumeist als "Leidende" in Erscheinung.

Im Rahmen dieser Studie wurden 150 Programmstunden von ARD, ZDF, RTL, Pro 7 und SAT 1 ausgewertet; hierbei waren ältere Menschen im öffentlich-rechtlichen Fernsehen kaum stärker vertreten (ARD: 11,4%; ZDF: 11,1%) als bei privaten Sendern (RTL: 10,6%; Pro 7: 9,7%; SAT 1: 7%).

Diese Erfahrungen können nicht folgenlos für die Einstellungen der Heranwachsenden zu älteren Menschen bleiben:

Kinder beschreiben ...

- In Schulaufsätzen beschrieben Hamburger Schüler alte Menschen als Mitleid erregende Figuren, die sitzen, liegen oder humpeln, die zittern und Probleme mit ihrem Gedächtnis haben und schliesslich in ein Altersheim gehen, "weil sie dort besser aufgehoben sind als in der Freiheit" (vergl. Loddenkemper, Schier, 1981, S. 50).

und malen alte Menschen

- Im Rahmen eines Malwettbewerbes zeigte sich ein ähnlich erschreckendes Bild: 57% der Kinder zeigten alte Menschen mit Stock (seltener im Rollstuhl), 62% der Kinder brachten durch schwarz-graue Farbtöne, welke Blätter und kalte Winterlandschaften eine extrem negative Stimmung zum Ausdruck: Vor allem bei den 14- bis 19-Jährigen erschien der alte Mensch einsam, ausgestoßen von der Gesellschaft, in Grabesnähe (vergl. Braun, 1981a, S. 64).

Zwar hat sich ein solchermaßen extrem negativ eingefärbtes Bild vom Alter in den letzten Jahren relativiert. Aber Darstellungen in der Werbung, in denen Alter mit finanzieller Sicherheit, Vitalität, Optimismus und Heiterkeit gleichgesetzt wird, machen eine realistische Auseinandersetzung mit dem Alter selbst ebenfalls sehr schwierig.

5.1.2 Fremdbild und Selbstbild alter Menschen

Im Rahmen einer 1990 durchgeführten Studie beklagte fast die Hälfte der befragten älteren Menschen (44%), dass sie in der heutigen Gesellschaft nur noch als Belastung angesehen würden (Becker, 1990, S. 64).

Die Autoren setzten sich mit den Fragen auseinander,

- welches Bild sich die alten Menschen von ihrer eigenen Generation machen, und

- wie sie glauben, von der Gesellschaft wahrgenommen zu werden.

Wie zu erwarten, schätzen die Senioren ihre Lebenssituation sehr unterschiedlich ein. Ließen einzelne Befragte deutliche Minderwertigkeitsgefühle und einen ausgeprägten Pessimismus erkennen, so beschrieben andere zufrieden ihren gesicherten Lebensabend, oder sie schilderten den Ruhestand als eine herbeigesehnte Chance zur Selbstverwirklichung. So unterschiedlich die Antworten allerdings auch ausfielen, alle Befragten ließen deutlich erkennen, wie sehr sie unter den negativen Alten-Klischees der Gesellschaft leiden.

Sie fühlten sich

Alte Menschen fühlen sich ...

- ausgegrenzt (an den Rand gestellt, abgeschoben, abgeschrieben, abgesondert),

- diskriminiert (zum 'alten Eisen' geworfen, als 'Gruftis', 'Mummelgreise' oder 'Belastung der Gesellschaft'),

- abgewertet (nicht ernst genommen, bemitleidet, belächelt, abfällig behandelt, nicht als vollwertige Menschen akzeptiert),

- entmündigt (ohne Macht und Einfluss, als negatives Leitbild).

Es ist aber interessant zu unterscheiden, wie Ältere die Lebenslage ihrer Generation und wie sie ihre eigene Situation einschätzen.

Im Rahmen einer amerikanischen Studie werteten die befragten Senioren die Probleme Gleichaltriger gravierender als ihre eigenen. Bei der Beurteilung ihrer Altersgenossen stimmten die älteren Befragten mit einem negativen Bild überein; sich selbst sahen sie aber als die Ausnahme! (Dornicht-Fluck, 1992, S. 119). Der Preis für diese eigentümliche Logik ist die soziale Isolation: Von den 'gewöhnlichen' - eindeutig negativ zu sehenden - Alten hält man sich fern. Hier ist möglicherweise ein Grund zu finden, warum sich ältere Menschen gerne von Gleichaltrigen abwenden und Veranstaltungen für Senioren ("Was soll ich bei den Alten?") meiden.

Fremdbild

Das den Heranwachsenden vermittelte Negativ-Bild vom alten Menschen (man spricht vom Fremdbild, von dem Bild, das andere von dem alten Menschen haben) führt nicht automatisch dazu, dass dieses von den Senioren für sich selbst übernommen wird:

Selbstbild

Zufriedenheit mit der früheren und gegenwärtigen Lebenssituation und eine gute *Gesundheit* scheinen die besten Voraussetzungen zu sein, sich über ein negatives Fremdbild hinwegzusetzen und ein positives Bild von sich (das Selbstbild) zu bewahren. Auch dem *kalendarischen Alter* scheint hierbei eine Bedeutung zuzukommen: Ungefähr mit dem 70. Lebensjahr sehen sich die meisten Senioren nicht mehr im 'mittleren', sondern im 'fortgeschrittenen Lebensalter'.

Geschlechter-unterschiede

Geschlechtsspezifische Unterschiede sollen hier nicht unerwähnt bleiben. Auch wenn das Fremdbild alter Frauen negativer erscheint als das alter Männer, stehen sich die Frauen im Alter positiver gegenüber als Männer. Dies könnte darauf zurückzuführen sein, dass für diese Generation alter Menschen der Austritt aus dem Berufsleben - mit den möglichen negativen Folgen - eine typisch männliche Erfahrung ist.

5.1.3 Das früh erlernte Alter

Die oben beschriebenen Darstellungen bleiben nicht ohne Einfluss auf die Erwartungen, die Heranwachsende an ihr eigenes Alter stellen. Ein negatives Selbstbild, das der alte Mensch von sich hat, bezeichnet Hilarion Petzold als den 'Feind von innen'. Dass er kränklich sei, zu nichts mehr tauge, seine Ruhe haben wolle, zurückgezogen, unscheinbar und lautlos lebe, das sind Klischees, die er in sich aufnahm, als er noch jung war. Die Haltungen, die die Jüngeren gegenüber den Älteren entwickelt haben, wenden sie nun gegen sich selbst an (vergl. Petzold, 1985, S 15).

Erlerntes Älterwerden

Das Alter der anderen ist immer eine Vorwegnahme unseres eigenen Alters. Die Art und Weise wie wir unser eigenes Alter erleben und steuern, wird von diesen Erfahrungen beeinflusst. Schon in der Kindheit, ohne Überlegung, häufig sogar nicht bewusst, werden diese grundlegenden Erfahrungen den Heranwachsenden vermittelt. Beeindrucken hier die negativen Seiten des Alters stärker als die positiven, so ist der spätere Effekt erschreckend (vergl. Bohl, 1992, S. 10).

Interessanterweise beschreiben Jugendliche ihr eigenes (fernes!) Alter aber positiver als sie die Lebenssituation der heutigen alten Menschen, die sie folgendermaßen einschätzen:

• alt	• knochig	• still	Schüler sehen
• faltig	• zittrig	• griesgrämig	alte Menschen
• altmodisch	• schwach	• aggressiv	
• vertrocknet	• verkalkt	• grau	
• schlaff	• verschrumpft	• nicht sportlich	
• müde	• verdattert	• nicht hübsch	
• gebrechlich	• lasch	• schweigsam	
• zahnlos	• gehen krumm	• dürr	
• krank	• geizig	• zurückhaltend	
• können nicht gut laufen	• sind oft klein	• waschen sich nicht	
• graue oder keine Haare	• nicht sehr unternehmenslustig	• sind alle passiv	

(vergl. AG-Gesellschaftslehre, 1980, S. 37)

Auch wenn 'die Alten' sich in der Sicht befragter Schüler als eine Aneinanderreihung von Negativbildern darstellten, konnten sie ihrem eigenen Alter durchaus positive Aspekte abgewinnen.

Wird die Lebensqualität der alten Menschen im Fremdbild äußerst negativ beschrieben, so ist eine genau entgegengesetzte Sichtweise festzustellen, wenn nach dem eigenen Alter gefragt wurde. Dieses soll sich nämlich durch   *Das eigene Alter*

• reichhaltige Kontakte zu Gleichaltrigen

• zufriedenen Müßiggang

• finanzielle Sicherheit

• Freiheit und Selbstverwirklichung

• Geborgenheit im Kreis der Familie

auszeichnen (vergl. AG-Gesellschaftslehre, 1980, S. 52).

Es bleibt abzuwarten, ob diese eher positive Sicht im Alter tatsächlich den "Feind von innen" zu überwinden vermag und erhalten bleibt.

5.1.4 Altern als soziales Schicksal

Deutlich wird, dass das, was alte Menschen gerne tun möchten und das, was andere von ihnen erwarten nicht immer zusammenpassen; und wenn das negativ gefärbte Fremdbild nicht zwangsläufig zu einem negativen Selbstbild führt, so bleibt es für das konkrete Verhalten alter Menschen keinesfalls folgenlos. Viele Dinge, die Spaß machen, und die alte Menschen auch noch gerne tun würden, werden unterlassen, weil darüber vielleicht doch gelächelt oder 'getratscht' werden könnte.

Ein Tänzchen in Ehren?

Ein Tänzchen, das möglicherweise belächelt wird, lässt man lieber gleich ausfallen, ein unter Umständen im Strandbad begaffter faltiger Körper wird eben vor den Augen der Mitmenschen verhüllt.

Altern als soziales Schicksal

Hermann Loddenkemper und Norbert Schier (1981, S. 52) vermuten, dass es tatsächlich so etwas wie einen Zulassungskatalog zu geben scheint, in dem für die Zeit nach der Lebensmitte bestimmt ist, was ein 60-Jähriger noch darf und was nicht. Das, was als altersgemäßes Verhalten erscheint, ist weniger auf den Gesundheitszustand der Senioren, sondern auf die Erwartungshaltung der Umwelt zurückzuführen. Und sich an diese anzupassen, ist vielen Menschen von jung an nahe gelegt worden. "Altern ist soziales Schicksal", sagt der Gerontologe Hans Thomä.

> Welche Kleidung scheint - Ihrer Meinung nach - für einen alten Menschen angemessen? - Was geht Ihnen durch den Kopf, wenn Sie ein altes Paar sehen, das sich in der Öffentlichkeit küsst?
> Stellen Sie einen "Ablehnungskatalog" zusammen, der enthält was ein Mensch - jenseits der Lebensmitte - nicht mehr darf. Beschreiben Sie, mit welchen Reaktionen seiner Umwelt er zu rechnen hat, wenn er sich hierüber hinwegsetzt.

Die negative Sicht der alten Menschen in unserer Gesellschaft schränkt deren Verhaltensmöglichkeiten deutlich ein.

Berufliche Chancen

So hat sie einen Einfluss auf die berufliche Einstellungs- und Entlassungspraxis. Menschen nach Vollendung des vierzigsten Lebensjahres haben deutlich geringere Chancen einen Arbeitsplatz zu finden als Jüngere. Bei Entlassungen trifft es zunächst die älteren Arbeitnehmer.

Die Gleichsetzung des Alters mit Abbau und Krankheit kann zudem dazu führen, dass ältere Menschen Beeinträchtigten im Leistungs- und

Gesundheitsbereich als unveränderlich ansehen und akzeptieren, obwohl sie im Einzelfall sehr wohl ärztlich und therapeutisch zu beeinflussen wären.

5.1.5 Eine Korrektur negativer Altersbilder

Eine Korrektur der verbreiteten - nicht der Realität entsprechenden - Einstellungen schon bei den Jugendlichen scheint zunächst sehr sinnvoll, ist aber nicht unproblematisch. Gerade das Alter betreffende Vorurteile scheinen sich sehr erfolgreich gegen jede Veränderung behaupten zu können. Mit Studenten durchgeführte Untersuchungen führten sogar zu dem Ergebnis, dass sich die negativen Einstellungen, die ja gerade korrigiert werden sollten, nach Abschluss des Lehrgangs noch verstärkt hatten (vergl. Tews, 1979, S. 19f).

Veränderung von Vorurteilen

Die negativen Einstellungen scheinen wie ein Filter zu wirken, der nur noch die neuen Informationen durchlässt, die in das einmal gefasste Bild hineinpassen. Eine Weitergabe 'richtiger' Informationen verspricht somit nur geringe Aussicht auf Erfolg. Möglichkeiten einer persönlichen Kontaktaufnahme von Jung und Alt sind noch die beste Voraussetzung für eine Einstellungsänderung. Ein alltäglicher Kontakt mit alten Menschen (z.B. beim tagtäglichen Miteinander-Umgehen in der Familie) scheint der normalste und beste Weg zu sein, um zu einem positiven Bild alter Menschen kommen zu können.

Informations-filter

Junge Studenten, die im Rahmen von Senioren-Studien an der Universität gemeinsam mit den alten Menschen studierten und zusammenarbeiteten, haben vollkommen andere Vorstellungen darüber entwickeln können, was alte Menschen noch zu leisten vermögen (vergl. Veelken, 1990, S. 11)!

| Welche Möglichkeiten sehen Sie, jungen und alten Menschen das Zusammenkommen zu erleichtern und sich zwanglos näher zu kommen und kennen zu lernen? |

 ?

 !

5.2 Zielgruppe: Arbeitnehmer vor der Pensionierung

Schon in den Sechzigerjahren des vorigen Jahrhunderts konnten amerikanische Forscher feststellen, dass berufstätige Menschen, die konkrete Pläne für die Zeit nach ihrer Pensionierung hatten und sich über Veränderungen, die mit der Pensionierung einhergehen, informierten, der Zeit nach dem Erwerbsleben viel positiver entgegenblickten.

5.2.1 Vorbereitung auf den Ruhestand

Die Bayer-Werke / Leverkusen begannen als erstes Industrie-Unternehmen damit, ihren älteren Mitarbeitern Vortragsreihen zu Fragen des Älterwerdens anzubieten. Andere Unternehmen wie Henkel / Düsseldorf, Esso / Hamburg oder Swissair / Zürich zogen bald nach.

Neben firmeninternen Angeboten treten auch Einrichtungen der Erwachsenenbildung (wie Volkshochschulen oder Familienbildungswerke) und Einrichtungen der freien Wohlfahrtspflege (wie das Deutsche Rote Kreuz) als Veranstalter auf.

Vorbereitungskurse auf die Pensionierung

In diesen "Vorbereitungskursen auf die Pensionierung" wurden die Arbeitnehmer auch angehalten Aktivitäten zu entwickeln, die die Leere, die bei der Berufsaufgabe auftritt, wieder füllen zu können. Zu denken ist hier an Hobbys, ehrenamtliche Tätigkeiten oder Vereinsmitgliedschaften. Wichtig ist eine frühzeitige Auseinandersetzung mit diesen Fragen, werden doch 90% aller Hobbys bis zum 19. Lebensjahr herausgebildet (vergl. Loddenkemper, Schier, 1981, S. 30). Allerdings werden nach der Pensionierung alte Interessen wieder aufgegriffen und möglicherweise intensiviert: So kann das Interesse am eigenen Garten in eine Blumenzucht, das Interesse an einem Aquarium in eine Zierfisch-Zucht einmünden.

 ?
 !

> Welche Hobbys haben Sie? Können Sie sich vorstellen, diesen noch im hohen Alter nachzugehen?

Bereits die 50- bis 55-jährigen Arbeitnehmer sollten sich mit der Situation ihres späteren Ruhestandes auseinander setzen. Hierbei sind drei Aspekte von Bedeutung.

Die Betreffenden sollten über
genaue Vorstellungen
vom Ruhestand verfügen,

 sie sollten
konkrete Pläne
für die Zeit ihres Ruhestandes entwickeln und

 sie sollten
positive Einstellungen
zum Ruhestand haben
(vergl. Koch-Straube, Koch, Leisner; 1973, S. 65 ff).

Die einzelnen Aspekte können nicht losgelöst voneinander betrachtet werden. So ist wichtig, dass die Pläne für das spätere Leben realistisch sind. Dies setzt wiederum genaue Vorstellungen über die Lebensbedingungen nach der Pensionierung voraus. So ist es unrealistisch große Reisen zu planen, wenn die finanziellen Mittel hierfür nicht zur Verfügung stehen.

'Kurse zur Vorbereitung auf das Alter' sind allerdings nicht gerade ein 'Renner' unter den Bildungsangeboten für ältere Menschen: Nur 1% der in Frage kommenden Arbeitnehmer nutzen entsprechende Angebote. Zum Fortbildungsthema erhoben wird der Ruhestand zu einem Problemfeld hochstilisiert, das nach den Anstrengungen einer 'Vorbereitung' verlangt, Anstrengungen, denen man gerne ausweicht. `1% der Betroffenen`

Im Rahmen einer anderen Untersuchung gab rund $1/3$ der Befragten an, sich zumindest "innerlich, psychisch, gedanklich" bereits mit diesen Fragen auseinander gesetzt zu haben. Entscheidend für das Gelingen einer 'Umstellung' nach der Berentung ist die Frage, ob es frühzeitig gelang, ein weiteres 'Standbein' - neben Familienleben und Beruf - zu entwickeln. Wenn vor der Verrentung keine zusätzlichen Sozialkontakte oder neuen Interessen aufgebaut wurden, so reduzieren sich alle Beziehungen immer mehr auf die Altersehe - und sie fallen ganz weg, wenn einer der Partner verstirbt (vergl. Kade, 1992, S. 104).

Die Berufsaufgabe eines Partners - vor allem wenn er alleine berufstätig war [bei den heutigen Senioren war es in der Regel der Ehemann] - führt zu einer Umstrukturierung in der Lebensgemeinschaft. Das Bemühen, das entstandene berufliche 'Loch' mit Aktivitäten aus dem Haushaltsleben zu füllen, führt unweigerlich zur Konfrontation mit der - nun in ihren Aktivitäten eingeschränkten - Ehefrau. Gerade in den unteren sozialen Schichten mit traditionellen geschlechtsspezifischen Rollenerwartungen, eskalieren die Probleme, wenn der Ehe- `Der Mann im Haus` `"Papa ante portas"`

mann - mehr oder weniger dilettantisch - den Haushalt 'auf Vorder-
mann' bringen möchte.

In den höheren sozialen Schichten, in denen beide Partner schon
immer mehr außerhäuslichen Aktivitäten nachgingen, tauchen diese
Probleme seltener auf.

Um die neue Situation des zeitlich ausgedehnten Zusammenlebens
besser meistern zu können, empfehlen manche Geragogen, dass
(Ehe-) Partner 'Kurse zur Vorbereitung auf die Pensionierung gemeinsam besuchen sollten.

5.2.2 Alternativen zur Arbeitswelt

Es ist demnach zu fragen, in welchem sozialen Umfeld der/die aus
dem Beruf Ausgeschiedene den Lebensabend verbringt.

Sinnvolle Aktivitäten

Es ist aber nicht beliebig, welche Inhalte das Leben nach der Berufsaufgabe 'füllen' sollen: Aktivitäten, die mit sozialer Anerkennung
verbunden sind, bewirken eher eine positive Stabilisierung der Stim-
mungslage als x-beliebige Aktivitäten. Das zweckfreie Tun während
der Freizeit ist für viele berufstätige Menschen ein erholsames Ge-
gengewicht zur Arbeitswelt. Für den alten Menschen können diese
Tätigkeiten kaum in den Mittelpunkt seines Lebens-Sinns treten. Dies
ist zu bedenken, wenn man auf die expandierende Alten-Freizeitkultur
blickt.

"Enkel-Sitting"

Als sinnvoll erkanntes Tun kann sich in der Familie abspielen: Die
zeitweise Sorge um die Aufsicht und Erziehung der Enkelkinder bzw.
die Unterstützung im Haushalt kann für manche junge berufstätige
Frau eine Entlastung darstellen und dem alten Menschen das Gefühl
vermitteln, gebraucht zu werden. In Italien leben rund 70% der über
Fünfundsechzigjährigen in Familienstrukturen, in denen sie sich durch
Mitarbeit im Haushalt, Betreuung der Enkel oder finanzielle Zuschüs-
se 'nützlich' machen können. Hier erfahren alte Menschen, dass sie
mehr Hilfe geben als (an-)nehmen können (vergl. Kemper, 1989, S.
43).

Außerhäus- liche Interessen

Bildungsangebote, die darauf abzielen, Interessengebiete im außerhäuslichen Bereich aufzubauen bzw. zu intensivieren dienen ebenso
einer "Vorbereitung auf das Alter", wie Anregungen, die eigene Stellung in der Familie und anderen Sozialverbänden zu hinterfragen und
hier möglicherweise Alternativen zu einer einseitigen Fixierung auf
das Berufsleben zu entwickeln. Eine Verbesserung der Lebenssituati-

on im 'Hier und Jetzt' ist die beste Voraussetzung für ein beschwerde-
freies Alter.

Themen, die sich mit dem Zusammenleben der Generationen in der
Familie beschäftigen sind hier ebenso zu nennen, wie eine Auseinandersetzung mit dem Sammeln von Briefmarken; ohne dass immer der
erhobene Zeigefinger einer "Vorbereitung auf das Alter" im Pro-
grammhinweis zu finden sein muss!

5.2.3 Die Einstellung zum Arbeitsleben

Die Einstellung eines Arbeitnehmers zur Verrentung und die Bewältigung der Berufsaufgabe hängen aber nicht nur von den möglichen
Aktivitäten und den Erwartungen an den Ruhestand, sondern auch
von der Einschätzung der vergangenen und momentanen beruflichen
Situation ab.

Eistellung zum Ruhestand

Zunächst scheint es wahrscheinlich, dass Menschen in einer unbefriedigenden Arbeitssituation sich besonders auf den **Ruhestand**
freuen und in ihm eine **bessere Alternative zum Beruf** sehen, so
dass sich bei ihnen der Übergang in den Ruhestand problemlos vollziehen kann.

... und Arbeitssitua-tion

Tatsächlich stehen ältere Arbeitnehmer, die mit ihrer beruflichen Situation unzufrieden sind, dem anstehenden Ruhestand sehr negativ
gegenüber und können sich nur schwer vom Berufsleben trennen.

Neben der subjektiv erlebten Belastung wird hier die Übereinstimmung von erstrebten und erreichten Zielen im Berufsleben bedeutsam. Arbeitnehmer, die ihre beruflichen Ziele nicht erreichen konnten,
stehen dem Austritt aus dem Berufsleben - auch wenn sie mit der momentanen Situation unzufrieden sind - ablehnend gegenüber: Die
Pensionierung nimmt die letzte Möglichkeit, doch noch ein harmoni-
sches Verhältnis zum eigenen Beruf zu finden.

Ein (un-) erfüll-tes Berufsleben

So konnte auch festgestellt werden, dass 50-jährige, mit ihrer beruflichen Entwicklung unzufriedene, Arbeitnehmer den Zeitpunkt der Berufsaufgabe herbeisehnten, wohingegen kurz vor der Berentung Stehende, in einer vergleichbaren Situation, die Pensionierung am liebs-
ten hinausschieben würden.

Extreme physische Belastungen am Arbeitsplatz (wie in der Indus-
triearbeiterschaft) lassen eine Berufsaufgabe ebenso herbeisehnen

wie soziale Disharmonien (fehlendes Zusammengehörigkeitsgefühl im Kollegenkreis).

Anpassung an
den Ruhe-
stand
Personen, die freiwillig in den Ruhestand traten und diesen Schritt bejahten, ließen eine bessere *Anpassung an die neue Lebenssituation* erkennen als solche, die sich hierzu mehr oder weniger gezwungen sahen.

Nach Berufen differenziert zeigt sich, dass Angehörige der Arbeiterschaft eine Verrentung weit stärker herbeisehnten als Angehörige so genannter *höherer Berufe*. Aber bereits ein Jahr nach der Berufsaufgabe wünschten sich allerdings 75% von ihnen - trotz der ehemals positiven Erwartungen - wieder ins Berufsleben zurückkehren zu können.

Der Berufsaufgabe bedauernd entgegensehende Angehörige *höherer Berufe*, die möglicherweise "im Zenit ihrer beruflichen Karriere" standen, zeigten sich nach der Pensionierung weitaus zufriedener mit der neuen Lebenssituation, und der Wunsch nach einer Rückkehr ins Berufsleben war weitaus geringer.

☞ Kap.
9.1.3;
S. 248 ff
Es ist denkbar, dass in diesen Berufsgruppen intellektuelle Leistungsfähigkeit und Flexibilität in einem größeren Maße gefordert und gefestigt werden als in Berufen aus der (ungelernten) Arbeiterschaft. Dies sowie ein breiteres Interessenspektrum und eine bessere soziale Einbindung erleichtern die Anpassung an die neue Lebenssituation.

Gerade ältere Arbeiter - die sich allerdings eher als 'bildungsabstinent' darstellen - könnten von den so genannten 'Vorbereitungskursen' eher profitieren als die sozialen Mittelschichten, denen die Berufsaufgabe ohnehin weniger Probleme bereitet (vergl. Lehr, 1979, S. 196 ff).

Bildungsangebote, die die eigene berufliche Situation aufgreifen und die möglicherweise unerfüllt gebliebenen Wünsche aus der Arbeitswelt thematisieren, müssen im weiteren Sinne ebenfalls als "Vorbereitungen auf die eigene Pensionierung" verstanden werden.

> Stellen Sie eine Liste mit Themen zusammen, die Ihrer Meinung nach in 'Kursen zur Vorbereitung auf das Alter' aufgegriffen werden sollten. Überlegen Sie sich auch, wer als Fachmann (oder Fachfrau) etwas zu diesen Themen ausführen kann.

5.3 Zielgruppe: alte Menschen

Dass alten Menschen selbst, also auch Rentnern und Pensionären, noch Bildungschancen eingeräumt werden sollen, ist eine relativ neue Überlegung in der Pädagogik. 1975 wurde erstmals ein ganzer Gerontologen-Kongress Fragen der Pädagogik und Bildungsarbeit im Alter gewidmet.

5.3.1 Nachberufliche Qualifizierungsmaßnahmen?

Es wundert nicht, dass alte Menschen in der Erwachsenenbildung zunächst kaum als Zielgruppe erkannt wurden. In einer Gesellschaft, in der der Beruf zur wichtigsten Lebenserfüllung wurde, entwickelte sich die Erwachsenenbildung zur berufsbezogenen Bildungsarbeit. "Mehr Erfolg im Beruf durch Bildung", "Bildung als Instrument des sozialen Aufstiegs"; so lauteten die Versprechungen und Werbungen der Anbieter. Für den alt gewordenen und 'berufslosen' alten Menschen war - in einer am Nützlichkeitsprinzip ausgerichteten Weiterbildung - kein rechter Platz mehr vorhanden.

Erwachsenenbildung und Beruf

Die Ursprünge so genannter 'Bildungsprogramme für ältere Menschen' sind nach dem zweiten Weltkrieg zu finden. Die ersten in den USA für ältere Menschen ins Leben gerufenen Bildungsprogramme zielten auf Qualifizierungen im beruflichen Bereich ab: Den älteren Teilnehmern wurden Tätigkeiten mit neuen Verdienstmöglichkeiten vermittelt (vergl. Lehr, Schmitz-Scherzer, Quadt, 1979, S. 14). Noch in den Siebzigerjahren berichtete ein Autor über Kurse an amerikanischen Volkshochschulen, die Fähigkeiten vermitteln, "die möglicherweise Profit bringen" (vergl. deCrow, 1976, S. 27).

Berufliche Qualifizierung von Senioren

Nachdem in den Vereinigten Staaten die berufliche Altersgrenze von 65 Jahren 1986 per Gesetz abgeschafft wurde, setzt sich heute jeder vierte Amerikaner nicht mehr 'zur Ruhe'. Das Motiv für die nichterfolgte Berufsaufgabe liegt zum einen in dem Wunsch arbeitsweltbezogene Kontakte aufrecht erhalten zu können, produktiv bleiben zu können, zum anderen sind aber auch finanzielle Gründe zu nennen.

5.3.2 Bildungsziel: Lebensbewältigung

Technischer
und sozialer
Wandel
Als sich die Bedingungen in der Altersversorgung - auch in den USA - zunehmend verbesserten, wurden aber auch Angebote, die die Teilnehmer befähigen sollen, den fortschreitenden sozialen und technischen Wandel nachvollziehen zu können, in die Fortbildungsprogramme aufgenommen. Diese Zielvorstellung und die Erkenntnisse, dass die Lernfähigkeit bis ins hohe Alter erhalten bleibt bzw. dass nicht geübte Fähigkeiten verkümmern ("Wer rastet, der rostet"), können als Grundlage der Bildungsarbeit mit alten Menschen angesehen werden.

Den Wandel einer sich immer wieder verändernden Welt und Gesellschaft nachvollziehen zu können, ist genau das, was gemeinhin mit 'Bildung' umschrieben wird.

☞ Kap. 3.1.3
S. 49
Sich bemühen, Zusammenhänge zu sehen, Erklärungen zu finden, wie Veränderungen entstanden sind und wie man mit ihnen fertig werden kann, ist eine wenig griffige Zielformulierung. Ein Verständnis von Zusammenhängen, das zur selbstständigen Lebensführung qualifiziert, reicht von der Fähigkeit, die Gebrauchsanweisung für ein Elektro-Gerät zu verstehen, bis zur Einsicht in politische Zusammenhänge.

Bildung soll hier nicht als eine Anhäufung von Wissensstoff, sondern als Verwirklichung jener Möglichkeiten angesehen werden, die im Menschen angelegt sind. Der Einzelne soll befähigt werden, der Welt und seinen Mitmenschen zu begegnen. Und so wie die Welt sich verändert, verändert sich auch der Mensch in dieser Begegnung. Die Person 'bildet' sich immer weiter und entdeckt in jedem Lebensabschnitt immer wieder neue Formen der Begegnung: Für Franz Kastilan (1981, S. 23) ist in diesem Sinne schon all das als Bildung zu verstehen, was den alten Menschen aus dem Einerlei des Alltags herausführt und es ihm so ermöglicht neue Erfahrungen zu machen und sich weiterzuentwickeln

5.3.3 Bildung im Lebensvollzug

Leben ist
Bildung
Deshalb ist es auch fraglich, ob Bildung immer lehrplanmäßig vorgeplant werden muss. Bildung geschieht zwangsläufig, sie ereignet sich tagtäglich und formt. Reimar Gronemeyer und Wolfgang Buff (1992, S. 22) setzen sich mit der Frage, warum immer mehr Bildungsangebote für die Alten geplant werden, kritisch auseinander und ar-

gumentieren, dass sich diese Frage - ließe man die alten Menschen in Ruhe - überhaupt nicht stellen würde. Zu leben bedeutet lernen. Wer es gewohnt ist zu lernen und dies auch will, kann jederzeit neue Erfahrungen machen und neue Einsichten gewinnen. Voraussetzung ist jedoch, dass die biologischen und materiellen Rahmenbedingungen eine intensive Auseinandersetzung mit sich selbst und der Umwelt zulassen. Hierfür müssen die Senioren aber nicht zurück auf die Schulbank. Das Lernen wird mit organisiertem, verschultem Lernen gleichgesetzt, ja sogar damit verwechselt, kritisieren die beiden Autoren.

Bildung im Alter soll Menschen Gelegenheit geben, ihr Wissen und ihre Kenntnisse zu erweitern. Sofern sich dies - weit entfernt vom tatsächlichen Leben der alten Menschen - auf der "Schulbank" vollzieht, werden möglicherweise nur neue Abhängigkeiten geschaffen. Wie - so fragt Reimar Gronemeyer - haben es nur bisher Menschen geschafft alt zu werden? Dabei darf man nicht übersehen, dass die Autoren oder Lehrer solcher Bücher und Kurse im Regelfall nicht selbst auf ein erfolgreiches Alter zurückblicken können, weil sie ganz einfach sehr viel jünger sind als ihre Teilnehmer.

Wissensvermehrung

Auf der anderen Seite darf nicht verschwiegen werden, dass der technische und soziale Wandel sich für eine Generation noch nie so schnell vollzog wie für die heutigen Senioren, die die Entwicklung von der Petroleum-Lampe zum Elektronik-Zeitalter miterlebt haben. Gleichzeitig existieren die natürlichen Lernmöglichkeiten, die sich dem Menschen früher (etwa in der Familie) anboten, nur noch bedingt, so dass die entsprechenden Hilfen heute professionell angeboten werden und sich nicht - quasi nebenbei - vollziehen.

Wegfall "natürlicher" Lernorte

> Welche 'natürlichen Lernfelder' alter Menschen kennen Sie, in denen sich das Weiterlernen, bis ins hohe Alter hinein, vollzog? Welche Lernorte kennen Sie, an denen das Lernen im Alter von Fachleuten für alte Menschen geplant und angeboten wird?

 ?

 !

Beide Formen des 'Weiterlernens im Alter' sind berechtigt und müssen sich ergänzen!

Es sind ohnehin nur knapp 4% der alten Menschen, die die Angebote der klassischen Bildungs-Einrichtungen, wie Volkshochschulen, in Anspruch nehmen.

Nutzung von Bildungsein-richtungen

So werden in der letzten Zeit Bildungs-Möglichkeiten nicht mehr nur bei klassischen Seminar-Anbietern (wie den Volkshochschulen), sondern auch in Einrichtungen gesehen, in die die alten Menschen sich selbst einbringen können. Hier sollen nur fünf Beispiele aufgeführt werden:

Wissensbörsen

☞ Kap.
6.2.3.2
S. 169 f

In früheren Zeiten konnte der alte Mensch u.U. bis zum Tode seine Fähigkeiten und Fertigkeiten in die Familie einbringen; heute bedarf es hierfür neuer Rahmen. Die Wissensbörse der VHS / Köln vermittelt Kontakte zwischen Menschen, die ihre Kenntnisse und Erfahrungen anbieten und Menschen, die etwas erfahren oder kennen lernen möchten. Einen Treffpunkt hierfür vereinbaren Anbieter und Nutzer selbst; das Cafe der Volkshochschul-Wissensbörse steht hierfür gerne zur Verfügung.

Die Angebote werden in einem "Börsenbrief" veröffentlicht, der in Einrichtungen der Offenen Tür, bei Ärzten und Sparkassen ausliegt.

> Kennen Sie alte Menschen die ihre Fähigkeiten und Fertigkeiten an andere Menschen weitervermittelt haben? - Um welche Themen handelte es sich hierbei? - Wer war / ist an diesen Angeboten interessiert?

Die Angebote sind vielfältig und umfassen Themen aus unterschiedlichen Schwerpunkten, wie z.B.:

* Broschen aus Femu-Material

* Beratung in Erbschafts- und Nachlassangelegenheiten

* Psychosoziale Begleitung von Schwerkranken und Sterbenden

* Informationen über ungarische Literatur und Sprache

* Beratung für junge Leute, die sich selbstständig machen möchten

* 'Deutsch' für Ausländer

* Technisches 'Know How' im Bootsbau ...

Senioren stellen ihr Wissen vor

Leben vollzieht sich im Austausch zwischen Menschen, vollzieht sich im Dialog. Senioren brauchen Foren, wo sie ihre Erfahrungen und ihr Wissen einsetzen und anderen zur Verfügung stellen können. Das

Wissen alter Menschen gesellschaftlich nutzbar zu machen, schafft Ansehen und stabilisiert das Selbstwertgefühl.

Das Angebot der Volkshochschule Köln ist dabei nur ein Beispiel für einen bundesweiten 'Börsenmarkt', auf dem das Erfahrungswissen älterer Menschen angeboten wird.

"Erzähl-Cafes"

In Erzähl-Cafes stellen Menschen 'gelebte Geschichte' vor und bieten gerade Jüngeren glaubwürdige Informationen über die neuere Geschichte:

Wie früher der Alltag der alten Menschen ausgesehen hat und was sie im Verlauf der Geschichte erleben konnten, ist kaum in den Geschichtsbüchern wieder zu finden. In unserer heutigen Gesellschaft spielt die Weitergabe von Wissen durch Erzählungen keine Rolle mehr. Der nachwachsenden Generation ist die "erlebte Geschichte" der alten Menschen unbekannt.

Fred Karl (1990, S. 41f) berichtet von der Einrichtung eines Erzähl-Cafes in Berlin-Wedding, in dem diese "erlebte Geschichte" anderen Interessierten näher gebracht wird. Die Erzähler treten als wichtige Zeitzeugen in Erscheinung, deren Erfahrungsreichtum Anerkennung findet.

Seit September 1987 trifft man sich vierzehntägig am Samstagnachmittag zu so genannten "Erzählrunden", welche jeweils unter einem vorgegebenen Thema stehen. Die Ergebnisse werden festgehalten, wodurch hervorgehoben wird, dass die individuell erlebte Geschichte "von unten", die Geschichte "des kleinen Mannes", ebenso bedeutsam ist und wissenschaftlich aufbereitet werden kann, wie die Biografien großer Persönlichkeiten. Das erstmals nur Private wird zu einem Zeitdokument und wird dadurch gesellschaftlich aufgewertet. Gleichzeitig - und dies ist mindestens ebenso wichtig - erfährt dadurch auch die Erzählerin bzw. der Erzähler Anerkennung und gesellschaftliche Aufwertung.

Aus Schubladen und Schuhkartons hervorgekramte Erinnerungsstücke, Zeitungsausschnitte, Fotos, Tagebücher und alte Briefe werden hier zu interessantem Material für die Öffentlichkeit.

Um zu verhindern, dass sich einzelne Personen in den Vordergrund spielen und andere, stillere Teilnehmer nicht zu Wort kommen und sich immer mehr zurückziehen, werden stets mehrere Zeitzeugen

eingeladen, die gehalten sind, sich an die abgesteckten Sachthemen
zu halten.

Innerhalb von zwei Jahren wurden z.b. folgende Themen aufgegriffen:

- Geschichte von Vereinen

- Geschichte des Wohnens in Berlin-Wedding

- Die Kindheit in Berlin-Wedding

- Geschäfte mit Familientradition

- Erinnerungen an politische Ereignisse

Hervorzuheben ist, dass bei der Durchführung der Treffen nicht nur
auf die Kompetenzen der Erzähler zurückgegriffen wird, die Interessantes weitergeben und dabei auch selbst gefordert werden. Auch bei
den Gästen wird die Fähigkeit zuzuhören und die Bereitschaft, sich
auf das Schicksal anderer Menschen einzulassen, gefordert und trainiert.

Theaterarbeit
Theaterarbeit ermöglicht die Auseinandersetzung mit (sozialen) Rollen, mit dem Erleben von Gemeinschaft und mit der Öffentlichkeit des
Publikums.

Dietmar Walbeck (1985, S. 11) unterscheidet zwischen dem konventionellen Laienspiel oder Laientheater, das in einigen Altenheimen
und Seniorenklubs schon eine längere Tradition hat und sich neu
entwickelnden Senioren-Theatergruppen.

Laienspiel

Das klassische Laienspiel orientiert sich an den Formen und Methode
des Berufs-Theaters: Die 'Darsteller' arbeiten mit vorgegebenen
Stücken und feststehenden Rollen, die auswendig gelernt werden.

Die Inhalte der aufgeführten Stoffe haben meist nichts mit der Lebenssituation der alten Menschen zu tun. Im Mittelpunkt der Proben
steht die Frage 'Wie lerne und behalte ich meinen Text?'

Den Darstellern bieten sich neue Erfahrungen:

- Die Geselligkeit und Kameradschaft inmitten anderer wird meist
  sehr positiv wahrgenommen.

- Das alltägliche Miteinanderumgehen, die Notwendigkeit auf andere zuzugehen und neue Beziehungen aufzubauen, ermöglicht
  neue Erfahrungen und Erkenntnisse.

- Die Auseinandersetzung mit der Rolle und das Erlernen des Textes ist ein nicht zu unterschätzendes Gedächtnis-Training.

- Die öffentliche Aufführung lässt eigene Ängste überwinden und schafft Erfolgserlebnisse.

Neuere Seniorentheatergruppen gehen über diese Möglichkeiten hinaus: Die Mitglieder setzen sich mit altersgemäßen Stoffen auseinander, entwickeln ihre Stücke selbst und schreiben ihre eigenen Texte.

Senioren-theater

Der Stoff findet sich in der alltäglichen Lebenswirklichkeit, in der eigenen Biografie und in der miterlebten Geschichte. Hierbei flieht der Einzelne nicht vor der Realität und Gegenwart in die eigenen Erinnerungen; diese werden vielmehr nachvollziehbar, handhabbar, spielbar.

Manche ältere Menschen können ihre Wünsche, Bedürfnisse und Vorstellungen in spielerischer Form u.U. besser ausdrücken als in abstrakten Gesprächen; und sie können diese hier auch für andere wieder 'erlebbar' machen.

In der 'Jahrhundert-Revue' des Kölner Werkstatt-Theater konnten die Teilnehmer so elementare Erfahrungen wie 'die eigene Schulzeit', 'den ersten Kuss', 'die eigene Heirat' oder 'den Krieg' noch einmal vergegenwärtigen, sich dessen (noch einmal) bewusst werden und diese Erfahrungen dann einem breiten Publikum vorstellen.

Die englische Wohlfahrtsorganisation "Age Exchange" rief ein Erinnerungstheater ins Leben. Nicht die alten Menschen treten hier auf die Bühne; junge Schauspielerinnen und Schauspieler nehmen sich der Themen aus dem Leben der älteren Generation an.

Erinnerungs-theater

Die Dialoge der einzelnen Stücke werden aus den Originalzitaten der alten Menschen entwickelt. Die Künstler proben vor deren wachsamen Augen und werden kritisch beraten und ggf. auch korrigiert.

In den Aufführungen werden die individuellen Erfahrungen der alten Menschen in einen Gesamtzusammenhang gebracht und den Zuschauern wird somit ein Spiegel ihrer selbst vorgehalten.

Nach jeder Vorstellung mischt sich das Ensemble unter das Publikum, um mit diesem über die Stücke zu diskutieren (vergl. Trilling, 1994, S. 73 ff).

?

☺ **!**

Welcher Form der Theaterarbeit mit Senioren würden Sie den Vor-
zug geben? - Mit welchen alten Menschen möchten Sie zusammen-
arbeiten? - Warum haben Sie sich für diese Form der Theaterarbeit
entschieden?

Betroffenheit

Selbsthilfe-Gruppen

Altenselbsthilfe-Gruppen sollen den Teilnehmern ein 'hierarchiefreies'
und selbstbestimmtes Lernen ermöglichen: Von einem Problem betroffene Menschen finden sich in einem kleinen Kreis zusammen, um
gemeinsam neue Lösungsmöglichkeiten zu entwickeln.

Die 'Summe der Einzelprobleme' führt hierbei nicht zur Resignation
der Betroffenen; vielmehr setzt das gemeinsame Erleben neue Kräfte
frei: Jeder Teilnehmer ist Betroffener und wird mit seinen Lösungs-
vorschlägen zum Experten.

*Gemeinsame
Absicht*

Die einzelnen Teilnehmer sind Gebende und Nehmende zugleich. Eine der Gruppe zu Grunde liegende gemeinsame Absicht, erfordert,
dass die Teilnehmer sich ihre persönlichen Sichtweisen mitteilen und
voneinander lernen. Im Vordergrund steht kein einseitiges, vorge-
gebenes 'Bildungs'-Angebot, sondern ein gemeinsames Suchen nach

*Gemeinsames
Suchen*

Lösungen, um äußere oder innere Schwierigkeiten überwinden zu
können. Die Fähigkeit zum Austausch, zur Kommunikation (soziale
Kompetenz) ist gefordert; Offenheit, Ehrlichkeit und Akzeptanz werden vorausgesetzt und weiter eingeübt.

Die 'Silberdisteln' in Berlin-Wilmersdorf nehmen sich der persönlichen
Nöte alter Menschen an. Bei Problemen sind sie füreinander da. In
einer Selbstdarstellung (Dettbarn-Reggentin, 1992b, S. 166) beschreiben die TeilnehmerInnen, wie wichtig es ihnen ist, dass sie gemeinsam versuchen, eine Lösung zu finden. Da alle Beteiligten auf
andere Erfahrungen und Informationen zurückblicken und diese in die
Diskussion einbringen können, findet sich immer jemand, der Rat und
Hilfe weiß. Als Lernorte werden Gesprächskreise, spezielle Informati-
onsveranstaltungen oder auch schon einmal eine Demonstration (für
viele Senioren das erste Mal in ihrem Leben!) genannt. Die Möglichkeit voneinander lernen zu können, ist die Grundlage für das Miteinander in der Gemeinschaft Gleichgesinnter.

Phasenverlauf

In der Entwicklung einer solchen Selbsthilfegruppe lässt sich ein bestimmtes Schema erkennen:

- Zunächst greifen die Gruppenmitglieder auf eigene Ressourcen
  zurück. Kompetenzen, die möglicherweise 'verschüttet' sind, wer-

den in Erinnerung gebracht und ausgetauscht. Die Erkenntnis, dass Kompetenzen brach liegen, weniger die Betroffenheit, bringt die Selbsthilfe in Gang.

Während dieser Anfangsphase können Schwierigkeiten auftreten: Spannungen zwischen den Teilnehmern sind zu beobachten, leicht spielen sich Einzelne in den Vordergrund und versuchen, sich auf Kosten anderer durchzusetzen.

☞ Kap. 7.5
S. 191

- Länger bestehende Gruppen bilden für einzelne Fragestellungen eigene Experten heraus, die teilweise auf ihre speziellen (vielfach beruflichen) Vor-Erfahrungen zurückgreifen oder sich mit Einzelfragen intensiver beschäftigen und 'kundig machen'.

- Später laden die Gruppen zu einzelnen Fragestellungen u.U. Experten ein und lernen von diesen!

Die gemeinsamen Zielsetzungen einer solchen Gruppe können primär auf die Veränderung der eigenen Person (Verhaltensweisen, Einstellungen) aber auch auf die Veränderung sozialer, politischer oder kultureller Gegebenheiten hinzielen. So unterscheidet Kurt Witterstätter (vergl. Witterstätter, 1992, S. 89) drei unterschiedliche Formen von Alteninitiativen:

1. In *primär kommunikativen* Initiativen steht die Überwindung von Einsamkeit und das Anknüpfen neuer Beziehungen im Vordergrund. Hier sind Vereine und Klubs mit selbstorganisierten Freizeitaktivitäten ebenso zu nennen wie die Organisation von Tanzveranstaltungen oder Musikgruppen und Seniorenorchester. Altenselbsthilfe umfasst hier den Raum des Privaten und Unpolitischen!

    Kommunikative Initiativen

2. Im Rahmen von **sozialen** Initiativen steht die gegenseitige Hilfe oder das Eintreten für bestimmte soziale Aufgaben im Vordergrund. Es gibt Seniorenselbsthilfegruppen, die bei der Durchsetzung von Sozialhilfeansprüchen Hilfen anbieten. Eine Gruppe 'junger Alter' mit dem Namen 'Senioren helfen Senioren' organisiert Besuche bei kranken oder behinderten alten Menschen, führt Gespräche, macht Besorgungen oder bietet Hilfen beim Umgang mit Behörden an.

    Soziale Initiativen

3. **Politische** Alteninitiativen zielen auf die Mitwirkung alter Menschen bei politischen Entscheidungen ab. Aus ihnen sind Altenverbände überregionaler Art, wie der Seniorenschutzbund / Graue Panther, hervorgegangen. Sie betreiben eine wirksame Öffentlichkeitsarbeit und setzen sich kritisch mit der (stationären) Altenhilfe, der Renten- und Behindertenpolitik auseinander.

    Politische Initiativen

> Haben Sie bereits einmal eine Senioren-Selbsthilfegruppe kennen
> gelernt?
> Zu welchen Themen könnten sich Selbsthilfegruppen in einem Al-
> tenwohnheim, Altenheim oder Altenpflegeheim zusammenfinden? -
> Konnten Sie in Ihrer bisherigen beruflichen Praxis einen Einblick in
> die Arbeit eines Heimbeirates in einem Alten-(Wohn-, Pflege-)heim
> erhalten? Könnte diese Arbeit als Selbsthilfe verstanden werden?

Wohngemeinschaften

Auch Wohngemeinschaften sind Orte natürlichen 'Lehrens und Lernens'. Das Leben in einer Gemeinschaft fordert vom Einzelnen im
täglichen Zusammenleben, mit all seinen Kleinigkeiten und Notwen-
digkeiten, die Fähigkeiten der Anpassung, der Abstimmung und Koordination. Die Fähigkeiten des täglichen Lebens werden immer wieder
neu gefordert und trainiert (Der tägliche Einkauf ist das natürlichste
Gedächtnis-Training!).

**Alltagspro-
bleme**

In der Lerngruppe 'Senioren-Wohngemeinschaft' (vergl. Schmid-
Furstoss, 1991, S. 104) ist der Einzelne gefordert, sich tagtäglich aufs
Neue den Freuden, Problemen und Fragen des Alltags zu stellen.
Konflikte sind die treibende Kraft, die dem Einzelnen immer wieder
Toleranz, Mobilität und Handlungsbereitschaft abverlangt. Bedenkt
man, dass ältere Menschen Freunde leichter unter Gleichaltrigen als
unter jungen Menschen finden, so bietet die Alten-Wohngemeinschaft
die Möglichkeit, soziale Beziehungen wieder aufzubauen und zu leben.

Durch das Zusammenleben junger und alter Menschen, durch den
Aufbau dieser Form selbstgewählter Verwandtschaftsbeziehungen,
sollen die alten Menschen im Pantherhaus des Vereins "Graue Panther Hamburg" in den Alltag integriert werden und integriert bleiben.
Aber auch die jüngeren Menschen sollen aus dieser Form des Zusammenlebens ihren Nutzen ziehen, indem sie beispielsweise immer
wieder mit den Problemfeldern Alter und Tod konfrontiert werden
(vergl. Dettbarn-Reggentin, 1992b, S. 166).

Im alltäglichen Miteinander und dem damit verbundenen Lernen voneinander, haben sich konkrete und verlässliche Formen von Beziehungen herausgebildet. Die hier zusammenlebenden drei Generationen mussten im Zusammenspiel von "miteinander Leben und Arbeiten" lernen, ihre Konflikte auszutragen und immer wieder zu einem

☞ Kap. 4.5.2
S. 109

neuen **Konsens** zu gelangen. Sie lernten so nicht nur, Verantwortung
füreinander zu übernehmen, sie entwickelten auch Verantwortung für

den Stadtteil: Das Pantherhaus steht Besuchern und Diskussionsrunden offen, Treffen von Gruppen, Straßenfeste und Theateraufführungen werden hier organisiert.

> Haben Sie selbst einmal Erfahrungen in einer Wohngemeinschaft sammeln können? Welche Erfahrungen waren dies? - Altenheime sind Wohn- und Lebensgemeinschaften - auf häufig unfreiwilliger Basis. Welche Voraussetzungen müssten erfüllt sein, damit Altenheime zu Lebensgemeinschaften werden?

 ?

 !

5.4 Training der in der Altenarbeit Tätigen

In der Aus-, Fort- und Weiterbildung sollen den Praktikern in der Altenarbeit die neuesten Erkenntnisse wissenschaftlicher Forschung vermittelt werden, damit diese in der Praxis beachtet und umgesetzt werden können.

Praktiker

Zu bedenken ist hierbei, dass die hier vermittelten Inhalte aus dem Bereich der Pflege, Therapie und Rehabilitation auf alte Menschen abzielen, die in irgendeiner Form behindert sind und besonderer Zuwendung bedürfen. Hier handelt es sich um die 4 - 5% alter Menschen, die stationäre oder teilstationäre Hilfen in Anspruch nehmen (müssen). Die rund 90% der nichtbehinderten alten Menschen sind hiervon nicht betroffen, so dass hier kein realistisches Bild der Lebenssituation alter Menschen schlechthin vermittelt wird.

Vielleicht wird hier die Tatsache mitbegründet, dass gerade pflegende Mitarbeiter alte Menschen sehr negativ wahrnehmen und dies auch ausdrücken. So werden die alten Menschen gerade von dieser Berufsgruppe - die es eigentlich besser wissen müsste - als desinteressiert, unbeweglich, kontaktscheu und teilnahmslos geschildert (vergl. Kemper, 1989, S. 38).

Das Training, die Einweisung und Anleitung Ehrenamtlicher, die häufig noch über keine Erfahrungen in der Altenarbeit verfügen, muss gleichfalls berücksichtigt werden.

Ehrenamtliche

Nicht zuletzt ist in diesem Zusammenhang auch die Angehörigenarbeit zu nennen! Heute werden neun von zehn chronisch kranken alten Menschen von Familienangehörigen gepflegt. In der Regel leisten diese Hilfe Ehefrauen, Töchter und Schwiegertöchter.

Angehörige

Bei dieser schweren und belastenden Arbeit bedürfen die Pflegenden der Unterstützung:

- Kinder erleben ihre Eltern auf einmal nicht mehr als Eltern, sondern als Abhängige. Die Kinder nehmen den Eltern gegenüber eine Elternrolle wahr. Mit dieser Veränderung der Beziehung müssen die Betroffenen fertigwerden.

- Die Notwendigkeit einer ständigen Präsenz und die damit einhergehende übermäßige psychische und physische Belastung kann zu einem Rückgang der Zuneigung zum betreuten Gatten oder Elternteil führen, was wiederum häufig mit belastenden Schuldgefühlen einhergeht.

- Unter Umständen ist einmal der Zeitpunkt erreicht, wo sich eine Betreuung zu Hause nicht mehr gewährleisten lässt: der Angehörige muss in eine Einrichtung der Altenpflege umziehen. Diese Entscheidung geht häufig mit Versagens- und Schuldgefühlen auf Seiten der Pflegenden einher.

- Pflegende Angehörige wissen häufig auch nicht, welche Hilfen Ihnen zu ihrer Entlastung bereitstehen. Hier werden Hilfen notwendig, die die Betroffenen psychisch, materiell und / oder zeitlich entlasten. Informationen über
  - Sozialstationen in der ambulanten Altenpflege
  - Mobile Soziale Hilfsdienste
  - Kurzzeit-Pflege-Einrichtungen
  - Essen auf Rädern oder
  - Ansprüche gegenüber Kranken- und Pflegekassen und Sozialhilfe-Trägern

  werden notwendig.

- Die Unterstützung trauernder Angehöriger ist gleichfalls in diesem Zusammenhang zu nennen.

In all diesen Situationen bedürfen die pflegenden Angehörigen der Begleitung und Beratung durch Experten, die sie unterstützen und entlasten.

Sind Sie von Angehörigen alter Menschen bereits einmal um einen fachlichen Rat gebeten worden? Um welches Thema handelte es sich hierbei? Hätte man diesen Angehörigen auch mit einem Weiterbildungsangebot helfen können? Wie könnte ein solches Angebot aussehen?

Lehrzielkatalog

Sie sollen ...

		vergl. Seite
1	vier Zielgruppen der Geragogik nennen können	117, 124, 129, 139
2	Das Bild alter Menschen in den Massenmedien beschreiben können	117 f
3	die Selbstwahrnehmung alter Menschen als vierfach negativ geprägt beschreiben können	119
4	die Unterschiede in der Wahrnehmung der eigenen Lebenssituation alter Menschen und der Situation der eigenen Generation beschreiben können	119 f
5	den Unterschied und die Beziehung zwischen Fremd- und Selbstbild erklären können	120
6	vier Faktoren aufzählen können die - neben dem Fremdbild - Einfluss auf das Selbstbild haben	120
7	mindestens zehn Attribute aufzählen können, wie Schüler alte Menschen sehen	121
8	beschreiben können, wie junge Menschen häufig ihr eigenes Alter beschreiben	121
9	den Einfluss von Kindheitserfahrungen auf die Formen des Alterns erläutern können	120
10	den Begriff "Altern als soziales Schicksal" erläutern können	122
11	"natürlichen" Kontakt als Möglichkeit der Veränderung negativer Fremdbilder des Alters aufzeigen können	123
12	drei Voraussetzungen für einen gelungenen Übergang in den Ruhestand nennen können	125
13	die Notwendigkeit sozialer Anerkennung und sinnvoller Aktivität im Alter beschreiben können	126
14	den Zusammenhang von "Unzufriedenheit am Arbeitsplatz", "Wunsch nach Beendigung des Arbeitsverhältnisses" und "gelungenem Übergang ins Rentenalter" beschreiben können	127 f
15	die Folgen einer Überbetonung berufsbezogener Erwachsenenbildung für die Altenbildung beschreiben können	129
16	das Verständnis für den fortschreitenden sozialen und technischen Wandel als Bildungsziel (nicht nur in der Geragogik) nennen können	130
17	erläutern können, was der Gerontologe Reimar Gronemeyer mit der Formulierung "Leben ist Lernen" meint	130 f
18	erklären können, warum Lernmöglichkeiten heute professionell angeboten werden (müssen)	131

		vergl. Seite
19	fünf Formen des Lernens, die sich abseits der klassischen Bildungseinrichtungen vollziehen, beschreiben können: Wissensbörse, Erzähl-Cafes, Theaterarbeit, Selbsthilfegruppen, Wohngemeinschaften	132-139
20	beschreiben können, welche Angebote die VHS-Wissensbörsen bereithalten	132
21	drei unterschiedliche Formen der Theaterarbeit mit Senioren unterscheiden und beschreiben können	134 f
22	gemeinsame Betroffenheit, gemeinsame Absicht und gemeinsame Suche als Merkmale einer Selbsthilfegruppe nennen können	136
23	drei Stufen der Entwicklung einer Selbsthilfegruppe beschreiben können	136 f
24	drei unterschiedliche Formen von Alteninitiativen unterscheiden können	137
25	die Lern- und Bildungsmöglichkeiten in einer Wohngemeinschaft beschreiben können	138 f
26	Fachkräfte, Ehrenamtliche und Angehörige als Zielgruppen in der Aus-, Fort- und Weiterbildung von Praktikern nennen können	139
27	einen Grund nennen können, warum alte Menschen von Pflegekräften häufig sehr negativ beschrieben werden	139
28	fünf mögliche Inhalte der Arbeit mit Angehörigen nennen können	140

Kapitel 5: Literaturverzeichnis

AG Gesellschaftslehre (1980)
Alte Menschen - Eine Randgruppe
der Gesellschaft
Dortmund, 1980

Becker, Horst (1990) und die Institute
"Infratest Sozialforschung", "Sinus"
Die Älteren - Zur Lebenssituation
der 55- bis 70-jährigen
Bonn, 1990

Bohl, Jürgen Rudolf (1980)
Lob des Alters
in: Altersforum, 2/1992

Braun, Walter [Hrsg.] (1981)
Die ältere Generation - Zum Pro-
blemfeld zwischen Gerontologie und
Pädagogik
Bad Heilbrunn/Obb., 1981

Braun, Walter (1981a)
Pädagogik und Gerontologie - Ein
Beitrag zu sozialpädagogischen
Aspekten des Alterns
in: Braun, 1981

De Crow, Roger (1976)
Altenbildung in den Vereinigten
Staaten
in: Petzold, Bubolz, 1976

Dettbarn-Reggentin, Jürgen; Regentin,
Heike [Hrsg.] (1992a)
Neue Wege in der Bildung Älterer /
Band 2:
Praktische Modelle und Projekte
Freiburg im Breisgau, 1992

Dettbarn-Reggentin, Jürgen (1992b)
Altenselbsthilfe als Bildungsstätte
in: Dettbarn-Reggentin, Regentin,
1992a

Dornicht-Fluck, Brigitte (1992)
Perspektiven zur Altenbildung in den
USA
in: Schlutz, Tews, 1992

Gronemeyer, Reimer; Buff, Wolfgang
(1992)
Bildungskonzepte oder Orientierung
der Älteren
in: Dettbarn-Reggentin, Regentin,
1992a

Howe, Jürgen [Hrsg.] (1991)
Lehrbuch der psychologischen und
sozialen Alternswissenschaft
Band 3
Heidelberg, 1991

Kade, Sylvia (1992)
Altern und Geschlecht - über den
Umgang mit kritischen Lebensereignissen
in: Schlutz, Tews u.A., 1992

Karl, Fred (1990)
Neue Wege in der sozialen Altenar-
beit
Freiburg im Breisgau, 1990

Kastilan, Franz (1981)
Bildungsarbeit für Senioren
Reihe "Vorgestellt"; KDA-Köln;
Folge 20, Juli 1981

Kemper, Johannes (1989)
Was heißt altern? - Psychotherapie
in der zweiten Lebenshälfte
München, 1989

Koch-Straube, Ursula; Koch, Hans-
Bernd; Leisner, Reiner (1973)
Alternsforschung
Stuttgart, Berlin, Köln, Mainz; 1973

Lehr, Ursula (1979)
Psychologie des Alterns
Heidelberg, 1979 (4. Aufl.)

Lehr, Ursula; Schmitz-Scherzer, Rein-
    hard; Quadt, Else (1979)
    Weiterbildung im höheren Erwach-
    senenalter -
    Eine empirische Studie zur Frage
    der Lernbereitschaft älterer Men-
    schen
    Stuttgart u.a.O., 1979

Loddenkemper, Norbert; Schier, Norbert
    (1981)
    Altenbildung - Grundlagen und
    Handlungsorientierungen
    Bad Heilbrunn, 1981

Petzold, Hilarion; Bubolz, Elisabeth
    [Hrsg.] (1976)
    Bildungsarbeit mit alten Menschen
    Stuttgart, 1976

Petzold, Hilarion (1985)
    Mit alten Menschen arbeiten
    München, 1985

Schenda, Rudolf (1972)
    Das Elend der alten Leute
    Düsseldorf, 1972

Schlutz, Erhard; Tews, Hans-Peter u.a.
    (1992)
    Perspektiven zur Bildung Älterer;
    Frankfurt/Main, 1992

Schmid-Furstoss, Ulrich (1991)
    Wohn- und Lebensformen alter
    Menschen
    in: Howe, 1991

Tews, Hans-Peter (1979)
    Soziologie des Alterns
    Heidelberg, 1979(3. Aufl.)

Trilling, Angelika (1994)
    Ein internationales Fest der Erinne-
    rung
    in: Altenpflege, Heft 2 / 1994

Veelken, Ludger (1990)
    Neues Lernen im Alter - Bildungs-
    und Kulturarbeit mit "Jungen Alten"
    Heidelberg, 1990

Walbeck, Dietmar (1985)
    Theaterspielen in der Sozialen Ar-
    beit mit alten Menschen - ein Pro-
    jektbericht
    Reihe "Vorgestellt"; KDA-Köln
    Folge 28; Juli 1985

Witterstätter, Kurt (1992)
    Soziologie für die Altenarbeit
    Freiburg im Breisgau, 1992 (8. Aufl.)

6 Geragogische Bedingungs- und Entscheidungsfelder

Es war einmal ein Seepferdchen, das eines Tages seine sieben Taler nahm und in die Ferne galoppierte, sein Glück zu suchen. Es war noch gar nicht weit gekommen, da traf es einen Aal, der zu ihm sagte: "Psst. Hallo Kumpel. Wo willst Du hin?"

"Ich bin unterwegs, mein Glück zu suchen," antwortete das Seepferdchen stolz.

"Da hast du's ja gut getroffen," sagte der Aal, "für vier Taler kannst Du diese schnelle Flosse haben, damit kannst Du viel schneller vorwärts kommen."

"Ei, das ist ja prima," sagte das Seepferdchen, bezahlte, zog die Flosse an und glitt mit doppelter Geschwindigkeit von dannen. Bald kam es zu einem Schwamm, der es ansprach: "Psst, Hallo, Kumpel. Wo willst Du hin?"

"Ich bin unterwegs mein Glück zu suchen," antwortete das Seepferdchen.

"Da hast du's ja gut getroffen," sagte der Schwamm, "für ein kleines Trinkgeld überlasse ich Dir dieses Boot mit Düsenantrieb; damit könntest Du viel schneller reisen."

Da kaufte das Seepferdchen das Boot mit seinem letzten Geld und sauste mit fünffacher Geschwindigkeit durch das Meer. Bald traf es auf einen Haifisch, der zu ihm sagte: "Psst. Hallo, Kumpel. Wo willst Du hin?"

"Ich bin unterwegs mein Glück zu suchen," antwortete das Seepferdchen.

"Da hast du's ja gut getroffen. Wenn Du diese kleine Abkürzung machen willst," sagte der Haifisch und zeigte auf seinen geöffneten Rachen, "sparst Du eine Menge Zeit."

"Ei, vielen Dank," sagte das Seepferdchen und sauste in das Innere des Haifisches, um dort verschlungen zu werden.

Die Moral dieser Geschichte: wenn man nicht genau weiß, wohin man will, landet man leicht da, wo man gar nicht hin wollte.

(Quelle: R. F. Mager, Lernziele und Unterricht © Julius Beltz Verlag, Weinheim/Basel 1983)

Diese kleine Geschichte stellte der Amerikaner Robert F. Mager (1983) bereits vor über 30 Jahren einer Veröffentlichung über Lernzielformulierungen voran. Bei der Gestaltung einer jeden Veranstaltung ist zunächst eine Grobplanung unerlässlich, in der die Ziele, die Themen, die Methoden und die benötigten Hilfsmittel festgehalten werden.

Entschei-
dungs- und
Bedingungs-
felder
Die Vertreter der so genannten "Lerntheoretischen Didaktik" unterscheiden zwischen Bedingungs- und Entscheidungsfeldern. Ein solches Modell, das für die Schulpädagogik entwickelt wurde, kann zwar nicht ohne weiteres auf die Geragogik übertragen werden. Das, zu Grunde liegende, grobe Raster von zwei Bedingungs und vier Entscheidungsfeldern umfasst aber alle Fragen, die auch im Rahmen der Arbeit mit alten Menschen bedeutsam sind.

6.1 Bedingungsfelder der Planung

Als *Bedingungsfelder* bezeichnet man die Rahmenbedingungen, die der Leiter eines Bildungsangebotes nicht mehr ändern kann, die er bei der Planung zu berücksichtigen hat:

Die zunächst als gegeben zu berücksichtigenden Rahmenbedingungen liegen zum einen in der gesellschaftlichen Situation, zum anderen in den einzelnen Personen, die an den Veranstaltungen / Maßnahmen teilnehmen. Man spricht von

- sozio-kulturellen (gesellschaftlichen, kulturellen) und

- anthropogenen (menschlichen; psychischen, gesundheitlichen, ...) Bedingungsfeldern.

6.1.1 Sozio-kulturelle Bedingungsfelder

Als gesellschaftliche Rahmenbedingung ist z.b. anzusehen, welchen Aufgaben sich der alte Mensch noch gegenübersieht; welche sozialen Rollen er im Alter möglicherweise verliert oder neu hinzugewinnt und erst 'erlernen' muss.

Im Einzelnen ist beispielsweise zu bedenken:

Die finanzielle Situation

Ist der alte Mensch in der Lage, die mit einem Gruppenangebot verbundenen Kosten aufzubringen?

Hier ist zum einen an mögliche Teilnehmergebühren aber auch an Kosten für die Lernmittel (wie Bücher) zu denken. Aber auch die Folgekosten wie Fahrtkosten, mögliche Kosten für Garderobe sind zu bedenken.

Einzelne Experten verweisen darauf, dass es den heutigen Senioren so "gut wie noch nie zuvor" gehe: Über die Hälfte der alten Menschen verfügt über Grund- und Hausbesitz.

Den Senioren geht es "so gut wie nie zuvor"

Dem steht allerdings entgegen, dass im Jahr 1993 870.000 Über-60-Jährige Sozialhilfe bezogen. Dies waren über 20% der Leistungsempfänger! Es muss davon ausgegangen werden, dass die Zahl Sozialhilfe**berechtigter** noch größer ist, da viele Betroffene, aus falsch verstandenem Stolz, ihre Rechte nicht wahrnehmen (vergl. Willig u.a, 1996, S. 92).

... und so schlecht wie noch nie!

Die beiden Aussagen widersprechen sich keinesfalls: Zwar hat sich der durchschnittliche Lebensstandard älterer Menschen insgesamt erhöht. Die soziale Ungleichheit bezüglich der Einkommenssituation hat sich aber innerhalb der Gruppe der alten Menschen vergrößert. Die soziale Ungleichheit, die das gesamte Leben bestimmt hat, setzt sich auch im höheren Alter fort (vergl. Klingenberger, 1992, S. 117).

Von je 100 Rentnern erhielten 1993 eine monatliche Rente in Höhe von (vergl. Willig u.a, 1996, S. 84):

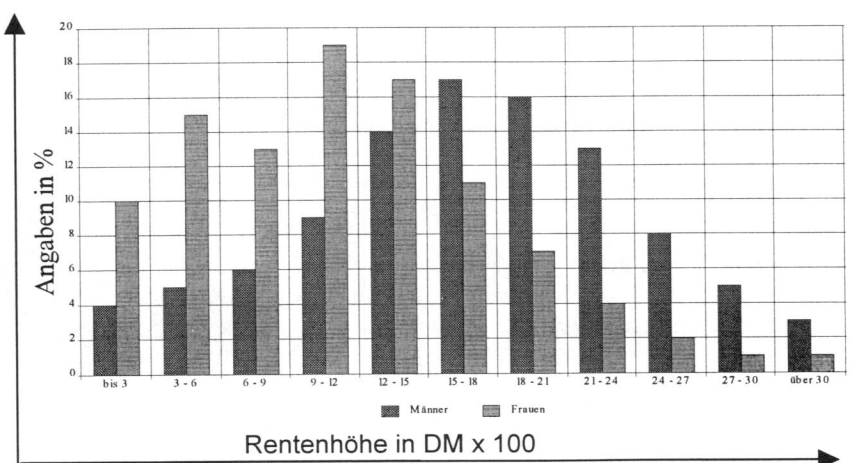

Rentenhöhe in DM x 100

Abb. 18

Frauen sind von der 'Armut im Alter' besonders betroffen: Viele waren in Leichtlohngruppen beschäftigt und konnten nur geringe Beiträge in die Rentenversicherung abführen, andere waren nicht berufstätig oder ließen sich bei ihrer Heirat die Ansprüche aus der Rentenversicherung auszahlen, so dass sie nach einer Verwitwung mit der geringeren Witwenrente auskommen müssen.

Die Wohnsituation

Lebt der alte Mensch in einer Umgebung, in der er sich wohlfühlen und entfalten kann?

Ist die Wohnung seinen Bedürfnissen entsprechend ausgestattet, so dass er weitestgehend selbstständig leben kann?

Muss er aufgrund der Wohnsituation Einschränkungen in Kauf nehmen, die einer Teilnahme an Gruppen- / Bildungsangeboten entgegenstehen?

Alte Menschen leben häufig unter ungünstigeren Wohnsituationen als jüngere. Substandardwohnungen ohne Zentralheizung, ohne Bad, ohne Innentoilette, werden häufig von älteren Menschen bewohnt. Nicht selten haben sie hier ihr Leben verbracht und sträuben sich gegen Veränderungen.

Altbauwohnungen ohne Fahrstühle sind häufig Barrieren, die auch einer Teilnahme an Bildungsveranstaltungen entgegenstehen.

In diesem Zusammenhang ist auch zu fragen: Kann der Betroffene bei körperlichen Beeinträchtigungen auf Unterstützung durch Hilfskräfte (z.b. Raumpflegerin), Mobile Soziale Hilfsdienste, Sozialstationen oder Nachbarschaftshilfen zurückgreifen?

Die familiäre Situation

Lebt der Einzelne in einer befriedigenden Partnerschaft / familiären Situation, in der er sich wohlfühlt und soziale Anerkennung erfährt, oder hat er eine Trennung oder einen Verlust (z.B.: Tod eines Partners) hinter sich, worunter er leidet?

Der Verlust des Partners durch Scheidung oder Trennung ist hierbei grundsätzlich anders zu bewerten als der Tod des Partners, der als irreversibel und unverschuldet gesehen wird.

Reaktionen auf den Tod des Partners sind durchaus ambivalent:

- Zum einen kann der Tod des Gatten als 'Erlösung' verstanden werden,

- zum anderen kann die Verwitwung aber auch zu Verzweiflung und - in der Folge - zu Medikamenten- oder Alkoholabhängigkeit bzw. zum Auftreten von Krankheiten führen.

Für viele ältere Frauen, die über keine eigenen Renteneinkünfte verfügen, bedeutet die Verwitwung auch eine Beeinträchtigung ihrer materiellen Sicherheit: Sie müssen in Zukunft mit der geringeren Hinterbliebenen-Rente auskommen!

Auch ist zu fragen, ob die konkrete Lebenssituation dem Einzelnen Raum zur Wahrnehmung seiner eigenen Interessen lässt. Möglicherweise fühlt er sich für einen (vielleicht pflegebedürftigen) Angehörigen verantwortlich, den er nicht allein lassen kann oder darf.

Die Sozialkontakte

Wie sieht der Tagesrhytmus des alten Menschen aus? Unterhält er vielfältige Sozialkontakte, die ihm wenig Zeit für andere Aktivitäten lassen? ... oder nimmt er mit seinen Sozialpartnern an kulturellen und Bildungsveranstaltungen teil? ... oder lebt er zurückgezogen und scheut Kontakte?

Das Fehlen eines Sozialpartners, das Alleinsein kann hierbei nicht mit Einsamkeit gleichgesetzt werden: ältere Menschen mit vielen Beziehungen fühlen sich u.U. einsam, andere, mit wenigen Kontakten, haben keine Probleme mit der Einsamkeit. Das subjektive Erleben von

Alleinsein und Einsamkeit

Einsamkeit scheint eher etwas mit empfundener Langeweile zu tun zu haben, als von der Häufigkeit der Sozialkontakte abzuhängen.

Ältere Menschen sind auch Opfer von Gewalt! Hierunter sind psychische Misshandlungen und Demütigungen (durch Angehörige, Hausgemeinschaften oder Nachbarschaft) ebenso zu nennen wie finanzielle Ausbeutung oder körperliche Gewalt. Gedemütigt und verängstigt wird schwerlich das Interesse an Weiterbildungsangeboten wachsen.

Das Selbstverständnis des Trägers

Das Selbstverständnis eines Trägers von Bildungsangeboten gehört gleichfalls zu den sozio-kulturellen Rahmenbedingungen. Soll ein Veranstaltungsangebot vorrangig Ablenkung vom 'Alltäglichen des Alltags' bieten und Kurzweil und Freude verbreiten, oder sollen Möglichkeiten, diesen Alltag zu ändern, aufgezeigt werden?

Der Erfolg eines Volkshochschulkurses zum Thema 'Mietbeihilfen und soziale Sonderleistungen für Senioren' ist z.B. daran zu messen, dass die Teilnehmer beim Sozialamt vorsprechen und ihre Rechte in Anspruch nehmen. Ein Erfolg, der möglicherweise nicht mehr im Interesse der Kommune liegt.

6.1.2   Anthropogene Bedingungsfelder

Vielfältig sind die Bedingungsfelder, die in den Personen der Teilnehmer zu suchen sind.

☞ Kap. 9.2
S. 252 ff

Bereits die Tatsache, dass es sich um ältere Menschen handelt, die anders (nicht schlechter!) lernen als jüngere, ist ein Bedingungsfeld, auf das sich der Leiter einer Veranstaltung einzustellen hat.

Die Lebenserfahrungen

Einzigartige
Biografie

Die Einzigartigkeit eines jeden Lebenslaufes ist ebenfalls ein Bedingungsfeld, welches nicht zu verändern ist. Die Erfahrungen, die der alte Mensch in seinem Leben sammeln konnte, die Interessen, die er entwickelte, bestimmen darüber, ob er Angebote annimmt oder nicht. Wer niemals ins Theater ging, wird dies kaum im Alter tun; wer Tieren immer vorsichtig und ängstlich begegnete, wird sich auch im Alter kaum Angeboten zur 'Hundehaltung im Alter' zuwenden.

Der Gesundheitszustand

Liegen Gesundheitsstörungen vor, die die Teilnahme an Veranstaltungen erschweren, die sich möglicherweise auch auf die Leistungs- und Lernfähigkeit auswirken.

☞ Kap. 9.1.3
S. 248 ff

Bezüglich somatischer Erkrankungen im Alter lassen sich drei Unterscheidungen treffen:

Somatische
Erkrankungen

- Krankheiten, die bereits in früheren Lebensphasen aufgetreten sind und sich chronifiziert haben. Als 'alternde chronische Krankheit' ist z.B. eine Bronchitis zu nennen.

- Als primäre Alterskrankheiten werden jene Erkrankungen bezeichnet, die im Alter erstmals auftreten und in ihrer Häufigkeitsverteilung eng an die höheren Lebensalter geknüpft sind. Beispielhaft sind hier zu nennen: Arteriosklerose, Altershypertonie, Arthrose oder Altersdiabetes.

- Daneben gibt es eine Vielzahl von im Alter auftretenden Krankheiten, die in keiner Weise alterstypisch sind.

Auch organisch bedingte Hirnleistungsstörungen, die sich direkt auf Lern- und Bildungsprozesse auswirken, sind in diesem Zusammenhang zu nennen.

Hirnleistungs-
störungen

Wichtig ist es auch, zwischen dem objektiven und dem subjektiven Gesundheitszustand zu unterscheiden. Im Rahmen einer Reihenuntersuchung schätzten 50% der Senioren ihren Gesundheitszustand weit besser ein, als das ärztliche Gutachten erwarten ließ. Diese Tendenz war bei Männern noch ausgeprägter als bei Frauen.

Objektiver und
subjektiver
Gesundheits-
zustand

Für die Selbsteinschätzung des Gesundheitszustandes wird zunehmend der Grad der Bewegungseinschränkungen bedeutsam. Lähmungen, schmerzhafte Gelenkerkrankungen bzw. rheumatische Erkrankungen werden subjektiv weit eher als "krank sein" eingeschätzt als Herz-Kreislauf- oder Magen-, Darm-, Gallenbeschwerden.

Mobilitäts-
einschränkun-
gen

Besteht auch ein direkter Zusammenhang zwischen körperlicher und psychischer Leistungsfähigkeit und dem objektiven Gesundheitszustand, so hängt die **Bereitschaft** zum "Aktivsein" bzw. "Aktivwerden" eher von der subjektiven Einschätzung der Gesundheit, vom subjektiven Gesundheitszustand ab.

Interessent

$\downarrow$

Bereitschaft zur Teilnahme

hängt ab vom
subjektiven
Gesundheitszustand

$\downarrow$

Teilnehmer

$\downarrow$

Leistungsfähigkeit, Belastbarkeit

hängt ab vom
objektiven
Gesundheitszustand

Depressive Verstimmungen sind häufig Reaktionen auf die Erfahrungen, dass bestimmte Ereignisse und Anforderungen nicht (mehr) bewältigt werden können. U.U. wird dieses Bedingungsfeld selbst zum Gegenstand der Intervention.

Die Persönlichkeit

Spontanität und Flexibilität

Handelt es sich um einen aktiven, vielseitig interessierten Senior, der spontan auf neue Angebote zugeht, oder begegnet uns ein reservierter, zaudernder Mensch, der Neuem zunächst einmal argwöhnisch gegenübersteht?

Selbstbewusstsein

Sind die Teilnehmer selbstbewusst und durchsetzungsfähig, oder ist ihr Selbstwertgefühl durch Demütigungen und Verlusterfahrungen beeinträchtigt?

Erfülltes Leben

Blicken sie auf ein erfülltes Leben zurück oder sind sie verbittert und müssen sich eingestehen, vieles erstrebt aber nichts erreicht zu haben?

Respekt oder Mitleid

Wie wird die jetzige Lebenssituation empfunden? Fühlt sich der alte Mensch mit seinen Wünschen, Sehnsüchten und Erwartungen geachtet und respektiert oder sieht er sich ignoriert bzw. milde belächelt?

6.1.3 Alte Menschen: eine heterogene Zielgruppe

Bei allen Überlegungen über die Lebenssituation der Senioren ist zu bedenken, dass es die Zielgruppe der Alten nicht gibt. Die Lebens- und Gesundheitssituation eines Über-60-Jährigen stellt sich ganz anders dar, als die eines Über-90-Jährigen. Drei Lebensjahrzehnte trennen diese Menschen; eine Zeitspanne, die diese ebenso trennt wie einen Zwanzig- und einen Fünfzigjährigen.

Manche Autoren differenzieren zwischen den jungen Alten (55. - 65. Lebensjahr), den mittleren Alten (66. - 80. Lebensjahr) und den alten Alten (über 80 Jahre) (vergl. Klingenberger, 1992, S. 223).

Die jungen Alten konnten auf Lebenserfahrungen (wie Schul-, Aus- und Weiterbildung) zurückblicken, die den Hochbetagten in dieser Form noch verschlossen waren. Diese Menschen sind häufig noch im Berufsleben integriert, befinden sich - aufgrund gesundheitlicher Beeinträchtigungen oder der Arbeitsmarktsituation - im Vorruhestand und suchen nach neuen Lebensinhalten.

6.1.4 Alte ausländische Mitbürger

Die erste Generation der in der BRD lebenden ausländischen Arbeitnehmer erreicht jetzt das Rentenalter. Nicht nur die Arbeitsimmigranten aus den südlichen und südöstlichen Ländern Europas sind älter geworden, auch viele Aus- und Übersiedler aus osteuropäischen Ländern sowie einige in Deutschland lebenden Asylanten und Flüchtlinge haben inzwischen das 65. Lebensjahr erreicht.

1992 lebten 6,5 Millionen ausländische Mitbürger in Deutschland; im Jahr 2000 haben 1,5 Millionen der in Deutschland lebenden Ausländer die Altersgrenze von 60 Jahren überschritten; im Jahr 2030 werden es 2,1 Millionen Menschen sein (vergl. Gätschenberger, 1995, S. 74).

Ältere ausländische Mitbürger sind häufig mehrfach benachteiligt (vergl. Klingenberger, 1992, S. 230):

- Sie leiden an den Folgen der harten Bedingungen am Arbeitsplatz.

- Sie leben häufiger in schlechten Wohnverhältnissen als deutsche Mitbürger.

- Ihr Renteneinkommen liegt meist deutlich unter dem der deutschen Rentner. Zum einen können sie weniger Versicherungsjahre nachweisen, zum anderen waren sie meist in Niedriglohngruppen beschäftigt.

- Benachteiligt sind auch viele ausländische Arbeitnehmer bezüglich ihres Bildungsstandes. Sowohl in Bezug auf ihre Schul- als auch bezüglich ihrer Ausbildungssituation geraten sie gegenüber deutschen Kollegen ins Hintertreffen.

- Sie leiden besonders im Alter unter den auseinander gerissenen Familienverbänden und Ausgrenzungen durch Kollegen und Nachbarn.

- Bleiben die Hoffnungen und Erwartungen, die zum Verlassen des Heimatlandes geführt haben unerfüllt, können so genannte "Bilanzdepressionen" auftreten.

Die Ausbildung psychosomatischer Krankheiten scheint vorprogrammiert: Türkische Arbeitnehmer weisen aufgrund psychosomatischer Erkrankungen einen doppelt so hohen Krankenstand auf wie deutsche Arbeitnehmer. Diagnose und Behandlung psychosomatischer Erkrankungen sind bei Sprachschwierigkeiten problematisch. Da viele türkische Patienten darüber hinaus eine konstruktive Beziehung zu ihrem Hausarzt suchen, die über eine symptomorientierte Behandlung hinausgeht, was aber häufig misslingt, ist eine Odyssee von Arzt zu Arzt ("Doctor-Shopping"), eine Aneinanderreihung gescheiterter Therapieversuche und - so die Türkisch-Deutsche Gesellschaft für Gastroenterologie und Stoffwechselkrankheiten (vergl. Dammann, 1995) - in der Folge die Abstempelung als Simulant abzusehen.

Zu denken ist hier auch an die religiösen und kulturellen Lebensauffassungen ausländischer Mitbürger. So stellen für viele ausländische Mitbürger alte Menschen Respektpersonen und Ratgeber dar, die in Familie und Nachbarschaft hoch geachtet sind. Der Umgang der Deutschen mit alten Menschen ist für viele Türken erschreckend.

Dass diese Sichtweise bei der jüngeren Generation ins Wanken gerät, verschärft die Situation der Betroffenen, die sich immer mehr von ihrer Heimatkultur entfremden.

> Wie beurteilen Sie die sozio-kulturellen und anthropogenen Bedingungsfelder
> - Ihrer Kinder,
> - Ihrer Kollegen,
> - Ihrer eigenen Person?

6.2 Entscheidungsfelder der Planung

Wenden wir uns nun den Entscheidungsfeldern zu. Hier ist zu fragen:

- Welche Ziele möchten Sie erreichen?
- Welche Themen wollen Sie behandeln?
- Wie wollen Sie die Veranstaltung gestalten; welche Methoden wählen Sie?
- Welche Hilfsmittel, welche Medien benötigen Sie?

6.2.1 Entscheidungsfeld: Zielformulierungen

Erinnern Sie sich an das Seepferdchen, das seine Reise antrat, ohne zu wissen, wohin es gehen sollte? Erst die Bestimmung von Zielen macht eine weitere Planung möglich.

6.2.1.1 Ziele in der Bildungsarbeit mit alten Menschen

Hilarion Petzold und Elisabeth Bubolz (1976a, S. 58) nennen zwei Ziele für die Arbeit mit alten Menschen, von denen andere Ziele abzuleiten sind:

- Lebensbewältigung und

- Lebensgestaltung

Eine Arbeitsgruppe des Diakonischen Werkes (1979, S. 20) nennt in einer Schrift zur Bildungsarbeit mit alten Menschen schon etwas konkretere Ziele:

- Das Selbstwertgefühl des alten Menschen stärken,

- ihn kommunikationsfähig machen,

- seine Unabhängigkeit und seine Integration fördern,

- seine Fähigkeiten und Fertigkeiten trainieren.

Die aus diesen sehr allgemein gehaltenen Zielvorstellungen abzuleitenden Ziele, müssen für jede Gruppe speziell entwickelt werden. Die konkrete Lebensbewältigung und Lebensgestaltung wird für den Bewohner eines Altenheimes anders aussehen als für einen Senior, der alleine oder mit Familienangehörigen zusammenlebt. Für den Bewohner eines Pflegeheimes werden wiederum andere Schwerpunkte bedeutsam als für gerontopsychiatrisch veränderte Menschen.

Gruppenspezifische Ziele

6.2.1.2 Lehr- und Lernziele

Es ist in diesem Zusammenhang sinnvoll, zwischen Lehr- und Lern-Zielen zu unterscheiden. In den meisten vorgelegten Lernziel-Katalogen ist festgelegt, was der Lehrende den Kursteilnehmern vermitteln möchte; es wäre richtiger, hier von Lehr- und nicht von Lern-Zielen zu sprechen. Aus einem Lernziel-Katalog müsste hervorgehen, was die Teilnehmer einer Veranstaltung lernen möchten, mit welchen Zielvorstellungen sie in eine Veranstaltung hineingehen.

☞ Kap. 3.1.3
S. 49

Da Bildung immer Selbst-Bildung ist, und von außen nur Hilfen angeboten werden können, erscheinen Lehrende und Lernende (erst recht in der Arbeit mit Erwachsenen) als Partner einer Arbeits-Beziehung. Die Zielvorstellungen der Teilnehmer müssen mit denen der Veranstalter in Einklang gebracht werden, sollen diese nicht zum 'Opfer' der Bildungsprozesse werden. Um dies auszudrücken, wird häufig von Lehr-Lern-Zielen gesprochen.

6.2.1.3 Pflege-(ziel-)Planung: eine gemeinsame Zielfindung

Die Beteiligung der Betroffenen an Zielformulierungen ist nicht nur in Gruppenveranstaltungen, sondern in jeder Situation, in der auf einen Menschen eingewirkt wird, um ein bestimmtes Ziel zu erreichen, wichtig.

Pflegeziel-Planungen werden in der Regel am Schreibtisch, weitab vom den Betroffenen, über die hier bestimmt wird, erstellt. Es werden Wege erdacht, um diese Ziele zu erreichen, die den alten Menschen - wenn überhaupt - nach Abschluss der Zielfindungsphase mitgeteilt werden. Eine Geragogik, die sich nicht als Aneinanderreihung von Veranstaltungsprogrammen, sondern als Prinzip und 'Aroma' in der Altenarbeit versteht, wird diese Überlegungen auch in die Pflegeziel-Planung einbringen müssen.

 ?
 !

> Haben Sie bereits einmal eine Pflegeziel-Planung mit der betroffenen Person gemeinsam erstellt?
> Haben Sie einer solchen Planung bereits einmal beigewohnt?
> Können Sie sich ein Beispiel für eine solche Planung vorstellen?

6.2.1.4 Zielkategorien

Um Ziele in der Bildungsarbeit konkreter formulieren zu können, lassen sie sich in vier Kategorien einteilen: Es geht nicht nur um die Vermittlung von Wissensstoff (kognitive Ziele), sondern auch um die Förderung von Fertigkeiten (psycho-motorische Ziele), um die Änderung von Haltungen und Einstellungen (affektive Ziele) und die Steigerung von Kompetenzen im sozialen Bereich (soziale Ziele).

Kognitive Ziele

- Vermittlung von Kenntnissen, Strukturen, Prinzipien

- Zusammenhänge verstehen, d.h. übertragen können.

- Kenntnisse anwenden, umsetzen können

- Vermitteltes Wissen bewerten können.

Psycho-motorische Ziele

- Körperliche Ausdauerfähigkeit entwickeln

- Entspannungsfähigkeit entwickeln können

- Verbesserung der senso-motorischen Koordination

- Förderung der Alltags- und Feinmotorik

Affektive Ziele

- Die eigene Person, mit Haltungen und Einstellungen, bewusst wahrnehmen können

- Sensibilität für eigene und fremde Gefühle entwickeln

- Regulation und Kontrolle von Gefühlen entwickeln

Soziale Ziele

- Kommunikationsfähigkeit entwickeln

- Bereitschaft und Fähigkeit zur sozialen Teilhabe entwickeln

- Kooperationsbereitschaft entwickeln

- Selbstsicherheit im Kontakt mit anderen entwickeln

Die einzelnen Ziel-Ebenen sind in der Praxis nie isoliert voneinander zu sehen. So zielt ein Gymnastik- oder Tanz-Kurs für Senioren zunächst einmal auf die Entwicklung von psychomotorischen Fertigkeiten hin. Gleichzeitig werden aber Anforderungen an kognitive Leistungen (das Behalten von Übungsabläufen bzw. Tanzschritten), affek-

Verschränkung unterschiedlicher Zielkategorien

tive Aufgaben (eigene Erwartungsängste überwinden, sich als attraktiv erfahren, Unsicherheit fühlen und überwinden) und soziale Aufgaben (auf andere Menschen zugehen, Nähe annehmen) gestellt. Auch andere Aktivitäten sind gleichermaßen vielschichtig. Der Mensch ist eine Einheit von Körper, Geist, Seele und Gefühl, die sich immer in einem sozialen Raum bewegt.

> Stellen Sie eine Auflistung aller Ziele zusammen, die Ihnen in einer Veranstaltung zu einem Thema, das Sie frei wählen können, wichtig scheinen. Planen Sie eine solche Veranstaltung sowohl für psychiatrisch veränderte alte Menschen als auch für rüstige selbstständig lebende Senioren.
> Überlegen Sie, welche Ziele den TeilnehmerInnen wichtig sein könnten.
> Ordnen Sie die Ziele den vier unterschiedlichen Zielkategorien zu!

6.2.2 Entscheidungsfeld: Inhalte

Aus den Zielformulierungen lassen sich unmittelbar die Bildungsinhalte ableiten. Zum Teil wird durch sie sogar schon die Wahl der Methoden und Medien vorbestimmt (vergl. Petzold, Bubolz, 1976 a, S. 56).

Eine Programmgestaltung, die darauf abzielt, dass "der alte Mensch mit schwierigen Themen nicht belastet werden dürfe", Themen wie Krankheit, Tod, Tagespolitik ausgrenzt und auf Geselligkeit und Kurzweil zurückgreift, wird kaum in der Lage sein, die obigen Zielvorstellungen umzusetzen.

So wichtig Ablenkung und Zerstreuung im alltäglichen Leben auch sind; die Ziele, zur Lebensbewältigung und Lebensgestaltung in Alltagssituationen beizutragen, lässt sich nur erreichen, wenn eben dieser Alltag, mit seinen Anforderungen und Problemen, zum Gegenstand der Auseinandersetzung wird.

6.2.2.1 Im Alter zu lösende Aufgaben: eine Herausforderung für die Altenbildung

Welches sind die Anforderungen des Alters, die der ältere Mensch in seinem Alltag zu bewältigen hat? Hans-Dieter Schneider (1975) stellt einen Katalog konkreter Entwicklungsaufgaben vor, die im höheren Erwachsenenalter bewältigt werden müssen:

Biologische Lebensbedingungen

Mit zunehmendem Alter verändert sich das äußere Erscheinungsbild:

- die Haare werden grau

- das Bindegewebe erschlafft

- die Haut bildet Falten

- Pigmentansammlungen in der Haut führen zu bräunlichen 'Altersflecken'

- die Elastizität der Bandscheiben lässt nach, was eine gebeugte, steife Körperhaltung mit sich bringt

- die Sinnesorgane leisten weniger

Auch wer die Vorstellungen von seiner Person vorrangig an seinem Äußeren festmachte muss sich mit diesen Veränderungen auseinander setzen!

Die körperliche Leistungsfähigkeit nimmt ebenso wie die Regenerationsfähigkeit nach schweren Krankheiten ab. Intensives Arbeiten (in Beruf, Freizeit oder Haushalt) wird als belastender empfunden. Die eigenen Ziele müssen zurückgeschraubt werden.

Körperliche Leistungsfähigkeit

Geistige Leistungsfähigkeit

☞ Kap. 9
S. 246 ff

Nicht trainierte Fähigkeiten verkümmern. Für eine Förderung der intellektuellen Fähigkeiten muss Sorge getragen werden.

Soziale Beziehungen

☞ Exkurs 1.4
S. 47 f

Aufgrund äußerlich sichtbarer Veränderungen oder wegen der erreichten Altersgrenze (z.B. Pensionierung) werden veränderte Erwartungen an den alt gewordenen Menschen herangetragen. Diese veränderten Rollen legen ihm Verhaltensweisen nahe, die mit seinen bisherigen Vorstellungen u.U. nicht übereinstimmen.

Veränderte Rollenerwartungen

Mit dem 'Ruhestand' geht weiterhin eine Verschlechterung der Einkommenssituation einher. In einer Konsumgesellschaft, in der der Einzelne seine Anerkennung und seinen Wert, durch Konsum, durch Kaufen-Können erwirbt, ist es ein schmerzhafter Prozess, sich auf das 'Sparen-Müssen' einzustellen.

Verringertes Einkommen

Die zwischenmenschlichen Kontakte ändern sich gleichfalls. Beziehungen am Arbeitsplatz entfallen. Der persönliche Bekannten- und Freundeskreis wird kleiner. Mit den verminderten Sozialkontakten

Soziale Kontakte

umzugehen, bzw. neue Kontakte anbahnen zu können, ist gleichfalls eine Herausforderung für alte Menschen.

Gesundheitliche und Wohnsituation

Gesundheitliche Veränderungen führen u.U. unausweichlich zum Umzug in Alten- oder Pflegeheim; aufgrund des gesunkenen Einkommens wird möglicherweise der Umzug in eine kleinere Wohnung, nach der Verwitwung das Zusammenziehen mit den Kindern notwendig. Das neue Wohn-Umfeld macht aber wieder neue Anpassungsleistungen notwendig.

☞ Kap. 5.2
S. 124 ff

Konsequenzen der Berufsaufgabe / Pensionierung

Diesem Thema ist ein eigenes Kapitel gewidmet

Tod und Sterben

Der verdrängte Tod

Gerade weil Tod und Sterben aus der Öffentlichkeit verdammt wurden, die traditionellen / religiösen Formen der Auseinandersetzung immer weniger Anerkennung finden, stellt die Annahme der Endlichkeit für den Einzelnen häufig eine Überforderung dar: Der Tod wird verdrängt auf einer aussichtslosen Flucht vor dem Alter.

Gespräche mit Schwerkranken und Sterbenden lassen hingegen sehr oft den Wunsch nach einer Auseinandersetzung mit dem Tod, nach einem Gedankenaustausch über das Sterben erkennen.

Der Tod ist aber auch ein soziales Ereignis. Die Versorgung der Hinterbliebenen (z.B. durch ein Testament) oder Verfügungen und Wünsche über den Tod hinaus (z.B. konkrete Bestattungswünsche) bedürfen der Regelung.

Orientierungshilfen

In einer sich ständig verändernden übertechnisierten und bürokratischen Welt fühlt sich der alte Mensch oftmals hilflos und überfordert. Um sich in dieser Situation zurechtzufinden, bedarf es konkreter Informationen über gesellschaftliche Zusammenhänge und Zuständigkeiten.

Mündige Bürger

Die einmal in der Jugend erworbenen Kenntnisse veralten sehr schnell. Die wissenschaftliche Produktivität verdoppelt sich alle 10 bis 15 Jahre. Jeder Erwachsene sollte über die entscheidenden Anwendungen der wissenschaftlichen Forschung Bescheid wissen. Nur so kann er, als 'mündiger Bürger', begründete Entscheidungen treffen und wird nicht zum Spielball anderer.

Politische Mündigkeit

Besonders vor anstehenden Wahlen besinnen sich Politiker der großen Stimmenzahlen der älteren Bürgerinnen und Bürger. Sie werden
aufgerufen mit ihrer Stimme bewusst unseren Staat mitzugestalten.

Die politische Bedeutung der Senioren ist nicht zu leugnen: Sie machen heute schon fast ein Drittel der Wähler aus und in dreißig Jahren
wird fast die Hälfte der Wähler 60 Jahre und älter sein (vergl. Klingenberger, 1992, S. 146).

Wer selbstständige Entscheidungen treffen möchte, ist auf Informationen und Fakten angewiesen; ansonsten wird er immer von zufälli-
gen Meinungsbildern abhängig bleiben. Aufgabe der Altenbildung ist
es, ihm hier die erforderlichen Informationen (auch Verordnungen und
Gesetzestexte) bereitzustellen und durch Diskussion mit Vertretern
der Parteien und Behörden zur politischen Meinungsbildung beizutragen. Die Einübung demokratischen Verhaltens sollte in die praktischen Bildungsarbeit eingebettet werden (Wahlen, Delegieren von
Ämtern und Aufgaben, ...).

Exkurs 5
Sexualität im Alter

Die Rolle des alten Menschen ist schon in den Kinder- und Lesebü-
chern der Jüngsten festgeschrieben: Die gütige Großmutter sitzt auf
dem Sofa und strickt; der weise, weißhaarige Großvater raucht der-
weil genussvoll seine Pfeife (vergl. Daimler, Glaesske, 1988, S. 23).

☞ Kap. 5.1
S. 117 ff

Dass ältere Menschen auch sexuelle Regungen haben und diese
lustvoll geniessen, erscheint auch in der heutigen Zeit vielen obszön.
Es scheint, als hätten die SeniorInnen ihre eigene Sexualität schon
weit hinter sich gelassen. Wer diesem Bild nicht entspricht, sieht sich
als "schamlose Alte" oder "Lustgreis" diffamiert.

Lustgreise
und
schamlose
Alte

Nicht selten sind es die eigenen Kinder, die ihre Eltern nie als sexuelle Wesen erfahren durften oder erfahren haben, welche die Sexualität
ihrer eigenen Eltern (oder einzelner Elternteile) nicht wahrhaben wollen. Viele einsame Nächte, so Renate Daimler und Gerd Glaesske
(1988, S. 24), gehen auf das Konto allgegenwärtiger - und tratsch-
süchtiger - Hausbewohner.

Auch wenn Pflegende während der Intimpflege mit den unleugbaren und sichtbaren Anzeichen sexueller Erregung der zu pflegenden älteren Menschen konfrontiert werden, ist sogar in der Ärzteschaft, so der Mediziner und Hochschullehrer Dieter Platt (1990, S. 27), die Vorstellung verbreitet, dass mit den morphologischen und den physiologischen Veränderungen der Sexualorgane eine Abnahme des sexuellen Begehrens und des Sexuallebens einhergeht.

Im so genannten Starr-Weiner-Report (Starr, Weiner, 1982), einer großen Untersuchung zum Sexualverhalten älterer Menschen, von den Gerontologen Bernard Starr und Marcella Weiner durchgeführt, wurde 1981 erstmals eine Studie vorgelegt, in der das sexuelle Empfinden und Verhalten älterer Menschen ernst genommen wurde.

Aufgrund der Daten, die aus Befragungen von mehr als 1.000 über-60-jährigen Männern und Frauen gesammelt wurden, konnte die Bedeutung einer *Sexualität im Alter* nicht mehr geleugnet werden: 97% der 60- bis 69-Jährigen, 97% der 70- bis 79-Jährigen und 93% der 80- bis 91-Jährigen bekannten nicht nur, oft an Sex zu denken, sondern sich auch danach zu sehnen!

Als Ursachen einer sexuellen Inaktivität älterer Menschen nennt Wilhelm Frieling-Sonnenberg (1997, S. 44 ff) neben der Angst vor unangenehmen Umweltreaktionen noch weitere Ursachen:

- Möglicherweise spielte die Sexualität in der bisherigen Biografie nur eine untergeordnete Rolle.

- U.U. besteht keine positive Einstellung zur Sexualität: In der kindlichen Erziehung der heutigen Senioren erschien Sexualität häufig als eine Frage von Sünde und Schuld; Leib und Seele ergänzten sich nicht, wurden vielmehr zu konkurrierenden Prinzipien mit dem Ziel, einer Entsagung von unreiner "Fleischeslust".

- Denkbar ist auch, dass die Suche nach einem Partner / einer Partnerin, der / die die eigenen sexuellen Vorlieben teilt und (mit-) lebt zwischenzeitlich aufgegeben wurde.

- Auch wenn dies nur selten der Fall ist, so können doch organische Erkrankungen und depressive Verstimmungen oder medikamentöse (Neben-) Wirkungen für ein nachlassendes Sexualleben verantwortlich sein.

Zuweilen ist die Bindung an eine(n) verstorbene(n) PartnerIn so groß, dass sie über den Tod hinaus aufrechterhalten wird: Niemand anders kann an die Stelle des geliebten Menschen treten. Eine neue Beziehung wird weder gewünscht noch gesucht.

In unserem Kulturkreis wird menschliche Intimität in der Regel in einer heterosexuellen (seltener in einer homosexuellen) Partnerschaft gelebt. Grundsätzlich kann sie ihren Ausdruck jedoch auch in einem geistigen Austausch finden; so ist Ordensleuten und katholischen Priestern ein intimer Austausch mit Gott möglich. Isolation droht jedoch dann, wenn es nicht gelingt, Gegenseitigkeit in Form einer Beziehung herzustellen (vergl. Olbrich, 1991, S. 32). *(Intimität)*

Anders als *Intimität* soll *Sexualität* als die Fähigkeit eines Menschen, Lust durch intime physische Kontakte - in festen Partnerschaften, in flüchtigen Kontakten aber auch in Form autoerotischer Praktiken - zu empfinden, verstanden werden (vergl. Fooken, 1991, S. 115f). *(Sexualität)*

Exkurs 5.1 Sexualität im Alter und biologische Veränderungen

Der Abbau der Eierstöcke in der Menopause zwischen dem 45. und dem 55. Lebensjahr kündigt sich durch unregelmäßige Monatsblutungen an. Schon ab dem 40. Lebensjahr bewirkt die Abnahme der Östrogenproduktion eine Verkleinerung der Gebärmutter, der Scheide und der äußeren Genitalien, was jedoch ohne Einfluss auf das Lustempfinden der Frau bleibt. Auch wenn mit zunehmendem Alter die Scheidenwand dünner wird, ihre Elastizität abnimmt, sich die Vagina verkürzt und enger wird und die Muskelkontraktionen im äußeren Scheidendrittel schwächer werden, bleibt dies ohne Einfluss auf den Orgasmus selbst. Die Orgasmusfähigkeit bleibt grundsätzlich erhalten, der Höhepunkt wird u.U. sogar intensiver empfunden als in jüngeren Jahren (vergl. Starr, Weiner, 1982, S. 88f). *(Orgasmusfähigkeit)*

Die Vaginalschleimhaut älterer Frauen benötigt mehr Zeit (bis zu mehreren Minuten) um feucht zu werden als bei jüngeren Frauen (15 bis 30 Sekunden). Hier ist sicher ein Grund dafür zu suchen, dass gelegentlich Frauen über schmerzhafte Verkrampfungen beim Geschlechtsverkehr klagen. Die von Starr und Weiner (1982, S. 88) befragten Frauen mit solchen Beschwerden griffen alle auf Gleitmittel *(Vaginalschleimhaut)* zurück. Zudem glauben die Autoren, dass eine durchgehende sexuelle Aktivität im Erwachsenenalter einer reduzierten Absonderung vaginale Schmierflüssigkeit im Alter vorbeugt.

Männer und Orgasmus

Auch Männer können bis ins hohe Alter hinein ihre Orgasmusfähigkeit bewahren, nur die Schnelligkeit der körperlichen Reaktionen verändert sich:

- Die Erektion tritt erst nach längerer Stimulation auf, ist oft weniger stark, kann dann aber problemlos aufrechterhalten werden. Nach der Ejakulation erschlafft das Glied schneller.

- Der Samenerguss verläuft eher fließend, der Orgasmus wird jedoch unverändert lustvoll - wenn auch weniger intensiv - erlebt.

- Der Drang zur Ejakulation ist geringer, der Orgasmus kann "kontrolliert" werden, was von der Partnerin häufig als sehr befriedigend erlebt wird.

Im Gegensatz zu den Eierstöcken der Frau, die nach der Menopause ihre Arbeit weitgehend einstellen, können die Hoden des Mannes bis ins hohe Alter hinein Spermien produzieren. Die Zahl der im Ejakulat enthalten Samenzellen nimmt zwar kontinuierlich ab; bei zwei Dritteln der 50- bis 60-jährigen Männer und der Hälfte der 70- bis 80-jährigen konnten jedoch noch fortpflanzungsfähige Spermien nachgewiesen werden (vergl. Schneider, 1982, S. 413).

Schöne Greisin

Häufig können Frauen das Altern ihrer Partner besser akzeptieren als im umgekehrten Fall! Zum *Frausein* gehören vermeintlich eine zarte, faltenlose Haut und jugendliche Frische, wohingegen Falten und ergraute Haare der *Männlichkeit* kaum schaden. Im Gegenteil: Falten werden bei Männern gerne als Zeichen von Charakter, Lebenserfahrung und Reife gewertet. Der Begriff des *schönen Greises*, so meinen Renate Daimler und Gerd Glaesske (1988, S.25) hat sogar Einzug in die Literatur gefunden, der der *schönen Greisin* nicht! Zwei männliche Schönheitsideale bestehen nebeneinander: das des jungen Mannes / Knaben, und das des "Herrn mit den grauen Schläfen", wohingegen für Frauen nur das mädchenhafte Ideal zu existieren scheint.

So können ältere Männer, die sich einer jüngeren Gefährtin zuwenden, durchaus sozialer Wertschätzung sicher sein, wohingegen älteren Frauen an der Seite eines jüngeren Geliebten zumeist gesellschaftliche Missachtung oder sogar Verachtung zuteil wird.

Exkurs 5.2 Sexualität im Alter und soziale Situation

Ein Rückgang sexuellen Lebens mit zunehmendem Alter ist somit weniger biologisch als vielmehr auf die Lebenssituation älterer Menschen zurückzuführen. "Sie können nicht mehr Rad fahren, wenn Sie kein Fahrrad haben", meinte eine ältere Frau lächelnd zu einer Psychologin (vergl. Fooken, 1991, S. 115).

Vom Verlust des (Sexual-) Partners sind im Alter vor allem Frauen betroffen:

- Zum einen sind in Deutschland die Männer durchschnittlich 2 bis 3 Jahre älter als ihre Ehefrauen (vergl. Olbrich, 1989, S. 35).

- Zum anderen ist durchschnittliche Lebenserwartung der Männer mit 72 Jahren sieben Jahre geringer als die ihrer Partnerinnen (79 Jahre). [Diese Durchschnittswerte gelten für die alten Bundesländer; in den neuen Bundesländern ist von folgenden Durchschnittswerten auszugehen: Frauen - 77 Jahre; Männer - 70 Jahre] (vergl. Witterstätter, 1992, S. 41).

Das Problem der Partnersuche und Partnerwahl ist in der Gruppe der Senioren vorrangig ein Problem der Frauen: In der Altersgruppe der Über-65-Jährigen stehen fünf allein stehende Frauen einem ledigen, verwitweten oder geschiedenen Mann gegenüber (vergl. Schroeter, Prahl, 1999, S. 152).

So beschrieben 68% der von Starr und Weiner befragten Senioren (64% der Frauen und 74% der Männer) den Gang zu Prostituierten als durchaus denkbare Alternative, wenn man keinen Partner (mehr) hat.

Exkurs 5.3 Sexualität im Alter und persönliche Lebenssituation

Viele der jetzt älteren Frauen haben ihr Sexualleben bereits in jungen Jahren so unbefriedigend empfunden, dass sie froh sind, nach den Wechseljahren, von der Geißel der "Sexualität" befreit zu sein. Der Wunsch nach sexuellen Kontakten im Alter hängt vorrangig davon ab, welchen Stellenwert das Sexuelle im bisherigen Leben einnahm. Wer in jungen Jahren gerne und häufig sexuell verkehrte, wird dies auch im Alter tun.

Geißel "Sexualität"

Den heute 65- bis 80-jährigen Frauen, zwischen 1920 und 1935 geboren, wurde in ihrer Jugend noch ein durch Unselbstständigkeit und Abhängigkeit gekennzeichnetes Rollenbild vermittelt. Aktivitäten, Interessen und Kontakte hatten sich an der Familie, an Ehemann und Kindern zu orientieren. Mit der Menopause wird den Frauen - nach der Pubertät zum zweiten Male - eine intensive Auseinandersetzung mit ihrem Selbstbild als Frau, einschließlich des Verlustes der Fortpflanzungsfähigkeit, abverlangt (vergl. Radebold, Bechtler, Pina, 1984, S. 43 ff).

☞ Exkurs 3.1
S. 68 f

Die im *ES* zusammengefassten sexuellen Triebimpulse erweisen sich als zeitlos. "Virtuell unsterblich" nannte Sigmund Freud 1933 (S. 64) die Regungen des *ES* und die in ihm versunkenen Eindrücke. Als Wunschvorstellungen, Fantasien und Träume bestehen sexuelle, genital-libidinöse Triebimpulse bis ins hohe Alter fort (vergl. Radebold, 1979, S. 95).

☞ Exkurs
3.4.5
S. 81 f

Konflikte sind abzusehen, wenn beim Mann eindeutige sexuelle Interessen bestehen bleiben und die Partnerin genitale Triebinteressen abwehrt, welche sich - in Folge eines regressiven Prozesses - dann in Form von Wünschen nach Geborgenheit, Zärtlichkeit und Fürsorge bemerkbar machen. Nicht weniger problematisch ist das gleichzeitige Regredieren eines Paares, wenn die oralen bzw. analen Strebungen gegenseitig nicht akzeptiert werden können (vergl. Radebold, 1991, S. 55). Andererseits berichten viele Frauen, dass nach der Menopause sexuelle Gefühle keinesfalls nachliessen, dass das Ausbleiben einer Sorge um eine unerwünschte Schwangerschaften sogar sehr positiv erlebt wird.

Männer
und
Frauen

In den meisten Partnerschaften bestimmt nicht die Frau, sondern der Mann, zu welchem Zeitpunkt der sexuelle Kontakt aufhört (vergl. von Sydow, 1992, S. 80). Die Entwicklung des sexuellen Interesses verläuft bei Männern und Frauen jedoch unterschiedlich: Sind Männer in jungen Jahren sehr an Sex interessiert, so ist mit zunehmendem Alter eher eine Abnahme sexuellen Interesses festzustellen. Frauen scheinen in Jugend und frühem Erwachsenenalter oft weniger sexuell interessiert; ihr sexuelles Begehren erreicht erst um das 40. Lebensjahr den Höhepunkt, um dann lange Zeit unverändert zu bleiben (vergl. von Sydow, 1992, S. 82 ff).

Exkurs 5.4 Sexualität im Alter und Gesundheit

80% der von Starr und Weiner (1982, S. 215) interviewten Senioren erklärten, dass Sex eine "gesunde Betätigung" sei, "nach der man sich wohler fühle". Wo geliebt wird, setzen sich die Todeswünsche nicht so leicht durch meint der Psychoanalytiker Johannes Kemper (1989, S. 159).

Zu vermuten ist ein Zusammenhang zwischen der Häufigkeit sexuellen Verkehrs und der Lebenserwartung. In Senioreneinrichtungen, in denen sexuelles Verhalten unterbunden wird, liegt die durchschnittliche Lebenserwartung deutlich unter den Häusern in denen solche Beeinträchtigungen nicht bestehen; auch der Medikamentenverbrauch ist merklich höher (vergl. Beer, 1993, S. 45). Paare, die nicht mehr miteinander verkehren, geben meist auch die anderen Formen intimen Kontaktes (manual-genitale bzw. oral-genitale Zärtlichkeiten, aber auch Umarmungen, Küsse und Streicheln) auf (vergl. von Sydow, 1991, S. 81).

Viele der scheinbar unvermeidbaren somatischen Alterskrankheiten entlarven ihre psychosomatischen Anteile, wenn sie nach (Wieder-) Aufnahme einer befriedigenden Beziehung einfach verschwinden (vergl. Kemper, 1989, S. 161).

Gesundheitliche Beeinträchtigungen durch "sexuelle Belastungen" sind kaum zu befürchten:

Wer ohne Beschwerden in der Lage ist, strammen Schrittes drei Häuserblocks weit zu gehen, ist in der Regel auch gesund genug für sexuelle Betätigungen meinen die Amerikaner Dr. Robert Butler und Myrna Lewis (vergl. Starr, Weiner, 1982, S. 216).

6.2.2.2 Themen der Altenbildung

Betrachtet man allerdings die speziell für die Zielgruppe der Älteren erstellten Bildungsprogramme an Weiterbildungseinrichtungen (wie Volkshochschulen oder Familienbildungsstätten), so zeigt sich, dass sich nur ca $^1/_3$ der Veranstaltungen Fragestellungen zuwendet, die direkt oder indirekt mit dem Alter oder dem Altwerden zu tun haben. Hier werden körperliche und geistige Anpassungstechniken an die veränderte Lebenssituation ebenso vermittelt wie Sachwissen zu speziellen Fragestellungen (z.B.: 'Alter und Sexualität', 'Rente und Einkommenssituation', 'Verfassung eines Testaments').

Volkshochschulen

☞ Kap. 9.2
S. 252 ff

In der großen Mehrzahl der Veranstaltungen (ca $^2/_3$) werden allgemeine Themen des "Normalprogramms", die auch andere Teilnehmer interessieren, aufgegriffen, wobei die Vermittlungsformen auf die Bedürfnisse und Lernmöglichkeiten älterer Menschen zugeschnitten sind.

Fremd-
sprachen

Eine besondere Rolle spielt hier der Fremdsprachenunterricht. An einer deutschen Volkshochschule waren über 50% der Teilnehmer/innen in diesem Angebotsbereich zwischen 60 und 70 Jahre alt; 18% waren älter und nur ca $^1/_3$ war jünger!

Junge und
alte Alte

Die 'jungen Alten' möchten ihre Sprachkenntnisse später auch im Urlaub einsetzen; mit zunehmendem Alter wurde diese Perspektive aber unbedeutend: Der Wunsch einer 'sinnvollen' Freizeitbeschäftigung nachzugehen, bzw. alte Kenntnisse wieder aufzufrischen, rückt hier in den Vordergrund. Das Lernen an sich, als Training der intellektuellen Leistungsfähigkeit, wird bedeutsam.

Kompetente
Teilnehmer

Es ist selbstverständlich, dass der Leiter einer Gruppe sich auf das anstehende Thema hinreichend vorbereitet. Allerdings ist nicht zu vergessen, dass die Gruppenteilnehmer, die ihre konkrete Lebenssituation besser kennen als der jüngere Leiter, ebenfalls als kompetente Partner erscheinen, deren Wissen allen Teilnehmern zu erschließen ist. So ist es wünschenswert, die Betroffenen an der inhaltlichen Gestaltung des Themas mitarbeiten zu lassen.

6.2.3 Entscheidungsfeld: Methoden

☞ Kap. 7.8
S. 199 ff

Der Leiter eines geragogischen Gruppenangebotes wird sich kaum als 'Lehrer' verstehen, der sein Wissen an Unmündige weitergibt. Die Arbeit mit verwirrten alten Menschen macht allerdings ein anderes methodisches Vorgehen notwendig als die Arbeit mit Senioren, die aus eigenem Interesse Weiterbildungseinrichtungen aufsuchen.

6.2.3.1 Teilnehmer-Kompetenzen

Die Kompetenzen, die die Gruppenteilnehmer bereits in die Veranstaltung mitbringen, sollen auch den anderen Teilnehmern erschlossen werden. Der Leiter einer solchen Gruppe ist selbst ein 'Lernender'.

Die 'Teilnehmer' solcher Veranstaltungen sind nicht als Objekte zu verstehen, denen - mittels bestimmter Techniken - ganz konkrete Inhalte zu vermitteln sind; vielmehr sind sie 'Weggefährten', die sich - gemeinsam mit einem Dozenten / Gruppenleiter - bestimmten Themen und Inhalten zuwenden. Dies entbindet den - meist jüngeren - Gruppenleiter keinesfalls der Verpflichtung, sich als Experte auf dem jeweiligen Gebiet auszuweisen. Darüber hinaus muss er aber auch den 'Experten' in seinen Teilnehmern, die über langjährige Berufs- und Lebenserfahrung verfügen, erkennen und wecken.

Gemeinsam voneinander lernen

Diese Vorstellungen verlangen nach einem partnerschaftlichen Stil, der dem alten Menschen das Gefühl gibt, ernst genommen zu werden.

So sehr die alten Menschen vor verschulten Formen des Lernens zurückschrecken, müssen sie in angstfreien Gesprächssituationen die Möglichkeit haben, sich zu öffnen.

6.2.3.2 Exchange Learning

Gegenseitiges Geben und Nehmen wird zum zentralen Inhalt des Exchange Learning. Man könnte den Begriff mit 'eintauschendem' oder 'wechselseitigem Lernen' übersetzen.

Hier erfolgt keine Wissensvermittlung von einem allein-kompetenten Experten an eine Gruppe unmündiger Laien. Vielmehr verstehen sich alle Beteiligten als Partner, die in wechselnden Rollen sowohl als Experten als auch als Laien auftreten (vergl. Petzold, 1985, S. 73).

In der Praxis bieten sich für einen solchen Ansatz viele Möglichkeiten: In einer Veranstaltung zum "Zusammenleben der Generationen" stellen ältere und junge Menschen ihre Art zu leben vor. Beim Fremdsprachenunterricht vermitteln Jüngere Englisch oder Französisch, Ältere bringen ihnen - im Gegenzug - z.B. Russisch bei. Andere 'tauschten' Plattdeutsch gegen Gitarrengriffe, Stricken gegen Nähen, Massage gegen Yoga-Übungen. Sollen die Ziele 'Kommunikationsfähig machen', 'Selbstwertgefühl wecken' erreicht werden, so müssen auch die Methoden auf diese Ziele abgestimmt sein.

Kompetenzen alter Menschen

Solche Projekte sind noch nicht einmal zwangsläufig an große Bildungseinrichtungen, wie Volkshochschulen oder Familienbildungsstätten, gebunden. Sie lassen sich im Hinterzimmer einer Kneipe, in Bürgerzentren oder im eigenen Wohnzimmer durchführen.

In der intensiven Zusammenarbeit einer Zweier-Situation ist es einfach, sich auf die Wünsche und Fähigkeiten des Gegenübers einzustellen, ohne möglicherweise andere Gruppenmitglieder zu über- oder zu unterfordern.

An der Volkshochschule Köln wurde eine "Wissensbörse" eingerichtet. Sie vermittelt zwischen Menschen, die ihr Wissen, ihre Erfahrungen und Kenntnisse kostenlos und zwanglos anbieten, und Menschen, die etwas wissen, erfahren oder kennen lernen möchten. Gespräche und Begegnung sollen Spaß machen! - Den Treffpunkt verabreden Anbieter und Nutzer selbst. Dazu steht die Cafeteria der VHS-WISSENSBÖRSE zur Verfügung.

☞ Kap. 5.3.3
S. 132 f

In einem umfangreichen Börsenbrief sind die verschiedenen Angebote zusammengefasst, z.B.:

- Suche Austausch über deutsche Weinliteratur / Anbaugebiete Mosel-Saar-Ruwer, Rheinpfalz Rheingau, Baden.
- Wer hat Erfahrung mit Landkauf in der früheren DDR?
- Wer spricht mit mir tschechisch, z.B. über Literatur?
- Wer hat Interesse an Gesprächen über Politik?

☹ ?
☺ !

> Welche ihrer Fähigkeiten oder Fertigkeiten könnten Sie älteren Menschen im Rahmen von Exchange Learning anbieten?
> Was möchten Sie ggf. von älteren Menschen lernen?

6.2.4 Entscheidungsfeld: Medien

Hier geht es um die Frage: Welche Materialien benötigen Sie, um die gesetzten Ziele zu erreichen, die abgesprochenen Inhalte zu vermitteln?

Demonstrationsmedien

Demonstrationsmedien, mit deren Hilfe etwas aufgezeigt, etwas demonstriert werden soll, sind z.B.:

- Fernsehgerät
- Dia-Projektor
- Video-Recorder
- Schallplatten
- Filmprojektor mit Filmmaterial
- Tonbänder
- Tafeln
- Karten oder Bilder
- Flipchart

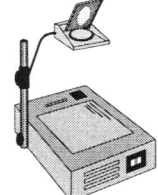

- Flipchart
- Tageslicht-Projektor

und

Versichern Sie sich zuvor, ob Sie die Geräte in Betrieb nehmen können. Nichts lässt das Interesse an einem Thema so schnell erlahmen, wie ein sorgfältig geplanter Filmbeitrag, der nicht gezeigt werden kann, weil die Verlängerungsschnur fehlt oder die Glühbirne im Projektor defekt ist.

Während der Planung ist aber auch zu bedenken, welche Materialien die Teilnehmer benötigen. Ob sie Material mitbringen müssen oder ob dieses vom Veranstalter gestellt wird.

Realisations-
medien

Papier und Stifte sind hier ebenso zu erwähnen wie Farben und Pinsel in einem Malkurs, nicht beengende Kleidung in einem Gymnastikkreis oder zu benutzende Zeitschriften und Bücher in einem Kurs zur Geschichte oder Politik. Diese Gebrauchs-Medien werden auch als Realisationsmedien bezeichnet.

Details in der Raumausstattung, die der Lernmotivation der älteren Menschen förderlich sind, aber keinen direkten Bezug zur Umsetzung der Ziele und Themen haben, werden zwar nicht als Medien bezeichnet, sind aber auch bereits in der Planungsphase zu bedenken.

Gleichfalls während der Vorüberlegungen ist zu fragen, wie die möglichen Teilnehmer über ein Angebot informiert werden sollen. So besteht die Möglichkeit, Interessierte mittels

• Plakaten / Aushängen

• persönlicher Anschreiben oder 'Wurfsendungen'

• Informationen in Tages-, Haus- und Klub-Zeitschriften

• Hinweisen in (Haus-) Fernsehen und (Haus-) Rundfunk

anzusprechen.

Welche weitere Möglichkeiten sehen Sie, über ein Angebot zu informieren? - Wo liegen die Vor- und Nachteile der jeweiligen Informationsmedien?
Inwieweit hat die Wahl eines Mediums Einfluss auf die Planung?
Planen Sie eine ganztägige Großbusfahrt für eine Gruppe alter Menschen.
Beschreiben Sie die anthropogenen und sozio-kulturellen Bedingungsfelder der Zielgruppe und planen Sie die vier Entscheidungsfelder

Lehrzielkatalog

Sie sollen ...

		vergl. Seite
1	zwischen Bedingungs- und Entscheidungsfeldern unterscheiden können	146, 155
2	zwischen sozio-kulturellen und anthropogenen Bedingungsfeldern unterscheiden und die Unterschiede erläutern können	147 ff, 150 ff
3	fünf verschiedene soziokulturelle Bedingungsfelder aufzählen und erläutern können	147 ff
4	drei verschiedene anthropogene Bedingungsfelder aufzählen und erläutern können	150 ff
5	zwischen objektivem und subjektivem Gesundheitszustand unterscheiden und den Unterschied beschreiben können	151
6	den Einfluss von subjektivem und objektivem Gesundheitszustand auf Bildungsbereitschaft und Leistungsfähigkeit beschreiben können	152
7	alte Menschen als eine heterogene Zielgruppe beschreiben können	153
8	die mehrfache Benachteiligung alter ausländischer Mitbürger beschreiben können	153 f
9	vier Entscheidungsfelder aufzählen können	155
10	sechs allgemeine Ziele für die Bildungsarbeit mit alten Menschen formulieren können	155
11	zwischen Lehr- und Lernzielen unterscheiden können	156
12	vier unterschiedliche Zielkategorien aufzählen und hierfür jeweils mindestens drei Beispiele nennen können	157
13	erklären können, inwieweit diese Zielebenen zueinander in Beziehung stehen	157 f
14	die Beziehung von Zielen und Inhalten in der Bildungsarbeit beschreiben können	158
15	die wünschenswerte Beziehung zwischen Bildungsinhalten und konkretem Alltagsleben beschreiben können	158
16	sieben Kategorien von Entwicklungsaufgaben nennen können, die im Alter gelöst werden müssen und die zu Inhalten der Altenbildung werden (können)	159 ff
17	ausführen können, wie viel Prozent der Angebote in der Altenbildung sich mit Fragen des Alters und des Älterwerdens beschäftigen	167

		vergl. Seite
18	erläutern können, welche Bedeutung dem Fremdsprachenunterricht in der Altenbildung zukommt	168
19	beschreiben können, welche Bedeutung den Kompetenzen der Teilnehmer in der Altenbildung zukommt	168 f
20	ausführen können, welche Form des Miteinander-Umgehens in der Bildungsarbeit mit alten Menschen gewählt werden sollte	169
21	erläutern können, was unter "Exchange Learning" zu verstehen ist	169 f
22	den Unterschied zwischen Demonstrations- und Realisationsmedien beschreiben können	170 f
23	mindestens zehn verschiedene Demonstrationsmedien aufzählen können	170 f
24	mindestens zehn verschiedene Realisationsmedien aufzählen können	171

Lehrzielkatalog / Exkurs 5

		vergl. Seite
25	erläutern können, welche Bedeutung ältere Menschen der Sexualität in ihrem Leben geben.	162
26	sechs Ursachen für sexuelle "Inaktivität" alter Menschen beschreiben können.	162 f
27	acht, im Alter auftretende, biologische Veränderungen der weiblichen Genitalien aufzählen können.	163 f
28	beschreiben können, welchen Einfluss diese Veränderungen auf die Orgasmusfähigkeit haben.	163
29	acht, im Alter auftretende, Veränderungen der männlichen Sexualität nennen können.	164
30	erläutern können, inwieweit das Problem der *Partnerlosigkeit* im Alter vorrangig ein Problem der Frauen ist.	165
31	erläutern können, war Sigmund Freud mit dem Begriff der Zeitlosigkeit der - im ES zusammengefassten - Triebimpulse meint	166
32	den Unterschiedlichen Verlauf sexuellen Interesses bei Mann und Frau beschreiben können	166
33	erläutern können, inwiefern ein Zusammenhang zwischen Sexualität und Gesundheit besteht	167

Kapitel 6: Literaturverzeichnis

Diakonisches Werk der Evangelischen Kirche in Deutschland [Hrsg.] (1979)
Bildungsarbeit [Reihe: "Hilfe für das Alter"]
Stuttgart, 1979

Gätschenberger, Gudrun (1995)
Altern in der Fremde - Kulturelle Aspekte im Umgang mit alten MigrantInnen
in: *Altenpflege*-Forum, Nr. 3 / 1995

Mager, Robert F. (1965)
Lernziele und Unterricht
Weinheim, 1965

Willig, Wolfgang u.a. (1996)
Psychologie, Soziologie, Gesprächsführung in der Altenpflege
Balingen, 1996 (4. Aufl.)

Petzold, Hilarion; Bubolz, Elisabeth [Hrsg.] (1976)
Bildungsarbeit mit alten Menschen
Stuttgart, 1976

Petzold, Hilarion; Bubolz, Elisabeth (1976a)
Konzepte einer integrativen Bildungsarbeit mit alten Menschen
in: Petzold, Bubolz, 1976

Schneider, Hans-Dieter (1975)
Bildung für das dritte Lebensalter
Zürich, Köln, 1975

Exkurs 5: Literaturverzeichnis

Beer, Ulrich (1993)
"Alter - frei von Sexualität?"
in: Berghaus, Sievert, 1993

Berghaus, Helmut C.; Sievert, Uta [Hrsg.] (1993)
Behinderung im Alter: Kommunikation, Ansprachen und Vorträge, Berichte und Ergebnisse der Arbeitskreise der 2. Fachtagung der Heilpädagogischen Fakultät der Universität zu Köln / 1992
Band 77 der Schriftenreihe "thema"
herausgegeben vom K D A / Kuratorium Deutsche Altershilfe / Köln
Köln, 1993

Berghaus, Helmut C.; Knapic, Karl-Heinz; Sievert, Uta [Hrsg.] (1997)
Trotz Alter und Behinderung: Ressourcen nutzen
Vorträge und Arbeitskreisberichte der 6. Fachtagung "Behinderung im Alter" 1996 an der Heilpädagogischen Fakultät der Universität zu Köln
Band 126 der Schriftenreihe "thema"
herausgegeben vom K D A / Kuratorium Deutsche Altershilfe / Köln
Köln, 1996

Daimler, Renate; Glaesske, Gerd (1988)
Altern ist keine Krankheit
Köln, 1988

Fooken, I. (1991)
Die "nacheheliche Perspektive - Erleben und Verhalten geschiedener und verwitweter Frauen
in: Karl, F.; Friedrich, I , 1991

Frieling-Sonnenberg (1997)
Gelebte und nicht gelebte Sexualität der Pflegenden und alten Menschen in Heimen
in: Berghaus, Knapic, Sievert, 1997

Freud, Sigmund, (1933 / 1981)
Neue Folge der Vorlesungen zur Einführung
in die Psychoanalyse
Frankfurt am Main, 1981

Karl, F.; Friedrich, I [Hrsg.] (1991)
Partnerschaft und Sexualität im Alter
Darmstadt, 1991

Kemper, Johannes (1989)
Was heißt altern? - Psychotherapie in der zweiten Lebenshälfte
München, 1989

Olbrich, E. (1991)
Partnerschaft und Liebe im Erwachsenenalter
in: Karl, F.; Friedrich, I , 1991

Petzold, Hilarion; Bubolz, Elisabeth [Hrsg.] (1979)
Psychotherapie mit alten Menschen
Paderborn, 1979

Platt, Dieter (1990)
Sexualität im Alter
in: Deutsches Ärzteblatt, Heft 18; 3. Mai 1990

Radebold, Hartmut (1979)
Der psychoanalytische Zugang zu dem älteren und alten Menschen
in: Petzold, Bubolz, 1979

Radebold, Hartmut (1991)
Partnerschaft und Sexualität aus psychoanalytischer Sicht
in: Karl, F.; Friedrich, I , 1991

Radebold, Hartmut; Bechtler, Hildegard; Pina, Ingeborg (1984)
Therapeutische Arbeit mit älteren Menschen
Freiburg im Breisgau, 1984 (2. Aufl.)

Schneider, Hans-Dieter (1982)
Sexualität
in: Wolf, D. u.a., 1982

Schroeter, Klaus R; Prahl, Hans-Werner (1999)
Soziologisches Grundwissen für Altenhilfeberufe
Weinheim, Basel, 1999

Starr, Bernard D.; Weiner, Marcella B. (1982)
Liebe & Sexualität in reiferen Jahren
- der Starr-Weiner-Report -
Bern, München, 1992

Sydow, Kirsten von (1992)
Die Lust auf Liebe bei älteren Menschen
München, Basel, 1991

Witterstätter, Kurt (1992)
Soziologie für die Altenarbeit
Freiburg im Breisgau, 1992 (8. Aufl.)

Wolf, D. u.a. [Hrsg.] (1984)
Gerontologie
Stuttgart, Berlin, Köln, Mainz, 1984

7   Gruppengeragogik

Kein Mensch lebt auf Dauer allein. Von seiner Geburt an bewegt er sich in Gruppen, in die er hineingeboren wird (die Familie), in denen er gefühlsmäßige Bindungen eingeht (der Freundeskreis) oder in denen zweckrationale Beziehungen vorherrschen (ein Arbeitsteam ohne gefühlsmäßige Beziehung). Kinder, die ohne Bezugspersonen und menschliche Zuwendung aufwachsen, weisen körperliche und seelische Defizite in ihrer Entwicklung auf, die als Hospitalismus bezeichnet werden.

7.1   Lerngruppen als 'soziale Gruppen'

Lerngruppen zeichnen sich, wie alle sozialen Gruppen, dadurch aus, dass ihre Mitglieder

Gruppen-
merkmale

- gemeinsame Gruppenziele haben,

- ein gemeinsames System von Werten und Normen haben, die regeln, wie die Einzelnen miteinander umzugehen haben,

☞ Exkurs 1.2
S. 37

- konkrete Rollen einnehmen, an die wiederum bestimmte Verhaltenserwartungen geknüpft sind,

- ein 'Wir-Gefühl' entwickeln [zumindest weiß man, wer nicht zur Gruppe gehört].

Darüber hinaus sind Gruppen auf Dauer angelegt. Zusammenfassend können wir festhalten:

Unter einer Lerngruppe verstehen wir - wie unter jeder sozialen Gruppe - eine Anzahl von Personen,

- die sich durch gemeinsame Interessen auszeichnen,

- die aufeinander wirken,

- die ein Zusammengehörigkeitsgefühl besitzen und

- die gemeinsam tätig werden (vergl. Joppig, 1990, S. 14).

7.1.1   'Disengagement' und Gruppenarbeit

Disengage-
ment-
Theorie

In den Sechzigerjahren des vorigen Jahrhunderts legten die Amerikaner Cumming und Henry ihre Arbeiten vor, die als Disengagement-Theorie (oder auch als "Rückzugstheorie") bezeichnet werden. Kernpunkt dieser Theorie ist, dass alte Menschen sich eine Reduzierung ihrer Sozialkontakte und 'soziale Isolierung' geradezu wünschen;

dass dieser Rückzug gerade Voraussetzung für ein zufriedenes, glückliches Altern sei.

Ob sozialer Rückzug, Verminderung von Kontakten und Beziehungen Voraussetzung sein können, ein Mehr an persönlicher Freiheit zu erfahren, ist indes fraglich.

Die Möglichkeit, bestimmte Umgangsformen ignorieren zu können bzw. die äußere Erscheinung vernachlässigen zu können, führen nicht nur zu Isolation und Vereinzelung sondern auch zu Ablehnung und Geringschätzung.

Abhängigkeiten von anderen können nur in einer sozialen Gruppe *akzeptiert* werden; sonst sind sie höchstens zu *erleiden*.

Später wurde diese Theorie modifiziert:

- So konnten andere Psychologen nachweisen, dass es von der bisherigen Lebenspraxis des Einzelnen abhängt, ob er den Rückzug in die soziale Isolation positiv bewertet oder nicht. Bedeutsam ist, wie er sein bisheriges Leben gestaltete bzw. ob er soziale Bindungen als lästiges Übel auffasste. Engagement bzw. Rückzug vollziehen sich in einem individuellen Lebenslauf

  Rückzug im Lebenslauf

- Wenn alte Menschen sich aus sozialen Bezugssystemen und sozialen Rollen zurückziehen, so sind häufig gleichzeitig Zunahmen von Aktivitäten in anderen Bereichen (z.B. in der Familie, in Vereinen u.Ä.) festzustellen. Generell konnte ein positiver Zusammenhang zwischen (sozialer) Aktivität und Zufriedenheit festgestellt werden.

  Teilweiser Rückzug

- Ein vorübergehender Rückzug [ein vorübergehendes Disengagement] ist eine geradezu typische Reaktion auf Belastungssituationen. Wenn die Anpassung an die neue Situation gelungen ist, zeigt der Betroffene wieder stärkeres Engagement. Belastungssituationen, die im Alter vermehrt auftreten [zu denken ist z.B. an die Pensionierung, an den Tod des Partners, an den notwendig werdenden Wohnortwechsel bzw. Umzug in ein Heim], führen dann zu einem vorübergehenden Disengagement.

  Zeitweiser Rückzug

Wie schätzen Sie ihr eigenes Kontaktbedürfnis ein? - Kam es in Ihrem Leben bereits einmal zu einer Verlagerung von Aktivitäten von einem zu einem anderen Bereich? - Konnten Sie bereits einmal - bei sich selbst oder in Ihrem Freundes- und Bekanntenkreis - ein vorübergehendes Disengagement in Belastungssituationen feststellen?

 ?

 !

7.1.2 Möglichkeiten der Gruppenarbeit

So ist die Bedeutung der sozialen Gruppenarbeit nicht zu unterschätzen. Über Spaß und Zeitvertreib hinaus kann der Einzelne in der Gruppe wichtige Erfahrungen sammeln:

Kontakt-
möglichkeiten

- Die Gruppe bietet dem Einzelnen Kontaktmöglichkeiten und Ersatz für verlorene Beziehungen. Hier erfährt er sich wieder als Teil einer Gemeinschaft.

Die Sicht der
anderen

- In der Gruppe erfährt der Einzelne, dass andere vergleichbare Probleme und Schwierigkeiten haben, wie er selbst. Er kann sein eigenes Schicksal relativieren. Im gegenseitigen Austausch können neue Lösungsmöglichkeiten überlegt werden. Kritische Äußerungen gleichaltriger Betroffener werden von alten Menschen sogar eher angenommen, als Hinweise von jüngeren 'Experten'.

Neue
Erfahrungen

- Die unterschiedlichen in der Gruppe bestehenden Beziehungen geben dem Einzelnen die Möglichkeit, neue zwischenmenschliche Erfahrungen zu machen und neues Verhalten auszuprobieren. Die Gruppe kann hierbei als ein Schonraum angesehen werden, der ein 'Probehandeln' zulässt.

Ängstliche und unsichere ältere Menschen, die in unserer Gesellschaft kaum eine Chance haben ihre Interessen z.B. gegenüber Behörden oder Nachbarn durchzusetzen, können an einem verhaltenstherapeutischen Selbstsicherheitstraining teilnehmen. Im Kreise der Mitbetroffenen ist es einfacher, das Widersprechen und das Einklagen von Rechten auszuprobieren als im Büro des Sozialamtes oder vor der Wohnungstür des 'gefürchteten' Vermieters.

Für den Betreuer ermöglicht die Durchführung von Gruppenveranstaltungen die Möglichkeit, mehrere ältere Menschen gleichzeitig anzusprechen. Auch wenn viele Senioren zunächst in Einzelgesprächen motiviert werden müssen, an solchen Gruppen teilzunehmen, kommt es doch immer wieder vor, dass die Teilnehmer die Gruppendurchführung in Eigenregie übernehmen.

7.2 Gruppenformen in der Arbeit mit alten Menschen

Die möglichen Gruppenangebote für alte Menschen lassen sich nach unterschiedlichen Kriterien klassifizieren. In der folgenden Auflistung wird z.b. hinsichtlich der Inhalte und der Zielgruppen unterschieden:

- Zunächst wären die Interessen-Gruppen zu erwähnen, in denen die Teilnehmer, gemeinsam mit anderen, ihren ganz individuellen Interessen und Hobbys nachgehen. *(Interessengruppen)*

- In speziellen Übungsgruppen werden geriatrische Patienten mit spezifischen Ausfällen zur Wiedererlangung bestimmter Fähigkeiten und Fertigkeiten angeleitet. - Hierbei kann es sich um konkrete Aktivitäten des täglichen Lebens (wie Kochen und Haushaltsführung) handeln; aber auch Fähigkeiten der allgemeinen Aktivierung und Kontaktpflege (etwa ein Selbstsicherheits-Training) können hier genannt werden. Eine besondere Form dieser Angebotspallette sind die Übungsgruppen mit hirnorganisch veränderten alten Menschen, in denen auch Fähigkeiten der Orientierung und des Gedächtnisses trainiert werden. *(Übungsgruppen)*

- Gesprächsgruppen bieten den Teilnehmern Möglichkeiten über ihre individuellen Probleme zu sprechen und sich mit Personen, die vergleichbare Probleme haben, auszutauschen. Hierbei geht es meist um aktuelle **bewusste** Probleme und daraus abzuleitende Krisen und Belastungssituationen. Sie werden von entsprechend qualifizierten Pädagogen (Geragogen) und Pflegekräften geleitet. *(Gesprächsgruppen)*

- Hiervon abzugrenzen sind therapeutische Gruppen, die Teil eines psychotherapeutischen Behandlungsplanes bei psychischen Störungen und Erkrankungen (z.B.: neurotische Erkrankungen, Psychosen, Suchterkrankungen) sind. In den von therapeutisch fortgebildeten Sozialpädagogen, Ärzten und Psychologen geleiteten Gruppen, werden auch nicht bewusste Konflikt-Anteile aufgegriffen. *(Therapeutische Gruppen)*

- Kommen in diesen Gruppen unbewusste Konflikte zum Tragen, die bis in die Kindheit der Betroffenen zurückreichen, so gehört die Leitung der Gruppe in die Hand erfahrener ärztlicher und psychologischer Psycho-Therapeuten. Wir sprechen von Gruppen-Psychotherapie bzw. Psychotherapeutische Gruppen. *(Psychotherapeutische Gruppen)*

Angehörigen-
und Ehrenamt-
liche-Gruppen

- Da zur Geragogik auch die Arbeit mit professionell und ehren-
  amtlich Tätigen zählt, sollen hier auch Angehörigen-Gruppen und
  Gruppen ehrenamtlicher Helfer erwähnt werden, in denen diese
  Unterstützung bei ihren Problemen erhalten. Möglicherweise
  werden diese Gruppen zu bestimmten Themen auch mit den alten Menschen und den Angehörigen gemeinsam durchgeführt.

- Gruppenarbeit mit Mitarbeitern wird

  - als Fort- und Weiterbildung zu unterschiedlichen Themen,

  - als Supervision und

  - als Balint-Gruppenarbeit durchgeführt.

Fortbildungen

Im Rahmen von *Fortbildungsangeboten* geht es darum, sich neue
Fähigkeiten und Fertigkeiten auf der Grundlage eines erlernten oder
ausgeübten Berufes anzueignen, bzw. diese zu vertiefen und zu ver-
vollkommnen. Die Formulierung "auf der Grundlage eines erlernten
oder ausgeübten Berufes" unterstreicht die Bedeutung von Fortbildungsangeboten für nichtexaminierte, angelernte MitarbeiterInnen.
Fortbildungsmaßnahmen sind - anders als Weiterbildungen - kurze
Veranstaltungen von einigen Stunden bis zu maximal einer Woche.

Weiterbildun-
gen

Als "*Weiterbildung*" werden solche Höherqualifizierungen verstanden, die auf eine Berufsausbildung und einschlägige Berufspraxis
aufbauen und auf spezifische Aufgaben und Positionen vorbereiten.
Zu denken ist hier z.B. an Weiterbildungen zur Gruppenleitung, zur
Stationsleitung, zur Pflegedienstleitung, zur Heimleitung. In der Regel
werden die längerfristig angelegten Weiterqualifizierungen mit einer
Prüfung oder einem anderen Qualifizierungsnachweis beendet.

Supervision

Supervision kann als eine Form der Praxis- oder Teamberatung verstanden werden: Der Supervisor tritt als Klärungshelfer und Berater
auf. Nach ihm wird gefragt, wenn das Miteinander der täglich zusammen arbeitenden Menschen gestört ist, wenn die Menschen "einander zu schaffen machen". In der Praxis geht es um die Klärung von
Sach- und Beziehungsproblemen. Die Betroffenen, die in dieses
Netzwerk von Interessen, Gefühlen, Meinungen und Beziehungen
verstrickt sind, sind häufig nicht mehr in der Lage, die Situation zu
überschauen. So ist es oft erforderlich einen externen, neutralen Berater - den Supervisor / die Supervisorin - hinzuzuziehen (vergl. Burger, 1990, S. 474; Petzold, 1995, S. 93 ff).

Unterschieden werden Einzel-, Team- und Gruppensupervisionen (vergl. Kirchner, 1993, S. 286 ff).

 In der *Einzelsupervision* steht der Einzelne (der Supervisand) mit seiner Persönlichkeit, mit seinem Denken und Fühlen im Vordergrund der Betrachtung.

Einzelsupervision

 In *Teamsupervisionen* steht ein Arbeitsteam im Mittelpunkt der Betrachtung. Probleme können ausgesprochen, angesprochen und gelöst werden. Ein in seinem Miteinander gestörtes Arbeitsteam bleibt nicht folgenlos für die Lebensqualität und -zufriedenheit der Mitglieder; Störungen bleiben nicht ohne Folgen auf Motivation und Leistungsfähigkeit.

Teamsupervision

 In *Gruppensupervisionen* kommen Mitarbeiter aus gleichen oder ähnlichen Arbeitsgebieten (z.B. Altenpfleger, Sozialarbeiter, ...) aber aus unterschiedlichen Einrichtungen zusammen. Zwar sollte es eine Selbstverständlichkeit sein, dass die in einer Teamsupervision geäußerten Inhalte nicht aus der Gruppe herausgetragen und an Dritte (z.B. Vorgesetzte) weitergegeben werden. Allerdings müssen alle Beteiligten hinterher noch miteinander arbeiten können. Mögliche Äußerungen können den Einzelnen später verletz- und angreifbar machen oder ein Gegenüber tief verletzen.

Gruppensupervision

In Gruppensupervisionen ist es einfacher und folgenloser, sich frei zu äußern. Jeder kann jedem aus dem Weg gehen, wenn er etwas preisgab, was er später bereut.

Balint-Gruppenarbeit geht auf den ungarischen Psychiater Michael Balint zurück. Zunächst für Sozialarbeiter, später auch für Ärzte und andere Berufsgruppen angeboten, geht es um die Klärung der Beziehung zwischen Patient/in und Therapeut/in bzw. zwischen Bewohner/in und Mitarbeiter/in.

Balint-Gruppenarbeit

Übertragung
und Gegen-
übertragung

☞ Kap. 7.6
S. 191 f

Ziel der Balint-Gruppen-Arbeit ist nach Rudolf D. Hirsch (1986, S. 6 ff), zum Verständnis der bewussten und unbewussten Beziehungen zwischen Helfenden und Betreuten zu gelangen. Es geht um die Fragen "Was löst der Patient / alte Mensch in mir aus?" - "Wie reagiere ich?" - "Was bietet mir der Patient / alte Mensch an?" - Was biete ich ihm an?" Vorgänge, die die Psychoanalyse "Übertragung" und "Gegenübertragung" nennt, werden bearbeitet.

Bekehrung
und Helfer-
Bedürfnis

Zwei Aspekten, die Balint "apostolische Funktionen" nannte, gilt besonderes Augenmerk: Zum einen ist die Beziehung zwischen Helfern und Hilfesuchendem oft durch die "vage aber oft unerschütterliche Vorstellung" belastet, dass die "Experten" nicht nur zu wissen glauben, wie ihr Gegenüber sich zu verhalten hat, welche Rechte es hat, was es hoffen darf und dulden muss, sondern es als heilige Pflicht ansehen, die Unwissenden zu ihrem Glauben zu bekehren. Zum Zweiten rückt das Bedürfnis des Helfen-Wollens in den Blick, das Bedürfnis, die Welt von der eigenen Güte, Nettigkeit und Tüchtigkeit zu überzeugen.

> Welche Gruppenangebote für alte Menschen haben Sie bereits kennen gelernt? - Ordnen Sie diese Gruppen den oben beschriebenen Gruppenformen zu.

Es ist auch möglich, Gruppen hinsichtlich der Zugangsvoraussetzungen zu unterscheiden (vergl. Bechtler, 1993, S. 35 f):

Geschlossene
Gruppen

• Geschlossene Gruppen zeichnen sich dadurch aus, dass ausscheidende Mitglieder nicht durch Neuzugänge ersetzt werden. In solchen Gruppen entwickelt sich ein starkes "Wir-Gefühl" und eine große Offenheit, so dass hier eine problemorientierte und therapeutische Arbeit möglich ist.

Halb offene
Gruppen

• Weisen Gruppen zwar eine begrenzte Teilnehmerzahl auf, ermöglichen Interessierten bei Ausscheiden Einzelner aber immer noch hinzuzukommen, so kann man von einer halb offenen Gruppe sprechen.

Offene
Gruppen

• An offenen Gruppenangeboten kann jeder Interessierte mitwirken. Da die Teilnehmer häufig wechseln und nur ein kleiner "fester Kern" regelmäßig anzutreffen ist, kann sich kaum ein starkes Zusammengehörigkeitsgefühl entwickeln. Die hier anzutreffenden lockeren, unverbindlichen Kontakte verpflichten zunächst zu nichts, so dass auch ältere Menschen angesprochen werden, die sich nicht binden und keine Verpflichtung eingehen möchten.

Auf der anderen Seite kann es aufgrund dieser Unverbindlichkeit kaum zu selbstorganisierten Arbeitsformen kommen, so dass immer eine Abhängigkeit vom Gruppenleiter bestehen bleibt.

> Welche der Angebote, die Sie oben beschrieben haben, waren offene, welche waren halb-offene und welche waren geschlossene Gruppen? - Waren diese Regelungen sinnvoll, oder hätten Sie die Zugangsvoraussetzungen anders geregelt? Warum?

 ?

 !

7.3 Bei der Planung einer Gruppenveranstaltung zu berücksichtigende Faktoren:

7.3.1 Die Zeitplanung

 Aus neueren Untersuchungen geht hervor, dass das Kontaktverhalten alter Menschen untereinander, also die Bereitschaft zur Aufnahme von Beziehungen, in den Nachmittagsstunden zwischen 15.00 bis 19.00 Uhr am größten ist (vergl. Kemper, 1989, S. 83).

Teilnehmer, die einen längeren Heimweg vor sich haben, bevorzugen Termine, die es ihnen ermöglichen, noch im Hellen nach Hause zu kommen.

Sicherheit

Wenn Veranstaltungen in stationären Einrichtungen durchgeführt werden, ist bei der Planung darauf zu achten, dass die Zeiten sich nicht mit den Terminen anderer Veranstaltungen oder der Mahlzeiten überschneiden (es sei denn, dies ist erwünscht und beabsichtigt!).

Überschneidungen

Gruppenangebote, die über einen längeren Zeitraum hinweg angeboten werden, sollten unbedingt im Rahmen des geplanten Zeitplanes stattfinden. An Angeboten, die unregelmäßig stattfinden oder mehrfach hintereinander ausfallen, verlieren die Teilnehmer bald das Interesse.

Regelmäßigkeit

Aber auch der zeitliche Ablauf der Veranstaltung selbst ist zu planen:

- Wie viel Zeit steht zur Verfügung?

- Wann sind die Pausen eingeplant?

- Wie viel Zeit steht als Einführung zur Verfügung?

- Ist ein zeitlicher "Puffer" eingeplant, wenn die Gruppe sich einzelnen Fragen länger zuwendet als ursprünglich geplant?

- Kann die Veranstaltung möglicherweise verlängert werden oder machen Folgetermine ein pünktliches Ende dringend notwendig?

- Ist ein zeitlicher Rahmen für eine Zusammenfassung und Verabschiedung vorgesehen?

7.3.2 Die Gruppengröße

"face-to-face"-- Beziehung

In der sozialen Gruppenarbeit wird die Gruppengröße so beschränkt, dass sich die Mitglieder gegenseitig kennen; sie treten direkt miteinander in Kontakt - von Angesicht zu Angesicht. Aus dem Amerikanischen hat sich der Begriff 'face-to-face-Beziehung' durchgesetzt.

Grenze des "emotionalen Ausdehnungsvermögens"

Die Gruppe sollte demnach nicht zu groß sein. Eine Teilnehmerzahl von 8 - 15 Personen ermöglicht noch jedem, mit jedem Kontakt aufzunehmen. Aus der Gruppenforschung ist bekannt, dass es eine "Grenze des emotionalen Ausdehnungsvermögens" gibt. Das heißt, der Einzelne ist nur in der Lage, zu einer begrenzten Zahl von Menschen eine gefühlsmäßige Beziehung einzugehen. Ein Mensch kann nur eine bestimmte Anzahl anderer Menschen mit der ihm gegebenen Ressource an Gefühl umfassen. Überschreitet die Zahl der Menschen ein bestimmtes Limit, so setzt ein Prozess der Auslese ein. Die Höhe der Grenze ist von Mensch zu Mensch unterschiedlich, scheint aber von der Intelligenz abzuhängen (vergl. Wössner, 1974, S. 149 f).

Gerontopsychiatrie

Aus diesem Grund sollten Gruppen gerontopsychiatrisch veränderter alter Menschen auch kleiner sein. Unter Umständen ist eine Gruppengröße von 3 Teilnehmern angezeigt; eine Gruppengröße von mehr als 6 Teilnehmern ist häufig schon problematisch.

Isolation und Cliquenbildung

Sind Gruppen zu groß, wird die Grenze des emotionalen Ausdehnungsvermögens überschritten, kann es vorkommen, dass es innerhalb der Gruppe zu einzelnen Gruppierungen (Cliquen) oder zur Isolierung Einzelner kommt, was eine gemeinsame Zielfindung erschwert.

7.3.3 Die Gruppenzusammensetzung

 Jedes Gruppenmitglied hat in seiner Biografie seine eigene individuelle, unverwechselbare Identität erworben. Der Einzelne begegnet in der Gruppe anderen, die ihm teilweise gar nicht auffallen, teilweise sympathisch, teilweise aber auch unsympathisch sind. Manche Person mag in ihrem Gegenüber unangenehme Erinnerungen wachzurufen, die mit ihr gar nichts zu tun hatten, mit denen sie nun aber direkt konfrontiert wird.

Nicht nur alte Menschen können weniger gut mit anderen Menschen umgehen, die ihnen nicht vertraut sind. Menschen, die sich in Kleidung, Sozialverhalten, Sprache u.Ä. unterscheiden werden misstrauisch ins Auge gefasst. So setzen sich in neuen Gruppen meist die Personen zusammen, die sich schon von früher kennen. Eine ähnliche Situation tritt ein, wenn die Gruppenmitglieder sich hinsichtlich ihrer Leistungsfähigkeit sehr unterscheiden. Gruppen gleicher Teilnehmer bezeichnen wir als homogene solche verschiedenartiger Teilnehmer als heterogene Gruppen. Den Teilnehmern gelingt es einfacher, sich in homogene Gruppen einzubringen. Im Rahmen heterogener Gruppen fällt dem Gruppenleiter die Aufgabe zu, die Kommunikation untereinander erst in Gang zu setzten.

"Gleich und Gleich gesellt sich gern"

Homogene und heterogene Gruppen

Die holländischen Gerontologen Joep M.A. Munnichs und Han F.J. Janmaat (1980, S 28 f) betonen, dass dieses Phänomen auch bei der Aufnahme in eine Einrichtung beachtet werden sollte:

"Jedes Heim stellt sich in der Regel auf eine bestimmte Gruppe alter Menschen ein. Im Großen und Ganzen kann man folgende Unterscheidung treffen: Es gibt Heime, die sich speziell Angehörigen aus den unteren, mittleren oder oberen Bevölkerungsschichten widmen. Diese verschiedene Bevölkerungsschichtung ist in der Gesellschaft anzutreffen, und es hat sich herausgestellt, dass es wünschenswert ist, diesem Sachverhalt auch in den Heimen Rechnung zu tragen. Altwerden ist gepaart mit einer Abnahme der sozialen Kontaktfähigkeit. Alte Menschen können weniger gut mit anderen Menschen einer Gruppe umgehen, mit der sie nicht vertraut sind, auch nicht beim besten Willen. Man unterscheidet sich schon in der Ausdrucksweise, und in vielen Dingen hat man eine andere Einstellung. Kommt jemand aus einer unteren Bevölkerungsschicht in ein Altenheim, dessen Bewohner überwiegend aus einer oberen Bevölkerungsschicht stammen, so wird er sich isoliert vorkommen. Dasselbe gilt im umgekehrten Fall. Beim ersten Gespräch muss

*deshalb auch danach geforscht werden, ob derjenige, für den eine Heim-
unterbringung gewünscht wird, nach seiner bisherigen gesellschaftlichen
Stellung auch in das Heim passt. Wenn das nicht zutrifft, ist die Aufnahme
in vielen Fällen nicht ratsam. Will man diesen Sachverhalt auf die rechte
Weise beachten, so kommt es nicht so sehr auf die Einkommensverhältnisse
des Bewerbers an, sondern mehr auf seinen Beruf, bei einer Witwe auf den
ihres Ehegatten, auf den Beruf der Kinder und auf die Art der persönlichen
Interessen."*

Wenn bei der Zusammensetzung von Gruppen hinsichtlich Alter, sozialer Schicht und Lebenssituation auf möglichst große Ähnlichkeiten
geachtet werden sollte, so ist es doch sinnvoll, dass sich die Teilnehmer hinsichtlich bestehender Probleme auch unterscheiden. So
können sich depressive ältere Menschen in einer Gruppe allzu leicht
gegenseitig in ihrer Niedergeschlagenheit und Hoffnungslosigkeit verstärken.

Zuweilen erfahren auch Personen, die an unangenehme Problemati-
ken erinnern, in Gruppen eine starke Ablehnung. Menschen mit psychischen Auffälligkeiten oder Tumorerkrankungen werden ausgegrenzt; unter Umständen wird darauf verwiesen, dass diese 'nicht
hierhin gehören'.

Diese Vogel-Strauß-Taktik, das Nicht-Hinsehen-Müssen, ermöglicht
es den vermeintlich noch Dazugehörenden, nicht daran denken zu
müssen, dass sie ein ähnliches - vielleicht sogar das gleiche -
Schicksal erleiden könnten.

In einer solchen Situation ist der Leiter einer Gruppe gefordert, auch
diese Problematik aufzugreifen und im Interesse aller Beteiligten auf
eine Klärung hinzuarbeiten.

7.4 Die Gruppenleitung

Wodurch zeichnen sich "gute" Gruppenleiter
aus? Was unterscheidet sie von weniger er-
folgreichen Kollegen? Lassen sich allgemein-
verbindliche Anregungen und Grundlagen vermitteln?

7.4.1 Die Führungsstile nach Kurt Lewin

In den dreißiger Jahren des zwanzigsten Jahrhunderts hat der Psychologe Kurt Lewin, bei der Überprüfung des Unterrichtsverhaltens von Lehrern in den Vereinigten Staaten, drei unterschiedliche 'Erziehungsstile' vorgefunden, die wiederum als Ursache für das in den Klassen vorgefundene Klima gewertet wurden. Diese Untersuchungen waren so richtungsweisend, dass die Ergebnisse auf die Arbeit mit Erwachsenengruppen übertragen werden können. In Kurs- und Mitarbeitergruppen spricht man von 'Führungsstilen', in der praktisch-pflegerischen Arbeit sogar von 'Pflegestilen'.

Im Mittelpunkt des Interesses steht die Frage, inwieweit der Führungs-Stil eines Gruppenführers einen Einfluss auf das Verhalten der Gruppenmitglieder hat.

Kurt Lewin unterschied

- einen autoritären / autokratischen Erziehungsstil

- einen Laisses-faire Erziehungsstil und

- einen demokratischen / sozial-integrativen Erziehungsstil.

Der Begriff "laisses-faire" kommt aus dem Französischen und bedeutet so viel wie "laufen lassen".

Lewins Untersuchungen sind dahingehend besonders interessant, als dass die Leiter nach jeweils 6 Wochen einer anderen Gruppe zugeteilt wurden und dort einen anderen Führungsstil als den bisher gezeigten praktizieren mussten.

Der selbe Pädagoge unterrichtete in einer Gruppe sechs Wochen sozial-integrativ, anschließend in einer zweiten Gruppe autoritär und zuletzt nochmals sechs Wochen in der dritten Gruppe laisses-faire. Auf diese Weise konnte sichergestellt werden, dass die Veränderungen im Teilnehmerverhalten nicht auf die Persönlichkeit des Leiters, sondern auf sein Führungs-Verhalten zurückgeführt werden können.

Der Tabelle auf Seite 189 sind die Merkmale entsprechend geführter Gruppen zu entnehmen!

| Was können Sie über die Führungsstile in den Gruppen sagen, die Sie kennen? - Denken Sie nicht nur an Gruppen alter Menschen, sondern auch an Fortbildungs- und Mitarbeitergruppen | ?   ! |

7.4.2 Gruppenleiter-Fähigkeiten nach Carl Rogers

In Anlehnung an die Gesprächs-Psychotherapie des amerikanischen Psychologen Carl Rogers konnten konkrete Faktoren herausgearbeitet werden, die einen positiven Einfluss auf das Gruppenklima ausüben (vergl. Wingchen, 2000, S. 41 ff). Der Gruppenleiter sollte in der Lage sein, menschliche Wärme (Akzeptanz) und wirkliches Verständnis (Empathie) zu entwickeln ohne sich hierbei selbst zu verleugnen (Kongruenz; ohne Fassade sein) und die eigene Glaubwürdigkeit in Frage stellen zu lassen.

Anforderungen an den Gruppenleiter:

- Akzeptanz / Wärme, Wertschätzung

- Empathie / einfühlendes Verstehen

- Kongruenz / 'echt sein'; ohne Fassade sein

Was ist hierunter zu verstehen?

Akzeptanz: Geborgenheit; Sicherheit vermitteln

Ein Gruppenleiter sollte jedem Gruppenmitglied *Wertschätzung* entgegenbringen, das heißt er soll ihm die Erfahrung vermitteln, dass er ihm positiv gegenübersteht. Er muss ihn als Menschen akzeptieren und wertschätzen können, auch wenn er ein einzelnes konkretes Verhalten ablehnt. Gefühle des Gruppenmitglieds werden nicht gewertet und führen nicht zur Ablehnung.

Wenig Wertschätzung zeigt ein Gruppenleiter, der

- aktiv Ratschläge anbietet

- weiß, was für andere das 'Beste' ist

- deutlich Missbilligung oder Zustimmung (bei konformem Verhalten) zeigt.

- seine eigenen Wertmaßstäbe an andere anlegt.

Zuhören können

Ein Leiter hört zu, zeigt Wertschätzung, indem er seinen Gesprächspartner ansieht, ihn ausreden lässt, mit dem Kopf nickt und die Bemerkungen des Sprechenden aufgreift. Dies heißt nicht, dass der Leiter alle Bemerkungen der Teilnehmer zunächst einmal wiederholt, aber er vermittelt, dass er sie für wert hält, vermittelt zu werden.

Führungsstile nach Lewin

	autoritär geführte Gruppen	sozial-integrativ geführte Gruppen	laisser-faire geführte Gruppen
Wer bestimmt, was gemacht wird?	Der Leiter demonstriert Macht und Stärke und legt alle Richtlinien fest	Der Leiter legt Ziele gemeinsam mit der Gruppe fest	Der Leiter verhält sich passiv und will keine Entscheidungen für die Gruppe treffen.

Er gibt Hilfen weder bei der Formulierung von Zielen ... |
Wer bestimmt, wie es gemacht wird	Der Leiter entscheidet über alle Aufgaben, Maßnahmen und Tätigkeiten. Er allein bestimmt das Vorgehen. Anpassung wird belohnt, abweichendes Verhalten wird bestraft	Der Leiter stimmt die Maßnahmen mit den Gruppenmitgliedern ab, gibt Entscheidungshilfen und weist auf verschiedene Möglichkeiten hin.	... noch bei der Abstimmung der Maßnahmen. Er stellt Material und Informationen zur Verfügung antwortet aber nur auf direkt gestellte Fragen
Umgang mit Kritik	Kritik erfolgt durch den Gruppenleiter; sie ist weniger sachlich, eher persönlich	Kritik ist nicht persönlich, sondern sachlich. Die Teilnehmer üben Selbstkritik, Kritik untereinander - auch gegenüber dem Leiter	Weder positive noch negative Kritik vom Leiter
das Gruppengeschehen	Der Leiter greift mit „Befehlen" in das Gruppengeschehen ein	Der Leiter begleitet die Gruppe	Die Gruppe bleibt „sich selbst überlassen".
Distanz	Der Leiter ist gegenüber der Gruppe nicht unbedingt unfreundlich; er bleibt aber deutlich „auf Distanz".	Der Leiter ist in die Gruppe integriert	Der Leiter hält sich zurück
Spontanität	Die Teilnehmer bleiben auf den Leiter fixiert, agieren nicht spontan	Die Teilnehmer reagieren spontan.	Die Teilnehmer leben ihre „Launen" auf dem Rücken anderer aus. Es bildet sich eine Hackordnung.

	autoritär geführte Gruppen	*sozial-integrativ geführte Gruppen*	*laisser-faire geführte Gruppen*
das Gruppenklima	Das Gruppenklima ist sehr konfliktträchtig. Es herrscht eine ehrgeizige Wettbewerbsstimmung. Häufig kommt es zu Streit; "Sündenböcke" werden gesucht und gefunden	Das Verhältnis zueinander ist nicht durch Aggressivität, sondern durch gegenseitige Hilfsbereitschaft geprägt	Die Atmosphäre ist gereizt und aggressiv. Die Situation ändert sich, wenn ein Teilnehmer die Führung übernimmt
die Beziehung zum Gruppenleiter	Gegenüber dem Leiter ist eine übertriebene Unterwürfigkeit ebenso festzustellen, wie eine offene oder verdeckte Opposition (hinter seinem Rücken)	Die Teilnehmer ziehen den Leiter in ihre Überlegungen mit ein	Der Leiter ist "außen vor"
Arbeitsergebnisse	Die Arbeitsergebnisse sind quantitativ gut, qualitativ aber schlecht (viel Schlechtes)	Die Arbeitsergebnisse sind quantitativ gering, qualitativ aber gut (wenig Gutes)	Die Arbeitsergebnisse sind weder quantitativ noch qualitativ zufrieden stellend (wenig Schlechtes)

Auch so demonstrieren Sie Wertschätzung: Nehmen Sie sich Zeit für die Vorbereitung einer Gruppenveranstaltung und eilen Sie nicht als Letzter in den Gruppenraum.

In einem Klima der Wertschätzung und Geborgenheit, in der der Einzelne sich angenommen fühlt und bereit ist sich zu öffnen, ist auch die Möglichkeit gegeben, einander zuzuhören und voneinander zu lernen.

Gerade für psychisch veränderte alte Menschen, deren intellektuelle Fähigkeiten stark eingeschränkt sind, wird die gefühlsmäßige Ebene immer bedeutsamer. Inmitten einer Umwelt, die er nicht mehr zu durchschauen vermag, die ihn ängstigt und verunsichert, ist die Stabilisierung des subjektiven Wohlfühlens die Voraussetzung um die Gruppenarbeit einleiten zu können.

Empathie: sich in sein Gegenüber hineinversetzen

Unter *einfühlendem Verstehen*, versteht man das Bemühen des Gruppenleiters, sich in sein Gegenüber hineinzuversetzen und dessen Gefühle und Erlebnisinhalte nachzuvollziehen. Er lenkt seine Aufmerksamkeit nicht nur auf die gesprochenen Worte und sachlichen Inhalte, sondern achtet auf die persönliche Betroffenheit und die aufkommenden Gefühle, auf Freude und Ängste. Er zeigt deutlich sein Bemühen, das Wertesystem des anderen nachzuvollziehen um festzustellen, wie es ihm geht, wie er sich fühlt.

Als **Kongruenz** oder Echtheit des Gruppenleiters bezeichnet man dessen Bereitschaft, zu seiner eigenen Betroffenheit zu stehen. Er soll sich nicht hinter der Maske des allwissenden Fachmannes verstecken, den nichts mehr betroffen macht. Ein Gruppenleiter, der nur halbherzig bei der Sache ist; hektisch und 'gestresst' kaum seine eigene Unsicherheit verbergen kann, wird seine eigene Unruhe auch auf die Gruppe übertragen.

Kongruenz: zu den eigenen Gefühlen stehen

Diese Faktoren wurden zunächst für Therapie-Prozesse herausgearbeitet; später wurden sie dann auf andere Formen des mitmenschlichen Miteinander-Umgehens übertragen. Finden sie Beachtung, so breitet sich in der Gruppe ein Klima aus, in dem jede Bedrohung fehlt.

Gruppenklima ohne Bedrohung

7.5 Integration in die Gruppe

 In einer neuen Gruppe, in der sie niemanden kennen, fühlen sich die Teilnehmer in der Regel noch recht unsicher bis ängstlich.

- Zum einen wissen sie noch nicht, ob sich ihre Erwartungen und Anliegen in der Gruppe umsetzen lassen.

- Zum anderen sucht jeder seinen Platz und seinen Status in der neuen Gruppe.

In einer angstfreien Atmosphäre kann viel schneller ein Gefühl der Geborgenheit und des Dazugehörens aufkommen. Solange einzelne Mitglieder noch nicht in die Gruppe integriert sind, ist diese blockiert und nicht arbeitsfähig. Deshalb ist es äußerst wichtig, den Teilnehmern Möglichkeiten zu geben, sich kennen zu lernen und die eigene Unsicherheit zu überwinden.

7.6 Übertragung und Gegenübertragung

In unseren Reaktionen und Verhaltensweisen werden wir alle von Wünschen und Befürchtungen beeinflusst, die uns nur in den seltensten Fällen bewusst sind. Hierbei werden oft Einstellungen, Gefühle

Wer "kriegt Gefühle ab"?

und Fantasien, die in der Kindheit zunächst gegenüber Eltern oder anderen Bezugspersonen bestanden, wiederholt. So werden Gefühle wie Liebe und Hass, Zuneigung und Ärger, die zeitlos auftreten, anderen Personen entgegengebracht, sie werden auf diese übertragen. Dieser Prozess, der in jede Alltagsbeziehung hineinspielt, wird als Übertragung bezeichnet. Unter einer Gegenübertragung versteht man, wie der Betroffene mit den Gefühlen umgeht, die zunächst nicht ihm gelten.

Altersunter-schiede

In der Seniorenarbeit ist die Situation dahingehend ungewöhnlich, als dass der Altersunterschied zwischen Betreuern und Betreuten erheblich ist. So kann sich ein junger Mitarbeiter in der Beziehung zu einer älteren, reifen Persönlichkeit erneut wie ein 'Kind' fühlen. Wünsche,

BetreuerInnen zwischen Ohnmacht ...

Gefühle und Befürchtungen aus seiner Kindheit können auf den älteren Klienten 'übertragen' werden, er kann sich gegenüber einem stark und mächtig erlebten Senioren schwach und schutzbedürftig fühlen, obwohl dieser in Wirklichkeit seiner Hilfe bedarf.

... und All-macht

Auf der anderen Seite hat der Jüngere nun aber auch die Möglichkeit, über den Älteren zu triumphieren, seine 'kindliche' Ohnmacht zu überwinden und ins Gegenteil, in eine 'Allmacht' gegenüber dem Älteren, zu verwandeln. Eine Verkehrung, die gerade bei den leiblichen Kindern, die ihre eigenen Eltern pflegen, nicht selten auftritt.

Wunschenkel

Die Übertragung des alten Menschen auf seinen jüngeren Betreuer kann ganz anders aussehen. So kann dieser möglicherweise als 'Kind' oder 'Enkel' erlebt werden, unabhängig davon ob tatsächlich Enkel existieren. Von diesem 'Kind' werden zwangsläufig Anerkennung, Liebe und Zuwendung erwartet. Mit der gleichen Intensität kann der private Lebensraum des jüngeren Betreuers 'kontrolliert' werden. Mit wahrhaft elterlicher Fürsorge wird nach dem Privatleben, nach dem Freundeskreis, nach Heiratsabsichten oder Familiensituation gefragt und auch gut gemeinte Ratschläge sind keine Seltenheit. Auch wenn der Leiter einer Gruppe den Teilnehmern menschliche Zuwendung und Anteilnahme zukommen lassen sollte, sind Schilderungen des eigenen Privatlebens meist problematisch. So ist hier Zurückhaltung zu empfehlen, da sich sonst familienähnliche Abhängigkeiten verfestigen können.

Im Einzelfall können Übertragungen zwar eine Hilfe sein, Beziehungen aufzubauen. In anderen Fällen können sie aber die Arbeit erheblich erschweren, wie das folgende Beispiel aus dem Alltag eines Krankenhauses zeigt. Ein Arzt berichtet:

"Eine 69-jährige Frau mit Asthma wird von einer etwa 30-jährigen Kollegin vorgestellt. Sie weiß nicht, was sie mit ihr machen soll, sie sei so unzufrieden mit der Art ihres Umgangs mit der Patientin. Dieser Frau würde es nie gut gehen, sie würde immer klagen, sie wolle immer Spritzen haben und sie und alle, die mit ihr zu tun hätten (d.h. die ganze Station), würden sich überfordert fühlen. Im Moment würden sie ihr immer, wenn sie klagt, Kochsalzspritzen geben und dann würde es ihr besser gehen. Früher hätten sie gelegentlich mit dieser Frau gesprochen, dann ginge es ihr auch besser, sie brauche dann keine Spritzen. Sie hatte aber das Gefühl, sie müsste immer mehr und immer öfter mit ihr sprechen und konnte sich gar nicht mehr vorstellen, sich gegen diese Frau abzugrenzen. Ein zweiter Kollege, der dieselbe Patientin kennt, berichtet ebenfalls, wie er mit dieser Frau, als es ihr schlecht ging, gegen Abend gesprochen hatte, dann hatte er das Gefühl, er müsste jetzt die ganze Nacht bei ihr sitzen und habe deswegen diese Art von Zugang abgebrochen. Ein dritter Kollege hatte sich dieser Patientin gegenüber, als sie zu viel klagte und noch eine Spritze haben wollte, abgegrenzt, indem er klipp und klar sagte, dass sie das jetzt nicht mehr brauche. Er verwies auf andere Medikation; ihr sei es zwar dann besser gegangen, aber er hatte große Schuldgefühle und die Erwartung, mit dieser Abgrenzung sei die Beziehung für immer belastet.

Das Gemeinsame dieser drei Interaktionen mit der Patientin war, dass die Ärzte nicht mehr in der Lage waren, ihr gegenüber fachlich kompetent aufzutreten und sich abzugrenzen. Sie fühlten sich gegenüber dieser Frau wie Kinder, die sich nur mit Tricks, Hintergehen oder totalem Entzug abgrenzen konnten. Erst gegen Ende der Balintgruppensitzung wurde deutlich, dass das Verhalten dieser Frau mit ihren Klagen auch verstehbar war; sie hatte in kurzer Zeit ihren Mann und ihre Tochter verloren, sie musste seit einiger Zeit wegen einer tuberkulösen Wirbelsäulenerkrankung andauernd ein Korsett tragen und war gerade erst von zu Hause in ein Altersheim umgezogen. Die (unbewussten) Wünsche nach Hilfe und Zuwendung durch die 'neuen' kompetenten 'Kinder' waren unübersehbar."

(Quelle: Radebold, H. et. al. "Zur Psychotherapeutischen Behandlung älterer Menschen" 1987)

Häufig ist der professionelle Betreuer die einzige Kontaktperson, auf die alle Wünsche 'übertragen' werden. Ausgeprägte besitzergreifende Gefühle gegenüber einem (gegengeschlechtlichen) Helfer können sich dann letztlich in einem regelrecht verliebten Verhalten, in Heiratsanträgen oder in gemeinsamen Kinderwünschen niederschlagen.

BetreuerInnen als einzige Kontaktpersonen

Verwöhnen

Kranke, behinderte und sehr alte Menschen wünschen sich häufig eine verwöhnende, führende und beschützende Person als Ansprechpartner und erwarten eine unbewusste Wiederholung der frühen Kind-Eltern-Beziehung. Für die Betreuer und Gruppenleiter scheinen die alten Menschen dann 'so dankbar'. Da die Erwartungen an einen fantasierten Elternteil aber in der Regel doch unerfüllt bleiben, werden die Übertragungen deutlich, wenn die enttäuschten Älteren beginnen, über die 'unfähigen Jüngeren' zu schimpfen und zu klagen.

Eine als fürsorgliches 'Bemuttern' verstandene intensive Zuwendung zu diesen 'schutzbedürftigen alten Menschen' befriedigt zwar vordergründig deren Wunsch nach Abhängigkeit und Versorgtwerden, verwehrt ihnen aber die letzten Möglichkeiten nach einer - wenn auch reduzierten - Unabhängigkeit.

Negative Übertragung

Seltener kommt es zu negativen Übertragungen, d.h. es werden die negativen Gefühle, die den eigenen Kindern oder anderen Bezugspersonen gelten, auf die Betreuer übertragen.

Wenn die Übertragungssituationen die Arbeit behindern, sollten sie angesprochen werden. Der alte Mensch muss erkennen, dass seine Gefühle ganz anderen Menschen galten. Gerade in diesem Kummer sollte er aber nicht allein gelassen werden, sondern menschliche Anteilnahme erfahren. Für den betroffenen Betreuer kann es hilfreich sein, wenn er sich klarmacht, dass er gar nicht gemeint ist.

Übertragungen spielen aber nicht nur im Rahmen der Beziehungen zwischen Gruppenleitung und Teilnehmern eine Rolle; sie sind auch beim Aufbau von Beziehungen der Teilnehmer untereinander wirksam.

So ist in gemischtgeschlechtlichen Gruppen zuweilen festzustellen, dass Frauen Verhaltensmuster, die sie aus ihrer familiären Situation gewohnt sind, auch in der Gruppe zeigen: Dominieren in den Ehen die Männer und den Frauen kommt bei politischen Diskussionen vor allem die Aufgabe zu, zuzuhören und zu schweigen, so wird dieses Verhalten auch von sonst sehr engagierten Teilnehmerinnen gezeigt werden, wenn Männer zu der Gruppe stoßen.

Mit welchen Erwartungen älterer Menschen an Ihre Person wurden Sie bisher konfrontiert? - Welche Einstellungen hatten Sie gegenüber diesen Menschen? - Haben Sie Senioren manchmal mit Ihren Eltern verglichen? Wie fiel dieser Vergleich aus?

7.7 Themenzentrierte Interaktion

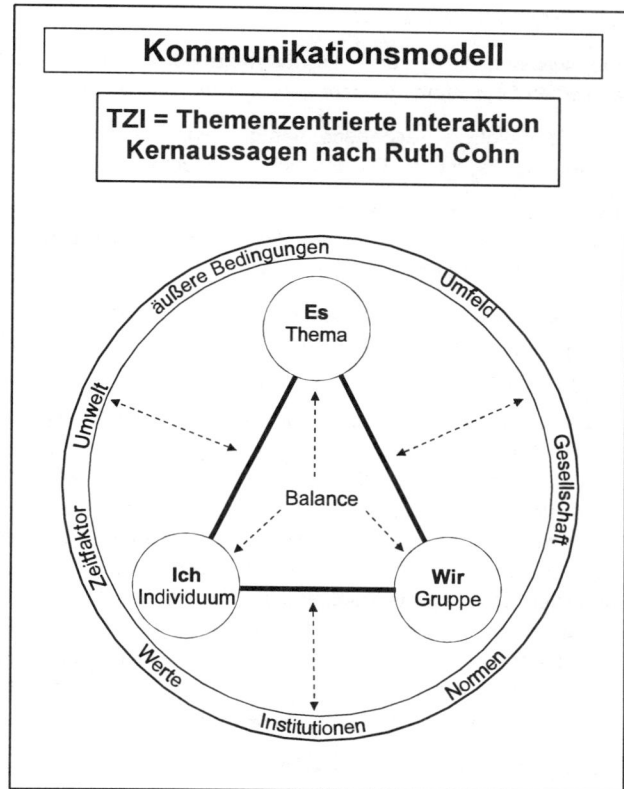

Kommunikationsmodell

TZI = Themenzentrierte Interaktion
Kernaussagen nach Ruth Cohn

Abb. 19
ATL-
Folienvorlagen
Kommunizie-
ren
Brigitte Kunz
Verlag
Folie 9

Bei jeder Planung von Gruppen-Aktivitäten sind vier Faktoren, die gegenseitig aufeinander bezogen sind, zu beachten:

- das *ICH*
- das *WIR*
- das *ES*
- das *Umfeld*

Als *ICH* bezeichnen die Vertreter der ***themenzentrierten Interaktion*** die Person, ein einmaliges Wesen, mit einer einmaligen Biografie und einer einmaligen Ausstattung.

Als *WIR* wird die Gruppe, die durch die Beziehungen zwischen den einzelnen Gruppenmitgliedern geprägt wird, bezeichnet.

Das *ES* meint die Sachebene, das gemeinsame Thema, die gemeinsame Aufgabe, der die Gruppe sich zuwendet.

Als *Umfeld* wird das gesamte Umfeld, in dem sich das Geschehen vollzieht, bezeichnet: der Raum, die Zeit, das soziale Umfeld, der historische Hintergrund ... .

Die vier Faktoren sind in jedem Gruppengeschehen wirksam, wobei eine relativ ausgeglichene Balance zwischen den ersten drei Faktoren sinnvoll scheint.

Wenn das
ES dominiert

Wenn ein Thema (das *ES*) sehr abstrakt in den Mittelpunkt gestellt wird und die Interessen der einzelnen Teilnehmer (das jeweilige *ICH*) und die Bedürfnisse der Gruppe (das *WIR*) ignoriert werden, so kann dies nur so lange konstruktiv sein, wie sich keine Interessenlosigkeit breit macht und einzelne Teilnehmer 'abschalten' bzw. die Gruppe Zerfallserscheinungen zeigt. In einer solchen Situation hat der Gruppenleiter die Aufmerksamkeit wieder auf die einzelnen Personen (inwieweit ist das Thema für sie überhaupt bedeutsam?) und die Gruppe (wie möchte sie vielleicht das Thema angehen?) zu lenken. Eine Lerngruppe, die die persönliche Betroffenheit der Gruppenmitglieder nicht im Blick behält, wird zum akademischen Seminar.

Wenn das
WIR dominiert

☞ Kap. 7.5
S. 191

Für manche Teilnehmer ist weniger das Thema der Veranstaltung, sondern das Erleben zwischenmenschlicher Beziehungen bedeutsam. So begegnen wir immer wieder Gruppen, in denen nicht das Thema im Vordergrund steht, in denen vielmehr die Auseinandersetzungen zwischen den Mitgliedern, die möglicherweise noch ihre Position in einer neuen Gruppe suchen müssen, in den Vordergrund tritt. In diesen Situationen werden Meinungsverschiedenheiten zwischen den Teilnehmern zum zentralen Diskussionsthema; Auseinandersetzungen über offene bzw. geschlossene Fenster, oder Selbstdarstellungen werden wichtiger als das Sachthema.

Nicht selten wird auch die eigene Befindlichkeit, der eigene Kummer, von einzelnen Teilnehmern immer wieder in die Gruppe hineingetragen. Darstellungen der eigenen Erkrankung, der Konflikte und Enttäuschungen zu Hause können der Auseinandersetzung mit dem Sachthema vorgezogen werden.

Wenn das
ICH dominiert

Beschäftigt sich die Gruppe schwerpunktmäßig nur noch mit der Betroffenheit und den Gefühlen in der Gruppe (dem *WIR*) oder der Einzelpersonen (dem jeweiligen *ICH*), so ist es Aufgabe des Gruppenleiters, die Brücke zurück zum Thema zu schlagen: Eine führerlose Gruppe verwandelt sich leicht in eine Selbsterfahrungsgruppe.

Unter Umständen kann es auch sinnvoll sein, die Veranstaltung mit einer kurzen 'Anwärmphase' einzuleiten, in der die Teilnehmer/innen ihre persönlichen Anliegen zur Sprache bringen und Informationen austauschen, bevor die Gruppe sich dem eigentlichen Sachthema zuwendet (vergl. Pfaff, Huber, 1993, S. 90).

Die Psychoanalytikerin und Pädagogin Ruth Cohn (1988, S. 11 ff) stellt für die Gestaltung von Gruppenprozessen folgende 'Regeln' auf:

1. "Sei Dein eigener Chairman"
   Das heißt: Ich bin mein eigener Vorsitzender. Ich akzeptiere mich wie ich bin, mit meinen eigenen Bedürfnissen und Wünschen. Ich bringe anderen die gleiche menschliche Achtung entgegen und respektiere die Tatsachen. Ich trage die Verantwortung für das, was ich tue oder nicht tue. Dabei bin ich weder all- noch ohnmächtig!

2. "Störungen haben Vorrang"
   Störungen, als Antipathien, Ängste, Schmerzen, Zerstreutheit oder 'Seitengespräche' zwischen den TeilnehmerInnen, haben immer Vorrang und sollten aufgegriffen werden. Solange ihre Ursachen nicht gefunden und behoben sind, blockieren sie den Gruppenprozess und verschieben das Gleichgewicht weg von der Sachebene.

Für die Umsetzung stellt sie folgende Hilfsregeln auf:

Abb. 20
ATL Folienvor-
lagen Kommu-
nizieren
Brigitte Kunz
Verlag
Folie 12

Kommunikationsmodell

TZI = Themenzentrierte Interaktion
Kernaussagen nach Ruth Cohn

☑ **Hilfestellung zur Führung der Gruppe**

☞ „Vertritt Dich selbst in Deinen Aussagen; sprich per -**Ich**- und nicht per -**Wir**- oder -**Man**-."

☞ „Wenn Du eine Frage stellst, sage, warum Du fragst und was Deine Frage für Dich bedeutet. Sage Dich selbst aus und vermeide das Interview."

☞ „Sei authentisch und selektiv in Deinen Kommunikationen. Mache Dir bewusst, was Du denkst und fühlst und wähle, was Du sagst und tust."

☞ „Halte Dich mit Interpretationen von anderen so lange wie möglich zurück. Sprich stattdessen Deine persönlichen Reaktionen aus."

☞ „Sei zurückhaltend mit Verallgemeinerungen."

☞ „Wenn Du etwas über das Benehmen oder die Charakteristik eines anderen Teilnehmers aussagst, sage auch, was es Dir bedeutet, dass er so ist, wie er ist."

☞ „Nur einer zur gleichen Zeit bitte."

☞ „Wenn mehr als einer gleichzeitig sprechen will, verständigt Euch in Stichworten, über was Ihr zu sprechen beabsichtigt."

7.8 Allgemeine gruppengeragogische Grundsätze

In Kapitel 6 wurde ein Überblick über die - bei der Planung eines geragogischen Angebotes zu beachtenden - "Bedingungs-" und
"Entscheidungsfelder" vorgestellt:

☞ Kap. 6
S. 145 ff
Bedingungs-
felder

Zunächst ist abzuklären abzuklären, wie die soziale und persönliche
Lebenssituation der Betroffenen aussieht. Diese muss bei der Planung und Durchführung eines Angebotes Beachtung finden!

Anschließend werden die Entscheidungsfelder angegangen:

Entschei-
dungsfelder

- Das Erreichen welcher *Ziele* ist für diese Menschen, für diese
  ganz konkrete Zielgruppe, wichtig?

- Anhand welcher *Inhalte* sollen diese Ziele erreicht werden?

- Welche *Methoden* sollen angewandt werden und

- welche *Medien* werden benötigt?

Bei all diesen Überlegungen erscheinen die alten Menschen als
gleichberechtigte Partner der Geragogen: An der Formulierung der
Ziele sollen sie beteiligt werden; bei der Analyse der Inhalte ist zu bedenken, dass die alten Menschen durchaus kompetente Fachleute
sind, deren Wissen den anderen Teilnehmern erschlossen werden
kann. Unter Umständen sind sie in Einzelfragen kompetenter als der
Gruppenleiter. Bei der Wahl der Methoden soll ein partnerschaftliches
"Miteinander-Umgehen" den Senioren die Gewissheit geben, ernst
genommen zu werden.

Gleichberech-
tigte Partner

Vor dem Hintergrund dieser allgemeinen Überlegungen stellt Wolfgang Joppig (1990, S. 27 ff) folgende Grundsätze für die Durchführung von Gruppenveranstaltungen auf:

1.) *Anfangen, wo die Gruppe steht*

Zunächst ist zu hinterfragen, welche Interessen, Fähigkeiten
(oder auch Probleme) die Teilnehmer 'mitbringen'. Nur dann ist
es möglich hierauf einzugehen.

☞ Kap. 6.1
S. 146 ff
Bedingungs-
felder

2.) *Individualisieren*

D. h., auf den Einzelnen eingehen, ihn fördern. Sollten Teilnehmer dem Verlauf einer Veranstaltung nicht mehr folgen können,
weil ihnen die Grundlagen unverständlich geblieben sind, werden sie sich in Zukunft vom Thema abwenden und ggf. sogar
den Veranstaltungen fernbleiben.

☞ Kap. 7.7
S. 195 f
Themenzen-
trierte Inter-
aktion

Bei allem Bemühen um den Einzelnen darf aber nicht die Gruppe aus den Augen verloren werden. Bei allem Bemühen um die
individuellen Probleme (dem Ich) und die Beziehung zum
Sachthema (dem Es) muss die Gesamtheit der Gruppe (das
Wir) beachtet werden.

3.) *Mit der Stärke arbeiten*

☞ Kap. 6.2.3.1
S. 168 f
Teilnehmer-
kompetenzen

D. h.: die Stärken und Fähigkeiten der einzelnen Anwesenden
sind aufzugreifen und zu nutzen, damit sich alle mit dem Angebot identifizieren können. Einzelne Teilnehmer haben vielleicht
interessante und kompetente Beiträge zum Sachthema zu machen, die u. U. auch dem Gruppenleiter unbekannt sind.

☞ Kap. 7.5
S. 191
Integration
in die Gruppe

Andere Teilnehmer übernehmen u.U, gerne Aktivitäten im Rahmen der Planung und Vorbereitung (Kaffee kochen, Tisch de-
cken, Beiträge kassieren, Material bestellen, ...). Die Übernahme dieser kleinen Verantwortungen vermittelt Sicherheit und
weist jedem einen 'Platz' in der Gruppe zu.

4.) *Sich im Tempo der Gruppe bewegen*

D. h.: immer wieder überprüfen, ob die Anwesenden vielleicht
über- oder unterfordert werden. Kommen die schwächeren
Gruppenmitglieder noch mit? Langweilen sich die Stärkeren?

5.) *Raum für Entscheidungen geben*

D. h.: Themen sollten von den Teilnehmern (mit-)gestaltet werden. Zusätzliche Angebote oder Regelungen (Getränke, Ge-
bäck, Mitgliedsbeitrag) werden u.U. gewünscht. Menschen, die
nie erfuhren, dass nach ihrer Meinung gefragt wurde, sind langsam an diese Entscheidungs-Situationen heranzuführen.

6.) *Zusammenarbeit mehr pflegen als Wettbewerb*

D. h.: Kommunikation, Austausch, Aufeinander-Zugehen sollen gefördert werden, nicht die Höchstleistungen und Selbstdarstellungen Einzelner!

7.) *Programmablauf gemeinsam erstellen*

D. h.: das Programm soll mit den Teilnehmern gemeinsam erstellt werden. Möglicherweise sind mehrere Alternativen vorzugeben, die die Teilnehmer diskutieren können um schließlich selbst eine Entscheidung zu fällen.

☞ Kap. 6.2.3.1
S.168 f
Teilnehmer-
Kompetenzen

8.) *Sich entbehrlich machen*

Joppig bezeichnet diesen Punkt als 'Leitgedanken aller genannten Grundsätze': So weit wie möglich stehen die Selbstständigkeit und die Aktivitäten der Gruppenmitglieder im Vordergrund. Der Leiter ist nur so aktiv wie nötig. Er setzt Impulse, hinterfragt, berät und gibt immer weniger vor. Planung und Durchführung werden immer mehr von den Teilnehmern übernommen.

☞ Kap. 7.4.1
S. 187 ff
Führungsstile

7.9 Grundsätze für die Gruppenarbeit mit verwirrten alten Menschen

Im Rahmen der Arbeit mit verwirrten alten Menschen kommen diese Grundsätze nur bedingt zum Tragen. Alte Menschen mit Orientierungsstörungen in Raum und Zeit, zu Ort und Person, sind mit einer eigenverantwortlichen Planung und Durchführung (aus der sich der Gruppenleiter immer mehr zurückzieht) meist überfordert. Eigenverantwortliches Lernen setzt Kompetenzen voraus, die bei diesem Personenkreis häufig nicht mehr vorhanden sind.

Dies soll keinesfalls heißen, dass die vorhandenen Restfähigkeiten nicht aufgegriffen und gefördert werden sollten. So liegen bei vielen verwirrten alten Menschen Kompetenzen brach. Um diese wieder aufgreifen zu können, benötigen sie aber Begleitung und Hilfe. So vermag manche alte Hausfrau noch immer die leckersten Gerichte zuzubereiten - wenn sie von den Belastungen des Einkaufs (möglicherweise in einer hektischen, verständnislosen Umwelt) befreit ist.

Der Verlust der Fähigkeit, das eigene Leben zu kontrollieren und selbstständig zu gestalten, stellt für Betroffene eine existenzielle Bedrohung dar.

 ?

 !

Was würden Sie empfinden, wenn Sie nachts erwachen
•... und Sie sich in einer Umgebung wieder finden, in der Sie sich nicht auskennen?
•... und keine Ahnung haben wie spät es ist?
•... und von Menschen umgeben sind, die Sie nicht (er-) kennen und die Sie mit einem Namen ansprechen, den Sie nicht als Ihren eigenen akzeptieren?

Wie der Einzelne auf diese Bedrohung reagiert, hängt dann von seinen Erfahrungen, von seiner Biografie und von seiner Persönlichkeit ab.

So reagieren einzelne Senioren (vergl. Rasehorn, Weitzel-Polzer, 1986, S. 43 ff) mit

- *starker motorischer und / oder psychischer Unruhe*
  Die Betroffenen 'sind völlig aus dem Gleichgewicht', laufen unruhig und ziellos umher, stellen Fragen ohne die Antworten abzuwarten und bitten um Hilfe, ohne darlegen zu können, wobei.

- *einer Tendenz zum Rückzug, zur Selbstaufgabe*
  Sie ziehen sich immer mehr aus der nicht durchschaubaren, bedrohlichen Umwelt zurück, verfallen in Depressionen, resignieren und 'dämmern nur noch dahin'.

- *Verleugnung*
  Wieder andere verwenden alle Energien darauf, eine Fassade aufrechtzuerhalten. Gedächtnis-Lücken werden geleugnet oder mit Konfabulationen gefüllt. Dieser Bewältigungsversuch mag mit der Angst enttarnt und durchschaut zu werden, einhergehen.

- *Aggressionen*
  Der aktiven Zuwendung von Betreuern und Pflegenden begegnen manche Betroffenen aggressiv, als könnten sie sich mit der Vertreibung der Helfenden auch der eigenen Unsicherheiten entledigen.

☞ Exkurs
3.4.5
S. 81 f
- *Regression*
  Das Erleben der eigenen Hilflosigkeit und Abhängigkeit eröffnet geradezu die Möglichkeit, sich wieder wie ein kleines Kind ver-

wöhnen zu lassen. Die Unterordnung unter die Autoritäten im Mitarbeiterkreis und das Ausleben 'kindischer' Verhaltensweisen garantiert Bestätigung und Anerkennung.

Angesichts der großen Ängste und Verunsicherungen und der erfahrenen Ablehnungen, denen verwirrte alte Menschen sich ausgesetzt sehen, steht im Vordergrund der Arbeit mit dieser Zielgruppe das Bemühen, zunächst Sicherheit und Wertschätzung zu vermitteln.

Das allgemeine Wohlbefinden kann auf vielfältige Art und Weise gehoben werden. Zu denken ist hier an

- die Verbesserung der allgemeinen Lebensbedingungen,

- die ansprechende Gestaltung der Umwelt,

- das Möglichmachen von (auch kleinen) Erfolgserlebnissen,

- das Vermitteln positiver Erfahrungen.

Erst wenn diese Voraussetzungen erfüllt sind, kann auch wieder die Bereitschaft, sich der eigenen Person und der Umgebung zuzuwenden und sich angstfrei mit der (möglicherweise immer wieder neuen und fremden) Situation auseinander zu setzen, wachsen (vergl. Rasehorn, Weitzel-Polzer, 1986, S.53 f).

Erst wenn eine Situation geschaffen wurde, in der der verwirrte alte Mensch sich 'sicher' fühlen kann, ist er für geragogische Angebote ansprechbar.

Angesichts der spezifischen Situation verwirrter alter Menschen, stellt Claudia Morgalla-Pfennig (1990, S.24) sieben Grundsätze, die bei der Gruppenarbeit mit verwirrten alten Menschen Beachtung finden sollten, vor:

1. *Eigene Ruhe herstellen und bewahren*

Da sich das eigene Verhalten und die eigene Stimmung des Gruppenleiters / der Gruppenleiterin auf die Teilnehmer überträgt, steht zunächst das Bemühen um die eigene Ruhe im Vordergrund.

Wer selbst überlastet, in Stress-Situationen, zwischen zwei Terminen seine eigene Unruhe und Unsicherheit kaum verbergen kann, ist schwerlich in der Lage eine Situation zu schaffen, die alte Menschen als beruhigend erfahren.

2. Nicht zu viel anbieten

Konfrontieren Sie die Teilnehmer nicht mit zu vielen Reizen; vermeiden Sie eine 'Reizüberflutung'. Für Menschen, die die Umwelt
ohnehin schon als 'kaum durchschaubar' und unübersichtlich erleben, stellt jeder Reiz zu viel eine weitere Belastung dar.

Passen Sie das Arbeitstempo den Möglichkeiten und der
Geschwindigkeit der verwirrten alten Menschen an. Die
Erfahrung, neuem Leistungsdruck nicht gewachsen zu sein, ver-
unsichert umso mehr!

3. Stabile Situation schaffen

Wenn das eigenen Handeln immer weniger von intellektuellen
Funktionen bestimmt wird, immer weniger bewusst gesteuert werden kann, wird die Ausbildung von Gewohnheiten immer wichtiger. Immer wiederkehrende Regelmäßigkeiten schaffen stabile,
überschaubare Situationen, in denen sich der Einzelne (auch mit
einem eingeschränkten Orientierungsvermögen) zurechtzufinden
vermag:

- Die Treffen sollten in einem regelmäßigen Rhythmus stattfinden. Ein regelmäßiger Termin ("jeden Vormittag um 10.00
  Uhr") ist einfacher zu merken als ein unregelmäßiger.

- Die Räumlichkeiten sollten konstant bleiben. Eine bekannte
  Umgebung vermittelt Sicherheit und Geborgenheit.

- Die Gruppenleitung sollte ebenfalls nicht wechseln. Persönliche Vertrauensverhältnisse sollten nicht abgebrochen werden.

- Der gewohnte Ablauf sollte weitgehend beibehalten werden
  (s.u.).

Die fehlende innere Ordnung wird durch eine stützende äußere
ersetzt.

4. Atmosphäre der Wärme und des Angenommenseins

☞ Kap. 7.4.2
S. 188 f
Gruppenleiter-
Fähigkeiten

Gerade für verwirrte alte Menschen ist eine Atmosphäre der
Wärme und des Angenommenseins, eine Atmosphäre, in der man
versucht, sie zu verstehen, bedeutsam.   In einer konflikt-
behafteten, hektischen und Ängste schürenden Situation bleiben
Trainingsprogramme zur Stabilisierung geistiger Fähigkeiten (z.B.
Realitäts-Orientierungs-Training / ROT) erfolglos. Gerade für diesen Personenkreis gilt: 'Liebe ist der Anfang des Wissens!'

5. *Viele Sinne ansprechen*

Sprechen Sie beim Training geistiger Fähigkeiten mehrere Sinne an (Sehen, Hören, Fühlen, Riechen, Schmecken), so dass unterschiedliche Behinderungen kompensiert werden können.

6. *Mit den Fähigkeiten arbeiten*

Arbeiten Sie mit den noch vorhandenen Fähigkeiten der Teilnehmer und greifen Sie die Kompetenzen auf, die in der Biografie der alten Menschen bedeutsam waren.

7. *Eindeutigkeit*

Drücken Sie sich klar, deutlich und verständlich aus! Achten Sie darauf, dass verbale und nicht-verbale Äußerungen sich nicht widersprechen. Die Beteuerung, dass "alles in Ordnung" ist, wirkt unglaubwürdig, wenn Stimmlage und Körperhaltung das Gegenteil verraten. Gerade verwirrte Menschen reagieren hier häufig sehr sensibel. Die Hoffnung, dass die Betroffenen dies alles "ja doch nicht mitbekommen" erfüllt sich bestimmt nicht!

☞ Kap. 7.4.2
S. 188
Kongruenz

Vorschlag für die Struktur eines Gruppentreffens

Claudia Morgalla-Pfennig (1990a, S. 16) betont die Notwendigkeit, den Ablauf eines Gruppentreffens über einen längeren Ablauf hinweg beizubehalten, um für die Teilnehmer eine stabile Situation zu schaffen und ihnen Orientierungsmöglichkeiten zu vermitteln.

Die folgenden Punkte sollten bei der Gestaltung eines Gruppentreffens Beachtung finden :

1. *Individuelle Begrüßung durch den Leiter / die Leiterin*

Jeder einzelne Teilnehmer und jede Teilnehmerin sollte individuell begrüßt werden. Die persönliche Ansprache mit dem Namen und das Reichen der Hand vermitteln den Senioren das Gefühl, von der Leitung akzeptiert und geschätzt zu werden. Darüber hinaus bietet sich im Rahmen dieser kleinen Ansprachen immer die Möglichkeit, auf das Erscheinungsbild (das neue Kleid, die schöne Frisur, ...) einzugehen und nach dem Befinden zu fragen. Dies alles wendet den Blick auf die eigene Person und spricht den Wirklichkeitssinn an.

2. Gemeinsame Begrüßung untereinander

Die Teilnehmer sollten sich gemeinsam durch Fassen an den Händen begrüßen. Zum einen wird solchermaßen das Gruppen- / Wir-Gefühl bestärkt : Auf eine zwanglose Art und Weise kann der Kontakt zum Nachbarn bzw. zur Nachbarin aufgenommen werden, Darüber hinaus setzt diese gemeinsame Begrüßung einen deutlichen Beginn der Gruppenstunde und signalisiert : Jetzt geht es los!

3. Einleitung : Körperliche Aktivierung (vorgeschlagene Dauer: 5 bis 10 Minuten)

Unterstützt durch eine Geschichte, sollte eine Übung zur körperlichen Aktivierung die Sitzung einleiten. Ein solcher Einstieg ermöglicht allen Beteiligten, sich gleich zu beteiligen, wodurch eine gewisse Unsicherheit gar nicht erst aufkommt. Um nicht nur den Körper zu aktivieren, sondern auch die Fantasie anzuregen, hat es sich bewährt, die Übung in eine kleine Geschichte (z.B. "Wir pflücken Äpfel und Birnen") einzubetten. Die körperliche Aktivierung erscheint so auch nicht losgelöst von den anderen Angeboten, sondern lässt sich in das Thema (hier z.B.: "Wir bereiten einen Obstkuchen") integrieren.

4. Hauptteil / Teil 1 (vorgeschlagene Dauer: 25 bis 35 Minuten)

Der Hauptteil der Sitzung bietet Möglichkeiten zu einer intensiven Auseinandersetzung mit der Sache. Hierbei kann es sich um ein Gespräch, um ein Spiel, ein musikalisches Angebot oder um manuelles Tun handeln. Unterschiedliche Ziele können verfolgt und verschiedene Fähigkeiten der alten Menschen angesprochen werden. - In unserem Beispiel könnte so die Zubereitung des Obstkuchens in Angriff genommen werden.

5. Pause (vorgeschlagene Dauer: 5 Minuten)

In einer kurzen Pause - in der die Gelegenheit zu einem kleinen Imbiss bestehen sollte - können sich die Teilnehmer und Teilnehmerinnen nach der längeren Konzentrationsphase entspannen. Beim gemeinsamen Essen können wichtige und unwichtige Ereignisse beredet werden; aktuelle Neuigkeiten aus dem Umfeld bieten immer wieder Gelegenheit zu "Klatsch und Tratsch".

6. *Hauptteil / Teil 2 (vorgeschlagene Dauer: 5 bis 10 Minuten)*

Sofern die Zeit noch ausreicht und das Konzentrationsvermögen der Teilnehmer und Teilnehmerinnen dies noch zulässt, kann anschließend nochmals das Sachthema in einem Gespräch oder einem Spiel aufgegriffen werden. Ob dies sinnvoll und möglich ist, können Gruppenleiter bzw. Gruppenleiterin jeweils nur im Einzelfall abwägen. In unserem Beispiel könnten z.b. die mit dem Kuchenbacken verbundenen Erinnerungen ausgetauscht werden.

7. *Abschluss*

Zum Abschluss sollten die Gedanken der Teilnehmer nochmals durch eine Geschichte oder ein Gedicht angeregt werden. Je nach Interesse können die Senioren sich hierüber austauschen oder ihre Ideen mit nach Hause nehmen Es versteht sich von selbst, dass an dieser Stelle keine allzu schwierigen Themen aufgegriffen werden sollten, die u.U. beunruhigen und nicht mehr aufgefangen werden können.

8. *Abschied*

Wenn die Teilnehmer sich zum Abschied nochmals an den Händen halten und gemeinsam aktiv werden, so wird hier nochmals die Gruppe als Gemeinschaft betont und ein eindeutiger Schlusspunkt gesetzt.

Planen Sie eine Gruppenstunde mit verwirrten alten Menschen zu einem Thema Ihrer Wahl. - Überlegen Sie sich, wie Sie die 8 Schritte nach Claudia Morgalla-Pfennig umsetzen würden.

 ?

 !

Lehrzielkatalog

Sie sollen ...

		vergl. Seite
1	vier Merkmale aufzählen können, die einer sozialen Gruppe zukommen	176
2	erklären können, was unter der *Disengagement-Theorie* zu verstehen ist	176 f
3	drei Einschränkungen der *Disengagement-Theorie* nennen und erläutern können	177
4	drei Erfahrungsmöglichkeiten nennen können, die die Gruppe dem Einzelnen bietet	178
5	sieben verschiedene Gruppenformen unterscheiden, aufzählen und beschreiben können	179 f
6	die unterschiedlichen Schwerpunkte von Fortbildungs-, Supervisions- und Balint-Gruppen-Angeboten beschreiben können	180 f
7	zwischen offenen, halb offenen und geschlossen Gruppen unterscheiden können	182
8	erläutern können, was bei der Veranstaltungsplanung hinsichtlich • Zeitplanung, • Gruppengröße und • Gruppenzusammensetzung zu beachten ist	183 ff
9	den Begriff *Grenze des emotionalen Ausdehnungsvermögens* erklären können	184
10	zwischen *homogenen* und *heterogenen Gruppen* unterscheiden und diese beschreiben können	185
11	drei unterschiedliche Führungsstile aufzählen und erläutern können, inwieweit sie sich voneinander unterscheiden	187
12	drei Fähigkeiten nennen und beschreiben können, mittels derer ein Gruppenleiter ein angstfreies Gruppenklima schaffen kann	188 ff
13	zwei Gründe nennen können, warum in neuen Gruppen zu Beginn häufig Unsicherheit und Ängstlichkeit zu beobachten sind	191
14	erklären können, welche Bedeutung dem Kennenlernen bei der Integration in eine neue Gruppe zukommt	191
15	die Begriffe *Übertragung* und *Gegen-Übertragung* erläutern können	191 ff
16	zwei grundsätzlich unterschiedliche Übertragungen des Betreuers auf den alten Menschen beschreiben können	192
17	zwei grundsätzlich unterschiedliche Übertragungen des alten Menschen auf den Betreuer beschreiben können	192, 194

		vergl. Seite
18	erklären können, was in der *themenzentrierten Interaktion* unter • ICH, • ES und • WIR und UMFELD zu verstehen ist	195 f
19	darlegen können, in welchem Verhältnis sich diese Faktoren zueinander befinden sollten	196 f
20	erklären können, was die Formulierung "Sei Dein eigener Chairman" bedeutet	197
21	erklären können was die Formulierung "Störungen haben Vorrang" bedeutet	197
22	acht allgemeine gruppengeragogische Grundsätze nach Wolfgang Joppig aufzählen und erläutern können	199 ff
23	beschreiben können, inwieweit *Verwirrtheit* eine *existenzielle Bedrohung* darstellt	202
24	fünf Reaktionsformen beschreiben können, wie Betroffene mit dieser Bedrohung umgehen	202 f
25	sieben Grundsätze für die Gruppenarbeit mit verwirrten alten Menschen - nach Claudia Morgalla Pfennig - aufzählen und erläutern können	203 ff
26	die achtgliedrige Verlaufsplanung, die Claudia Morgalla-Pfennig für die Durchführung von Gruppenarbeit mit verwirrten alten Menschen vorschlägt, beschreiben können	205 ff

Kapitel 7: Literaturverzeichnis

Bechtler, Hildegard [Hrsg.] (1993)
Gruppenarbeit mit älteren Menschen; Freiburg im Breisgau,
1993 (2. Aufl.)

Burger, Hubert (1990)
Supervision - Wenn das Miteinander gestört ist
in. Altenpflege, Heft 8/1990

Cohn, Ruth (1988)
Von der Psychoanalyse zur
Themenzentrierten Interaktion
Stuttgart, 1988

Hirsch, Rudolf D. (1986)
Balint-Gruppenarbeit in der Al-
tenhilfe
Reihe "Vorgestellt"; KDA-Köln;
Folge 34, Oktober, 1986

Joppig, Wolfgang (1990)
Gruppenarbeit mit Senioren
Köln, 1990

Kemper, Johannes (1989)
Was heißt altern? - Psychothera-
pie in der zweiten Lebenshälfte
München, 1989

Kirchner, Helga (1993)
Supervision: Zauberformel oder
reale Hilfestellung?
in: Altenpflege, Heft 6 / 1993

Morgalla-Pfennig, Claudia (1990)
Sozialpädagogische Gruppenarbeit mit verwirrten alten Menschen im Heim; Teil 1: Bedeutung und Konzept; in: Mitteilungen zur Altenhilfe 1/1990

Morgalla-Pfennig, Claudia (1990a)
Sozialpädagogische Gruppenarbeit mit verwirrten alten Menschen im Heim; Teil 2: Methoden
und Inhalte; in: Mitteilungen zur
Altenhilfe 2/1990

Munnichs, Joep; Janmaat, Han F. J. (1980)
Vom Umgang mit älteren Menschen im
Heim
Freiburg im Breisgau, 1980 (3. Aufl.)

Petzold, Christa (1995)
Hilfe zur Selbsthilfe - Mit Supervision
den Überblick gewinnen
in: Altenpflege, Heft 2 / 1995

Pfaff, Willi; Huber, Angela (1993)
Gruppenarbeit in einem Begegnungszentrum für ältere Menschen
in: Bechtler, 1993

Radebold, Hartmut; Bechtler, Hildegard;
Pina, Ingeborg (1984)
Therapeutische Arbeit mit älteren Men-
schen
Freiburg im Breisgau, 1984

Radebold, Hartmut; Rassek, Michael;
Schlesinger-Kipp, Gertraud; Teising,
Martin (1987)
Zur psychotherapeutischen Behand-
lung älterer Menschen
Freiburg im Breisgau, 1987)

Rasehorn, Eckart; Weitzel-Polzer, Esther
(1986)
Neue Wege der Pflege und Betreuung
verwirrter alter Menschen im Heim
Frankfurt, 1986

Wingchen, Jürgen (2000)
Kommunikation und Gesprächsführung
für Pflegeberufe
Hagen, 2000

Wössner, Jakobus (1974)
Soziologie
Wien u.a.O., 1974 (6. Aufl.)

8 Aktivierung und Motivation

Aktiv sein bedeutet so viel wie tätig sein, geschäftig, lebendig oder zielstrebig sein. Jemanden zu aktivieren heißt demnach so viel wie ihn bewegen aktiv zu sein, tätig zu werden.

8.1 Aktivierung und Aktivität

In der Psychologie bezeichnet Aktivität das Tätigsein einer Person, das durch innere Bedingungen ausgelöst wird. Zwar kann für die betreffende Tätigkeit durchaus ein äußerer Anlass bestehen, aber die Energie zum Tätigwerden liegt in der Person selbst. *Der Mensch tut niemals nichts!* Denken, Grübeln, Tagträumen sind ebenfalls als Formen von Aktivitäten aufzufassen.

Die Vertreter der so genannten *Aktivitätstheorie* gehen von der Annahme aus, dass nur derjenige sich als glücklich und zufrieden erlebt, der von anderen gebraucht wird, etwas zu leisten vermag und aktiv ist. Ein Rollen- und Funktionsverlust ist demnach einem glücklichen Altern abträglich.

Aktivitäts-theorie

Bei genauerer Betrachtung zeigt sich aber, dass im Alter weniger ein genereller Rollenverlust als vielmehr eine Rollen-Umstrukturierung zu verzeichnen ist. So wird z.B. die Rolle des 'Ehepartners' intensiviert, die Kontakte zu Bekannten werden verstärkt, die 'Angelegenheiten des bürgerlichen Lebens' werden wichtiger, Hobbys gewinnen wieder an Bedeutung.

Die Aktivität eines Menschen kann sich auf vier Ebenen vollziehen (vergl. Rosenmayr, 1976, S. 255):

Aktivitäts-ebenen

- So steht der Einzelne in Beziehung zu abstrakten gesellschaftlichen Institutionen wie Sozial- und Krankenversicherung, 'öffentlicher Fürsorge' und Interessenvertretungen, von denen u.U. materielle Güter und Dienstleistungen zur Verfügung gestellt werden.

Abstrakte gesellschaftliche Institutionen

- Darüber hinaus ist er in soziale Institutionen wie Firmen, Arbeitsgruppen und Vereine eingebunden.

Soziale Institutionen, Gruppen

Mit dem Begriff *Institution* wird in diesem Zusammenhang die Form von Verhaltensmustern, die in konkreten *Gruppen* von Menschen ausgeführt werden, bezeichnet. Somit sind beide Begriffe untrennbar miteinander verbunden. Eine Familie bzw. ein Arbeitsteam sind somit *Institutionen*; Familie Maier (Herr Maier und Gattin, drei Kinder) bzw. "Pflegeteam / Station 3 in Seniorenzentrum *Haus Sonnenschein*" (Stationsleitung *X*, Stellvertretung *Y*, 14 Mitarbeiter) sind *soziale Gruppen*: *Gruppen* sind Ausführungsorgane *institutionalisierter* Verhaltensmuster (vergl. Wössner, 1974, S. 180).

Statuszuweisende Personen

Autokommunikation

- Ferner steht er in wechselseitiger Beziehung zu ganz konkreten Personen, die ihm Status und Anerkennung verleihen.

- Letztlich steht er aber auch in einem permanenten Austausch mit sich selbst. Er kann über seine momentanen oder vergangenen Erfahrungen nachdenken, von besseren Zeiten träumen und seine 'Fantasie spielen lassen'.

Auch die scheinbar sinnlosen Aktivitäten verwirrter alter Menschen vollziehen sich vor einem, dem Betreuer nicht einsichtigen, Hintergrund. Sie sind Formen von Aktivitäten, von 'aktiv sein'.

Mit zunehmendem Alter sind möglicherweise Einschränkungen auf den ersten drei Ebenen zu verzeichnen:

- Die Kontakte zu abstrakten gesellschaftlichen Institutionen werden dem alten Menschen - oft gut gemeint abgenommen.

  Der Kontakt zum Sozialhilfeträger, zur Renten- oder Krankenversicherung, zu Banken oder vergleichbaren Einrichtungen, zu denen Beziehungen unterhalten werden, wird von Kindern oder professionellen Helfern (z.B. Sozialarbeitern) abgewickelt.

- Die Teilnahme an sozialen Gruppen scheitert u.U. bereits an körperlichen Behinderungen. Andere Institutionen wie Betriebs- und Arbeitsgruppen stehen den aus dem Berufsleben Ausgeschiedenen nicht mehr offen.

- Auch die Beziehungen zu Status und Anerkennung verleihenden Personen ist häufig deutlich eingeschränkt:

  - Mit zunehmendem Alter sind zwangsläufig immer mehr Todesfälle im eigenen Freundes- und Bekanntenkreis zu verzeichnen; und mit jeder Beziehung stirbt auch ein Teil der überlebenden Person: Soziologen sprechen vom sozialen Tod.

  - Ein nach der Berentung verringertes Einkommen bzw. ein nach Heimunterbringung und Kostenübernahme durch den zuständigen Sozialhilfe-Träger zur Verfügung gestellter

'Barbetrag zur freien Verfügung' machen den alten Menschen als Sozial-Partner unattraktiv: Er ist nicht mehr in der Lage einzuladen und kleine Geschenke zu machen.

- Angehörige aber auch professionelle Helfer, wie das Pflegepersonal, vermeiden oft den Kontakt mit Sterbenden. Noch vor dem organischen Tod sind sie sozial ausgegliedert.

- Auch in diesen Fällen findet noch 'Aktivität' auf einer individuellen, innerpsychischen Ebene statt. Diese kann aber den Bereich sozialer Kontakte kaum vollständig ersetzen!

Welche Möglichkeiten sehen Sie, dass alte Menschen Kontakte
- zu gesellschaftlichen Institutionen
- zu sozialen Gruppen
- zu Anerkennung aussprechenden Personen
aufrechterhalten können.

 ?
 !

Die Absicht hier zu aktivieren bedeutet aber, ein bestehendes 'Aktiv-Sein' durch eine ganz bestimmte, von außen vorgegebene Aktivität zu ersetzen, die den augenblicklichen Wünschen des Betroffenen u.U. entgegenläuft.

Exkurs 6:
Autogenes Training mit alten Menschen

Die Erkenntnis, dass es auch Formen einer 'ruhigen' Aktivität gibt, dass die Ergebnisse einer Aktivierung sich nicht sofort in beobachtbaren Aktionen niederschlagen müssen, führte dazu, dass auch das autogene Training und andere Entspannungsübungen Einzug in die Angebotspallette in der Seniorenarbeit hielten.

"Ruhige" Aktivitäten

Hier geht es nicht darum, kranke oder behinderte ältere Menschen durch Sport- oder Fitnessangebote - so weit es geht - wieder auf Leistungskurs zu trimmen (vergl. Hespos, 1991, S. 417), vielmehr sollen die Teilnehmer zur körperlichen und seelischen Entspannung geführt werden.

Objektiver und
subjektiver
Gesundheits-
zustand
☞ Kap. 6.1.2
S. 151

Es ist hinreichend bekannt, dass ältere Menschen oft unter mehreren Erkrankungen gleichzeitig leiden (Multimorbidität) und dementsprechend auch häufiger stationärer oder ambulanter Behandlung bedürfen. Ein großer Teil der Senioren schätzt aber den eigenen Gesundheitszustand subjektiv besser ein, als es den objektiven Diagnosen entspricht. Interessanterweise weist die subjektive Einschätzung des Gesundheitszustandes einen stärkeren Zusammenhang mit der weiteren Lebenserwartung auf, als der objektive ärztliche Befund.

Hier wird die Wichtigkeit des subjektiven körperlichen und seelischen Wohlbefindens auch für die objektive Gesundheit bzw. Lebenserwartung deutlich!

☞ Kap. 2.2.1
S. 15 ff

Es hängt nicht nur von den - mit dem Altern einhergehenden - morphologischen und physiologischen Veränderungen bzw. den veränderten psychosozialen Umwelteinflüssen ab, ob es im höheren Alter zu Krankheiten, Funktionsstörungen, Missempfindungen und Beschwerden kommt. Es ist ebenso bedeutsam, ob der Organismus noch über genügend physische und psychische Kompensations- oder Widerstands-Kräfte verfügt (vergl. Hirsch, 1987, S. 417). Diese Kräfte zu stärken und zu stabilisieren ist eine der vorrangigsten Aufgaben der Interventionsgerontologie

Entspannung - das ist in einer Zeit, in der Stress allgegenwärtig scheint, fast ein Zauberwort geworden. Viele Magen-Darm- und Kreislauf-Erkrankungen sind - zumindest teilweise - auf seelische Ursachen zurückzuführen. Die Psycho-Immunologie, ein noch recht junger Wissenschaftszweig der Medizin, konnte nachweisen, dass Stress sich negativ auf das Immunsystem auswirkt. Dies hat Folgen bezüglich der Anfälligkeit gegenüber Infektionskrankheiten, wird aber auch im Rahmen der Behandlungsmöglichkeiten bei Krebs-Therapien bedeutsam.

"Erlernbare"
Entspannung

Das bekannteste 'erlernbare' Entspannungsverfahren ist zweifelsohne das 'autogene Training', das der Berliner Nervenarzt. Dr. Dr. Schulz in den Zwanzigerjahren des vorigen Jahrhunderts entwickelte. Schulz stellte im Rahmen von Hypnosetherapien fest, dass seine Patienten zum Beginn der Trance Wärme- und Schweregefühle wahrnehmen konnten. Er zog daraus den Umkehrschluss, dass bestimmte Körper-Wahrnehmungen einen, der Hypnose vergleichbaren, Zustand der Entspannung einleiten können.

Ältere Menschen sind häufig motivierter, das autogene Training zu erlernen als jüngere und es ist ihnen auch keinesfalls schlechter zu
vermitteln. Die älteren Teilnehmer klagen auch nicht häufiger über
Missempfindungen beim Üben und sie nehmen die Übungen sehr
ernst und wichtig.

Ältere und
jüngere Teil-
nehmer

Eine Durchführung in Gruppen kommt dem Bedürfnis nach sozialen
Kontakten entgegen. Manchmal gehen die Teilnehmer nach den Veranstaltungen, gemeinsam oder in Gruppen, noch zu anderen Aktivitäten (z.B. zum Essen), so dass auch einer möglichen sozialen Isolation vorgebeugt wird.

Teilnehmer-
Erwartungen

Ältere Teilnehmer erwarten vom autogenen Training - ebenso wie
jüngere! - zunächst Beruhigung und Entspannung. Während jüngere
Teilnehmer darüber hinaus eine Verminderung von vegetativen Störungen und eine Verbesserung der Konzentrationsfähigkeit erhoffen,
erwarten Ältere eher eine Verbesserung des Allgemeinbefindens und
eine Verminderung von Schlafstörungen.

Das autogene Training, wie es in Kursen immer wieder angeboten
wird, setzt sich aus zwei Grund- und vier Organübungen zusammen.
Während der Grundübungen wird der Körper zunächst als schwer,
dann als warm empfunden. Die Entspannung der Muskulatur wird als
Schwere, die Entspannung und Erweiterung der Gefäße wird als
Wärme wahrgenommen.

der Übungs-
aufbau

Im Rahmen von drei Organübungen wird durch das Erleben des eigenen Atems, des eigenen Herzschlags und eine Konzentration der
Wärme im Bauchraum die Entspannung intensiviert.

Die vierte Organübung - die Wahrnehmung der kühlen Stirn - wirkt,
ähnlich einer kühlen Stirn-Kompresse in einem warmen Vollbad, körperlich beruhigend und entspannend, geistig aber anregend. Sie empfiehlt sich nicht, wenn die Teilnehmer nach der Übung schlafen wollen; sie ist hingegen besonders dann geeignet, wenn anschließend
konzentriert gearbeitet werden soll.

Diese sechs Übungen werden als die so genannte Grundstufe oder
Unterstufe des autogenen Trainings bezeichnet: Die Teilnehmer erlernen selbstständig in einen Entspannungszustand zu kommen, der
für Schulz die Voraussetzung für die eigentliche psychotherapeutische Arbeit (die Oberstufe des autogenen Trainings) war.

Grund- und
Oberstufe des
autogenen
Trainings

Diese Arbeit gehört nur in die Hand des erfahrenen Arztes oder Psychotherapeuten und soll hier nur der Vollständigkeit halber erwähnt werden.

Da es sich beim autogenen Training um eine Form der Selbstentspannung handelt (die Übenden selbst führen den Zustand der Entspannung herbei) werden in der Regel die einzelnen Übungsformeln auch nicht vorgesprochen. Dies könnte zu einer Abhängigkeit vom Trainer führen: Der angestrebte Entspannungszustand könnte sich u.U. nur bei seiner Anwesenheit und seiner sprachlichen Anweisung einstellen. Folgerichtig müsste dann von (Fremd-) Hypnose und nicht von Selbstentspannung gesprochen werden.

Ältere Teilnehmer wünschen vielfach, dass die Formeln am ersten Tag vorgesprochen werden, was das Erlernen erleichtert. Da anschließend zu Hause alleine geübt wird, ist dies beim ersten Mal zulässig.

8.2 Motivation und Motivierung

Das Wort *Motiv* ist von dem lateinischen Wort *movere*, was so viel wie "sich bewegen" heißt, abzuleiten.

Die Beweggründe bzw. die Ursachen für das Verhalten einer Person, werden gewöhnlich als *Motiv* bezeichnet. Das Verhalten selbst ist beobachtbar; die dem Verhalten zu Grunde liegenden Motive jedoch nicht. Sie müssen erst erschlossen werden.

Beim Anblick eines essenden Menschen ist zunächst nur die Nahrungsaufnahme wahrzunehmen. Die Gründe hierfür können durchaus unterschiedlicher Natur sein: Möglicherweise ist die betreffende Person hungrig; vielleicht ist sie aber auch satt und genießt ein bestimmtes Nahrungsmittel mit einem ganz bestimmten Geschmack. Denkbar ist auch, dass das Essen zweitrangig ist, dass vor allem die Gesellschaft und die gemütliche Atmosphäre anspricht.

8.2.1 Motive und Bedürfnisbefriedigung

Die inneren Beweggründe, die für das Verhalten eines Menschen verantwortlich sind, können als "Bedürfnisse", "Triebe", "Wollen", "Wünsche" - oder eben als *Motive* bezeichnet werden.

Obwohl die Begriffe häufig gleichbedeutend gebraucht werden, ist es sinnvoll zwischen *Motiven* und *Bedürfnissen einerseits und der Motivation* andererseits zu unterscheiden. Ein Motiv als Bedürfnis ist durch einen Mangel bestimmt; Motivation beschreibt den Antrieb, die Bereitschaft zum Handeln (zum Beseitigen des Mangels) in dieser Situation. So sind wir einerseits hungrig (Mängelsituation), andererseits sind wir motiviert (Handlungsbereitschaft) zu essen (vergl. Willig u. a., 1996, S. 189).

Motive und Motivation

MOTIV ⇨ VERHALTEN ⇨ ZIEL (Bedürfnisbefriedigung)

Zu unterscheiden sind primäre und sekundäre Bedürfnisse.

- Primäre Bedürfnisse sind biologischen Ursprungs, z.b.: Schlaf, Hunger, Durst, Sexualität.

- Sekundäre Bedürfnisse sind psychischen bzw. sozialen Ursprungs und werden im Lauf der Entwicklung im Umgang mit anderen Menschen erlernt, z.b.: soziale Anerkennung, Selbstverwirklichung, Sicherheit, Geborgenheit.

Primäre und sekundäre Bedürfnisse

8.2.2 Die Bedürfnis-Pyramide nach Maslow

Der Amerikaner Abraham Maslow ordnete die menschlichen Bedürfnisse in einer Hierarchie, die häufig als Maslow`sche Bedürfnispyramide dargestellt wird. Sind die Bedürfnisse einer unteren Stufe befriedigt, wendet sich das Individuum denen der nächst höheren Stufe zu.

Sind z.B. die grundlegenden physiologischen Bedürfnisse (wie Hunger und Durst) [Stufe 1] befriedigt, so tritt auf der nächst höheren Stufe das Bedürfnis nach Sicherheit [Stufe 2] in den Vordergrund. Es folgen die sozialen Bedürfnisse (Liebe und Zugehörigkeit) [Stufe 3] und schließlich die Bedürfnisse nach Wertschätzung [Stufe 4] und nach Selbstverwirklichung [Stufe 5].

Vorübergehend können Bedürfnisse einer 'unteren Stufe' auf einer höheren kompensiert werden; so ist es möglich, Hunger und Durst vorübergehend in Kauf zu nehmen, um höhere Ziele zu erreichen.

Abb. 21

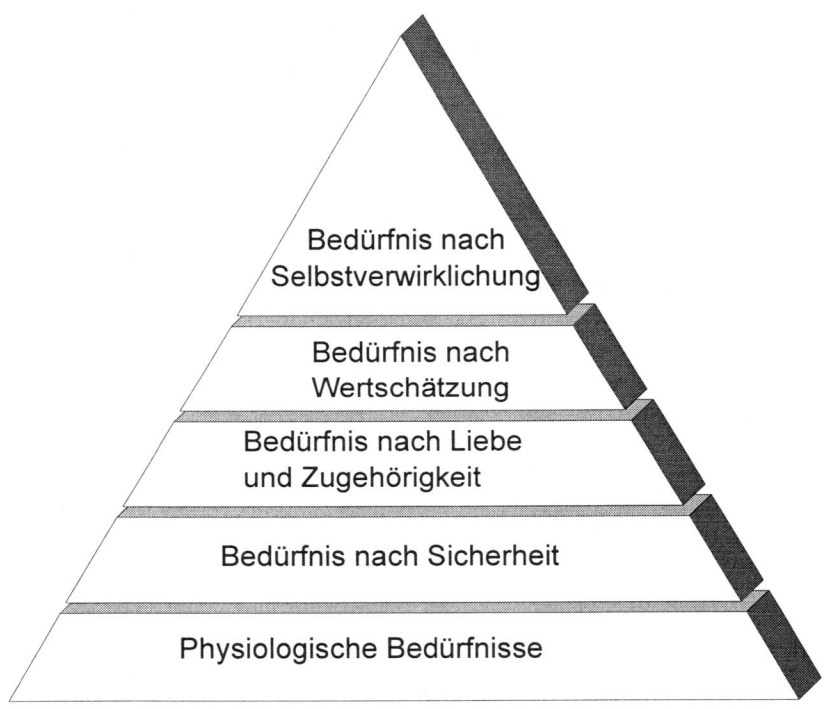

Bedürfnis-Pyramide nach Maslow

1. Stufe

Die *physiologischen Bedürfnisse* sichern das 'nackte Überleben'. Es geht um die Grundversorgung mit Essen, Trinken und Sauerstoff sowie die Sicherung der Raumtemperatur. Aber auch Bedürfnisse, die wir im Allgemeinen nicht bewusst registrieren, sind dieser Stufe zuzuordnen. Denken Sie an die Bedürfnisse nach Hautkontakt, nach Berührung, nach "Streicheleinheiten".

Auch ein Mensch mit erstklassiger Versorgung an Essen und Trinken, in einer optimalen Atmosphäre und Raumtemperatur, wird krank, wenn das elementare Bedürfnis nach Hautkontakt vorenthalten bleibt.

Die anderen Sinne sind ebenso stimulierungs-bedürftig wie die Haut; und wenn wir auf die Hierarchie der Bedürfnisse nach Maslow schauen, verwundert es auch wenig, wenn in Studien festgestellt wurde, dass der Entzug sensorischer Reize (Reiz-Deprivation) sich negativer auf das Befinden älterer Menschen auswirkt als eine Einschränkung der Sozialkontakte, die auf einer höheren Stufe angesiedelt sind und die Befriedigung der unteren Stufen 'voraussetzt'.

Solange das physiologische Fundament der Pyramide noch nicht gelegt ist, interessieren die 'höheren' Stufen noch nicht. So ist ein erschöpfter, müder, von Schmerzen geplagter Mensch auch kaum zur Kommunikation oder Gruppenaktivität zu bewegen. Wichtiger ist, das Fundament 'abzusichern'.

Welche physiologischen Bedürfnisse befriedigen Sie im Rahmen Ihrer Tätigkeit? Welche physiologischen Bedürfnisse bleiben unbefriedigt? Sehen Sie Möglichkeiten, diese zu befriedigen?

Sind die physiologischen Bedürfnisse befriedigt, tritt das **Bedürfnis nach Sicherheit** in den Vordergrund, das allgegenwärtig ist: 2. Stufe

- Wir möchten unser Eigentum vor unbefugtem Zugriff sichern und schließen unsere Wohnung ab.

- Wir möchten finanziell abgesichert sein und schließen 'Renten-' und 'Lebens-Versicherungen' ab oder Verzinsen unser Geld.

- Wir möchten unsere Zukunft planen können, und halbwegs wissen, was uns morgen erwartet.

- Wir möchten wissen, wo wir uns wann befinden. Die Sicherheit der Orientierung in Raum und Zeit ist sehr bedeutsam.

Denken Sie an das ungute Gefühl, wenn Sie nachts aufwachen und die Uhr ist stehen geblieben; denken Sie an die Angst bei Fahrten im Nebel, wenn jede Orientierung aufhört; oder stellen Sie sich vor wie Sie empfinden, wenn Sie nachts in einem unbekannten Waldstück ausgesetzt werden. Die Orientierungs-Probleme eines nicht-orientierten / desorientierten Menschen sind vergleichbar, aber gravierender, da sie zeitlich unbegrenzt sind.

😞 ?

😊 !

> Mit welchen Sicherheitsbedürfnissen alter Menschen werden Sie in Ihrer Arbeit konfrontiert?
> Welche Hilfestellungen können Sie anbieten?

3. Stufe

Auf der nächst-höheren Stufe sind die **Bedürfnisse nach Liebe und Zugehörigkeit** angesiedelt. Liebe und Zugehörigkeit erfahren wir in Gruppen, in die wir hineingeboren werden (Familie) oder später hineinwachsen. Hier findet der Einzelne Geborgenheit, "er weiß, wo er hingehört".

😞 ?

😊 !

> In welchem Ausmaß werden Bedürfnisse der 3. Stufe bei den alten Menschen, die Sie kennen lernten, befriedigt?
> Sehen Sie die Notwendigkeit und ggf. die Möglichkeit hier zu helfen?

☞ **Kap. 7**
S. 176 ff

Hier ist bereits die große Bedeutung der Gruppenarbeit begründet.

Auch wenn die physiologischen Bedürfnisse, sowie solche nach Sicherheit und Gruppenzugehörigkeit zunächst befriedigt sind, bleibt ein

4. Stufe

weiteres - **das Bedürfnis nach sozialer Anerkennung und Wertschätzung** - zunächst noch unbefriedigt.

😞 ?

😊 !

> In welchem Ausmaß erfahren alte Menschen soziale Anerkennung
> - in unserer Gesellschaft
> - in ihrer Wohnsituation
> - in einem Pflegeheim?

Beim Ringen um die Anerkennung durch die Mitmenschen spielen Statussymbole eine große Rolle. Sie sind im tagtäglichen Leben allgegenwärtig. Überall, wo es um Status, Geld oder Geltung geht, handelt es sich darum, dass die Mitmenschen dem Betreffenden ihre Anerkennung bekunden.

😞 ?

😊 !

> Über welche Statussymbole verfügt der Bewohner / die Bewohnerin eines Altenpflegeheimes?

Ein Mensch, dessen Selbstwertgefühl hinreichend stabil ist, wird auf dieser Stufe nicht Defizite auf einer anderen Stufe kompensieren müssen. Je sicherer er sich fühlt, umso weniger wird er die Bedürfnisse der vierten Stufe übertrieben befriedigen müssen, um möglicherweise Defizite der Stufen zwei und drei zu kompensieren.

Menschen mit einem schwachen Selbstwertgefühl, die sich unsicher, ungeliebt und keiner Gruppe zugehörig fühlen, werden umso mehr um ihre Anerkennung kämpfen; ihr Handeln wird weniger vom logischen, schlussfolgernden Denken, als vielmehr von Kampf- oder Fluchtverhalten bestimmt.

- Sie schreien (Schreien gehört zu den Kampf-Signalen; es soll einschüchtern) oder fliehen.

- Sie versuchen aufzufallen - positiv oder negativ: lieber eine negative Anerkennung als gar keine!

- Sie beziehen vieles auf sich, was gar nicht ihre Person betrifft und fühlen sich grundlos angegriffen.

- Macht wird zum Mittel, Anerkennung und Zuwendung zu erhalten. Diese Macht kann auch sehr subtil eingesetzt werden, indem das eigene Leiden als Mittel eingesetzt wird, andere zu einem bestimmten Verhalten zu nötigen.

Konnten sie diese oder ähnliche Verhaltensweisen im Rahmen Ihrer Arbeit feststellen?

Die Stufen 1 bis 4 werden auch als **Defizit-Motive** beschrieben: Das Verhalten des Einzelnen dient dazu, einen bestimmten Mangelzustand auszugleichen. Auf der fünften Stufe tritt das **Bedürfnis nach Selbstverwirklichung** in den Vordergrund.   5. Stufe

Hier geht es nicht darum, ein Defizit zu vermeiden, vielmehr sollen eigene Fähigkeiten zur Geltung gebracht und etwas kreativ (weiter-) entwickelt werden. So können Menschen unglücklich sein, die im Grunde alles haben!

Leistungen werden erbracht, weil sie Freude machen, man wendet sich Interessen zu, weil sie Freude machen. Einem außenstehenden Beobachter ist es meist jedoch nicht möglich zu unterscheiden, ob ein bestimmtes Verhalten der Selbstverwirklichung des Betreffenden dient oder nur gezeigt wird, um Anerkennung und Wertschätzung zu erhalten.

Welche Möglichkeiten der Selbstverwirklichung stehen alten Menschen offen? Können Sie sich selbst in Ihrer Arbeit 'verwirklichen'?

8.2.3 Intrinsische und extrinsische Motivation

... um der Sache willen

Äußere Bedingungen

Ferner können wir zwischen intrinsischer und extrinsischer Motivation unterscheiden! Von intrinsischer Motivation kann man sprechen, wenn eine Person etwas um der Sache selbst willen tut; von extrinsischer Motivation, wenn äußere Bedingungen (Angst vor Strafe, Hoffnung auf Belohnung) ausschlaggebend sind.

So kann ein Patient im Krankenhaus nach einer Oberschenkel-Fraktur, möglicherweise alles tun, um nur wieder Laufen zu können, dann sprechen wir von intrinsischer Motivation; es ist aber auch möglich, dass er immer wieder zur Arbeit mit dem Krankengymnasten aufgefordert und angehalten werden muss, dann sprechen wir von extrinsischer Motivation.

Die Motive für ein Verhalten können sich im Laufe der Zeit verändern; so ist es durchaus denkbar, dass eine Handlung zunächst aufgrund extrinsischer Motivation umgesetzt, dann aber um ihrer selbst willen weitergeführt wird (intrinsische Motivation). Aber auch der umgekehrte Fall ist möglich:

☞ Exkurs 4.2
S. 90 ff

Wird ein intrinsisch motiviertes Tun zusätzlich mit angenehmen Konsequenzen "belohnt", so wird es möglicherweise später um dieser Konsequenzen willen aufrecht erhalten (extrinsische Motivation) und bei deren Ausbleiben eingestellt. Dieses Phänomen, das in mehreren Untersuchungen bestätigt wurde, bedeutet, dass angenehme Konsequenzen eines Verhaltens - in der Lernspsychologie spricht man von positiven Verstärkern - sich auf bestimmte Verhaltensweisen *hemmend* auswirken können.

Philip C. Zimbardo (1983, S.595) stellt die unbelegte Geschichte eines italienischen Schuhmachers vor, der in New York von Straßenjungen immer wieder auf übelste Weise beschimpft wurde. Versuchte der Mann anfangs noch, mit den Jungen zu reden oder ihr Verhalten zu ignorieren, so wurde die Situation doch immer schlimmer. Die Kinder genossen ihr Verhalten, das ihnen sichtlich Spaß bereitete. Schließlich sprach der Schuster die Jungen an und versprach jedem 50 Cent, wenn sie ihn mindestens 10-mal laut öffentlich ausschimpften. Die Jungen gingen auf dieses Angebot nur zu gerne ein, erhielten sie nun auch noch eine Belohnung für ein Verhalten, das ihnen Spaß machte. Am nächsten Tag stellten sie sich wieder pünktlich vor dem Geschäft ein. Der Italiener war aber nur noch bereit 25 Cent zu bezahlen. Einen Tag später wiederholte sich die Geschichte; allerdings bot der Schuhmacher - er verwies auf die "schlechten Geschäfte" - nur noch 10 Cent. Die Straßenjungen sollen sich schimpfend verzogen haben und erklärten, dass sie Wichtigeres zu hätten, als einem "dummen Itaker" für 10 Cent einen Gefallen zu tun.

8.2.4 Motivatoren und Hygienefaktoren

Der Betriebswirt und Managementtrainer Prof. Norbert Harlander (1989, S. 99 ff) unterscheidet im Rahmen seiner Überlegungen zur Mitarbeitermotivation zwischen "Hygienefaktoren" und "Motivatoren". Bereits in den 50er Jahren begründete der Amerikaner Frederik Herzberg (er wird uns im Rahmen des "KITA-Modells der Motivation wieder begegnen) die so genannte "Zweifaktorentheorie der Zufriedenheit". Im Rahmen der so genannten Pittsburgh-Studie wurden Mitarbeiter bezüglich ihrer Bedürfnisse und Motivation am Arbeitsplatz befragt.

☞ Kap. 8.3.2
S. 226

Als so genannte *Motivatoren*, die zu menschlicher Zufriedenheit führen, wurden genannt:

Motivatoren
Zufriedenheit

- *Zufriedenheit* mit der eigenen *Arbeitsleistung* (mit sich selbst zufrieden sein können; sich selbst "auf die Schulter klopfen können"),

- *Anerkennung*, Wertschätzung durch Vorgesetzte,

- interessante *Arbeitsinhalte* mit eigenen Gestaltungsmöglichkeiten

- Wahrnehmung von *Verantwortung*

- die Perspektive von *Aufstiegsmöglichkeiten*

- *Selbstverwirklichung* am Arbeitsplatz

Können Sie diese fünf Kategorien von *Motivatoren* Stufen der Bedürfnispyramide nach Maslow zuordnen?

 ?

 !

So genannte *Hygienefaktoren* führen nicht zur Zufriedenheit, sie vermeiden vielmehr Unzufriedenheit. Ein typischer betrieblicher Hygienefaktor ist die Entlohnung: Ein sicheres Einkommen führt nicht zur Zufriedenheit; andererseits wird sich bei seinem Fehlen Unzufriedenheit einstellen. Als Hygienefaktoren wurden genannt:

- eine gute *Entlohnung*

- *Sicherheit* des *Arbeitsplatzes*

- gute *Arbeitsbedingungen* (ästhetische und technische Ausstattung von Arbeits- und Sozialräumen)

- gutes *Betriebsklima*

- *Status*

- *Unternehmenspolitik* (Unternehmensphilosophie, Image)
  Personalpolitik (soziale Intentionen, Sozialleistungen)

☹ ?
☺ !

> Können Sie diese sechs Kategorien von *Hygienefaktoren* Stufen der Bedürfnispyramide nach Maslow zuordnen?

Zum einen fand Herzberg also direkt mit der Arbeit zusammenhängende Anreize (*Motivatoren*), die im positiven Fall Zufriedenheit bewirken, zum anderen nannten die Befragten Anreize (*Hygienefaktoren*), die mit dem Unternehmen zusammenhängen und die im positiven Fall Unzufriedenheit vermeiden.

☹ ?
☺ !

> Welche der oben beschriebenen Faktoren können als Möglichkeiten extrinsischer Motivation verstanden werden, welche stehen für intrinsische Motivation?
> Welche *Motivatoren* bzw. *Hygienefaktoren* sind im Leben alter Menschen bestimmend?

8.3 Möglichkeiten, andere zu motivieren

Einen Menschen zu motivieren heißt, ihn dazu zu bewegen, ein - von einer anderen Person gewünschtes - Verhalten an den Tag zu legen (vergl. Birkenbihl, 1987, S. 72).

8.3.1 Motivation als Verhaltensänderung

☞ Kap. 8.1
S. 211 ff

Da ein Mensch sich immer 'verhält', niemals nichts tut, ist er ohnehin zu diesem einen Verhalten motiviert. Ihn zu motivieren heißt, auf ihn einzuwirken, dieses Verhalten durch ein anderes zu ersetzen, das darauf hinzielt ein anderes Bedürfnis zu befriedigen. Einen anderen

Menschen zu motivieren bedeutet demnach, dass er veranlasst wird, ein altes Verhalten zu Gunsten eines neuen aufzugeben.

Zwei Beispiele:

- Frau O. möchte Schwester Paula von der schweren Erkrankung ihrer Tochter berichten. Sie weiß nicht mehr, wie sie sich ihrer Familie gegenüber verhalten soll. Die Mitarbeiterin kommt mit einer Kollegin ins Zimmer um die Betten neu zu beziehen.

> Wie wird Frau O. Schwester Paula 'motivieren', sich ihr zuzuwenden?

 ?

 !

- Eine neue Mitarbeiterin geht mit den Terminen für das Kontinenz-Training sehr fahrlässig um. An ihrem alten Arbeitsplatz wurde hierauf gar keinen Wert gelegt.

> Wie kann die Stations- / Pflegedienst-Leitung die neue Mitarbeiterin zu dem gewünschten Verhalten motivieren?

 ?

 !

Da ein Verhalten der Bedürfnis-Befriedigung dient, ist die Frage "Wie motiviere ich eine andere Person?" relativ einfach zu beantworten:

Ein Mensch ist zu motivieren, indem eins seiner unbefriedigenden Bedürfnisse angesprochen und gleichzeitig aufgezeigt wird, durch Einsatz welchen Verhaltens er dieses befriedigen kann (vergl. Birkenbihl, 1987, S. 7).

Für die Praxis bedeutet dies:

- die Bedürfnisse des anderen erkennen

- die Bedürfnis-Befriedigung als Ziel definieren

- das Ziel so präzise wie möglich beschreiben, dass der Betroffene von alleine ein neues Verhalten zeigt, das ihn an sein Ziel bringt oder

- das Verhalten suggerieren, das zu diesem Ziel führt

Bedenken Sie bitte, dass es bei der Motivation darum geht, dem Motivierten zu ermöglichen - mittels eines bestimmten Verhaltens - seine Bedürfnisse zu befriedigen. Bleiben diese unberücksichtigt und es geht nur noch darum, die Absichten des 'Motivierenden' umzusetzen, so kann man nicht von Motivation, sondern nur von Manipulation sprechen.

8.3.2 Positive und negative Motivation

In diesem Zusammenhang ist es auch sinnvoll, von negativer und positiver Motivation zu sprechen.

Negative Motivation heißt: einen Menschen unter Druck zu einem bestimmten Ziel hinbewegen.

- So könnte Frau O. Schwester Paula klarmachen "Wenn Sie noch nicht einmal zwei Minuten Zeit für mich aufbringen können, werde ich mich bei Ihren Vorgesetzten beschweren!", was so viel bedeutet wie "Wenn Sie unnötigen Schwierigkeiten aus dem Weg gehen wollen (Bedürfnis), dann bleiben Sie jetzt einmal für zwei Minuten hier (Verhalten).

- Die / der Vorgesetzte könnte der neuen Mitarbeiterin klarmachen: "Wenn Sie ihre Probezeit bestehen wollen (Bedürfnis), dann orientieren Sie sich gefälligst an der abgestimmten Pflege-(ziel-)planung (Verhalten).

☞ Exkurs 4.2
S. 90 ff

Ein sozialer '"Fußtritt" wird zum mehr oder weniger milden Zwang. Der Strafende muss sich um eine strikte Kontrolle bemühen. Geht es um ein einmaliges Verhalten (wie im Fall von Frau O.), so ist es möglich eine solche Kontrolle auszuüben: Frau O. kann direkt sehen, ob man ihren Wünschen entgegenkommt oder nicht. Für die Stationsleitung ist es aber fast unmöglich, das immer wieder auftretende Verhalten der neuen Mitarbeiterin zu kontrollieren, da sie nicht immer in deren Nähe sein kann.

KITA-
Methode

Der Amerikaner Frederic Herzberg verglich diesen Prozess damit, einen Esel zum Laufen zu bringen, in dem man ihn in sein Hinterteil tritt: Er sprach von der 'KITA'-Methode (englisch: Kick in the Ass: Tritt in den A...).

Karotten-
Methode

"Karotten"-
Methode

Stattdessen empfiehlt Herzberg, dem Esel eine Karotte vors Maul zu halten (positive Motivation): Zur Bedürfnis-Befriedigung wird das Tier sich in Bewegung setzen; vorausgesetzt der Esel mag die Karotten.

> Welche Bedürfnisse der neuen Mitarbeiterin können angesprochen werden, damit sie sich in Zukunft gewissenhafter dem Kontinenztraining zuwendet?

 ?

 !

8.3.3 Seins- und Tunsorientiertheit

Vera F. Birkenbihl (1987, S. 56) unterscheidet zwei grundverschiedene Möglichkeiten elterlicher Zuwendung. So werden manche Kinder um ihrer selbst willen akzeptiert und geschätzt; ihre Eltern vermitteln ihnen, dass sie geliebt werden, weil sie da sind. Vera F. Birkenbihl nennt diese Kinder "seinsorientiert", Erich Hajek (1984, S. 89 f) spricht von "anpassungs-orientiert". Den Anspruch, um ihrer selbst willen akzeptiert zu werden, werden sie auch im Erwachsenenalter nicht ablegen.

Elterliche Zuwendung kann aber auch an die Erfüllung bestimmter Erwartungen geknüpft sein; sie muss erst "verdient" werden. Auch als Erwachsene sind diese "leistungs-" oder "tunsorientierten" Menschen durch ein Lob für Leistungen zu motivieren. Typische "Lebensweisheiten" Tunsorientierter sind:

- Ohne Fleiß kein Preis!

- Von nichts kommt nichts!

- Geduld und Fleiß erringen den Preis!

- Erst die Arbeit, dann das Vergnügen

 ?

> Kennen Sie noch weitere tuns-orientierte "Lebensweisheiten"?

 !

Seins-orientierte Menschen, "die nicht leben um zu arbeiten, sondern arbeiten um zu leben", erwarten hingegen Zuwendung unabhängig von dem Erbringen einer Leistung. Bleibt sie aus, so empfinden sie dies als Missachtung und Kränkung, sie fühlen sich "demotiviert".

Konkrete Leistungen werden dann häufig durch "negative Motivation" (KITA-Methode) erzwungen. Andererseits sind "seins-orientierte" Menschen eher bereit einem Wunsch oder einer Bitte nachzukommen, wenn Sie hierin eine Wertschätzung ihrer eigenen Person erkennen und sie auf diese Weise eigene Wertschätzung zum Ausdruck bringen können (vergl. Hajek, 1984, S. 90).

Seins-orientiert

KITA

Wünsche

In der Praxis ist somit wichtig einschätzen zu können, ob der zu motivierende Partner ein seins- oder tuns-orientierter Mensch ist.

 ?

 !

Erinnern Sie sich noch an die Altenpflegerin, die das Kontinenz-Training vernachlässigte?
Wie würden Sie ein Gespräch mit der Kollegin aufbauen, wenn ihnen bekannt wäre, dass sie ein tuns-orientierter Mensch ist? - Was würden Sie anders machen, wenn Ihnen bekannt wäre, dass Sie ein seins-orientierter Mensch ist?
Konnten Sie im Rahmen ihrer beruflichen Praxis oder Ihrer Praktika das unterschiedliche Auftreten seins- und tuns-orientierter alter Menschen kennen lernen? Würden Sie diesen alten Menschen heute anders gegenübertreten?

8.3.4 Motivation und Verantwortung

Die Palette der Verhaltensweisen, zu denen ältere Menschen motiviert werden sollen, ist groß und reicht beispielsweise von der Fähigkeit, die eigene Zimmertür wieder zu erkennen, bis hin zu der Fähigkeit, selbstständige Reisen zu unternehmen oder brachliegende familiäre oder freundschaftliche Kontakte wieder aufleben zu lassen.

Hierbei muss sich der Motivierende immer seiner Verantwortung bewusst sein, dass er einen anderen Menschen zu etwas bewegen möchte, was dieser zunächst einmal nicht will! Werden hier die eigenen Wünsche und Bedürfnisse über die der alten Menschen gestellt? Ist es sinnvoll einem alten Menschen immer wieder nahe zu legen, Kontakte zu Familienangehörigen aufzufrischen, die vor Jahren bewusst abgebrochen wurden?

Kritisch ist auch zu fragen, ob der alte Mensch die angebotenen Aktivitäten annehmen möchte - oder nicht. Überlegungen, die sich darauf reduzieren, neben Essen und Schlafen noch etwas Häkeln, Stricken, Karten- oder 'Mensch-ärgere-dich-nicht'-Spielen anzubieten, gehen u.U. an den tatsächlichen Bedürfnissen der Betroffenen vorbei und wir können nicht erwarten, dass die alten Menschen solche 'gutgemeinten' Angebote auch noch dankbar annehmen müssen.

8.3.5 Der Motivation förderliche Rahmenbedingungen

Wenn diese Fragen beantwortet sind, taucht die Frage auf, ob mögliche Rahmenbedingungen zu schaffen sind, die der Motivation förderlich sind. Vier Einflussfaktoren sind hier zu unterscheiden:

Personale Motivierung
Körperhaltung, Kleidung, Auftreten und Stimmlage eines Betreuers haben bereits eine Wirkung auf den alten Menschen.

* Wie wirkt ein jugendlicher Helfer, der auf eine alte hörbehinderte Dame, die er um Haupteslänge überragt, mit verzerrtem Gesicht hinunterschreit?

* Wie wirkt eine Pflegekraft mit einem flotten Liedchen auf den Lippen auf einen depressiv verstimmten oder trauernden alten Menschen?

Sprachliche Motivierung
Tonfall und Wortwahl entscheiden bereits darüber, wie eine Anregung aufgenommen wird. Klingen wir verständnisvoll oder fordernd, respektiert die Wortwahl die Würde des Gegenübers?

Biografische Motivierung
Es ist wichtig, dass der alte Mensch einen Bezug zu den Handlungen und Aktivitäten her kann, zu denen er motiviert werden soll. So wird ein von seiner Ehefrau verwöhnter Witwer kaum Interesse an 'hausmännischen' Fertigkeiten entwickeln; eine Hausfrau, die sich nie für Fußball interessierte, wird nur schwer zum Besuch des Fußballstadions zu motivieren sein.

Beschäftigungen müssen lebensweltbezogen sein; die in der Biografie verwurzelten Interessen gilt es zu finden. Nicht Salzteig zu Wandbildern zu verarbeiten, sondern das Backen eines richtigen Kuchens ist für viele Hausfrauen etwas, womit sie sich identifizieren können.

Situative Motivierung
In welchem Umfeld lebt der Betreffende? Lädt dieses zur Aktivität ein oder ist es trist und trostlos.

Besteht die Möglichkeit, die 'motivierten' Verhaltensweisen auch wirklich in die Praxis umzusetzen? Was nutzt es, in der Therapie tagelang zu lernen, wie der auf einem Brettchen fixierte Reißverschluss zu öffnen bzw. zu schließen ist, der alte Mensch aber von Mitarbeitern an- und ausgekleidet wird.

Der folgenden Aufstellung können Sie entnehmen, welche Faktoren einer Motivation zur Aktivität förderlich sind oder dieser entgegenstehen (vergl. Matthes, 1989, S, 87):

Der Motivation förderliche und abträgliche Rahmenbedingungen:

Der Motivation entgegenstehend	Der Motivation förderlich
• Hektik, Eile, Vermitteln von Zeitdruck, Ungeduld	• Dem alten Menschen etwas zutrauen
• Nicht ernst genommene Beschwerden	• Ihn ernst nehmen
• reaktive, depressive Verstimmung	• Seine Biografie berücksichtigen
• Angst vor Zuwendungsentzug	• Lob und Anerkennung (bedanken)
• ständig wechselnde Bezugspersonen	• Ansprechendes Umfeld / Atmosphäre
• keine Mitsprache bei der Betreuungsplanung	• Verantwortung übertragen
• keine einheitliche Pflegezielplanung	• Ziele / Perspektiven eröffnen
• fehlende Zielsetzung, Perspektiven	• Sicherheit geben
• die Biografie nicht berücksichtigen / kennen	• Mitsprache und Freiwilligkeit zulassen
• mangelhafte Zusammenarbeit (fehlende Absprachen)	• Möglichkeiten und Grenzen akzeptieren
• Überforderung durch falschen Ehrgeiz	• Zeit nehmen und haben
• Bevormundung	• An vorhandenen Interessen / Gewohnheiten / Fertigkeiten anknüpfen
• ungünstiger Zeitpunkt / Moment für ein motivierendes Gespräch	• Informiert sein (Fallgespräche)

Exkurs 7:
Tiere und alte Menschen - Ein Weg zu ganzheitlicher Motivation

Als direkte Einflussgröße auf Lebensqualität und -zufriedenheit alter Menschen kann ein als positiv erlebtes soziales Beziehungsnetz angesehen werden.

Exkurs 7.1   Die Bedeutung von Mensch-Tier-Kontakten in   der Seniorenarbeit

In der letzten Zeit mehren sich Beiträge in den Massenmedien, Fachzeitschriften und Buch-Veröffentlichungen, in denen die Bedeutung von Mensch-Tier-Kontakten herausgestellt wird.

Folgende Ergebnisse können zusammengefasst werden:

1. In Untersuchungen konnte nachgewiesen werden, dass Tiere einen direkten positiven Einfluss auf den Gesundheitszustand ihrer Besitzer haben. Patienten mit Koronar- und Herzkrankheiten, die ein Haustier besitzen, haben größere Überlebenschancen als Patienten ohne Tiere.

Die Biologin Erika Friedmann untersuchte Angina pectoris- und Infarkt-Patienten über zwei Jahre hinweg. Ein Jahr nach dem stationären Krankenhausaufenthalt besuchte sie die ehemaligen Patienten zu Hause. Viel mehr Menschen, die ein Heimtier besaßen, hatten den Infarkt überlebt: Von 28 Patienten, die kein Tier zu Hause hatten, starben elf - fast die Hälfte also. Von 50 Patienten aber, die sich ein Heimtier hielten, starben nur drei. Hierbei kommt nicht nur der körperliche Trainings-Effekt, von dem Hunde-Besitzer beim Gassi-Gehen profitieren, zum Tragen. Auch die Besitzer von Tieren, die ihren Besitzern keine Spaziergänge abverlangten, stabilisierten sich besser als Patienten ohne Tiere.

Beim Streicheln eines Tieres lässt sich ein direkter Einfluss auf den Blutdruck und die Herzfrequenz nachweisen! Tiere, so argumentiert der Forschungskreis Heimtiere in der Gesellschaft, sind "der beste Kostendämpfer im Gesundheitswesen".

Tiere und Gesundheit

Aufmunterung und Beruhigung

2. Tiere wirken erheiternd und beruhigend auf den (alten) Menschen; sie können ihre Vitalität auf ihr Gegenüber übertragen. Bei der Beobachtung spielender Tiere äußern viele Menschen, dass sie sich aufgemuntert und beruhigt fühlen.

3. Tiere haben einen Einfluss auf das soziale Verhalten ihrer Besitzer:

Nie mehr allein

- Sie "füllen" gefühlsmäßige Lücken: ihre Besitzer sind nie allein / einsam; sie haben immer einen "Gesprächspartner". Ein Hund, so der New Yorker Psychiater Dr. Heimann, kann sogar über den Verlust eines geliebten Menschen hinwegtrösten. In "Begegnungsstätten" besteht kaum die Möglichkeit, der Einsamkeit auf Dauer zu entfliehen. Die hier organisierten Kontakte sind zeitlich verplant und limitiert; der Wunsch nach Nähe und Ansprache dauert an: An den langen Abenden und in den schlaflosen Nächten wird der Wunsch nach einem Partner umso stärker. Die Präsenz von Tieren ist nicht von Öffnungszeiten und Dienstplänen geregelt.

Soziales Verhalten

- Erhalt und Training von (tierbezogener) Kontaktfähigkeit bleibt nicht ohne Einfluss auf zwischenmenschliche Kontakte: Tierhalter sind meist besser sozial integriert. Eine angenommene Beziehung von Tierliebe und Menschenhass ["Seit ich die Menschen kenne, liebe ich die Tiere"] entpuppt sich meist als Vorurteil! Die New Yorker Wissenschaftlerin Erika Friedmann fand eine direkte Beziehung zwischen Liebe zu Tieren und Zuneigung zu Menschen.

Der früh erblindete Schriftsteller Uwe Wienecke (Samerberg, 1997) schildert eindrucksvoll, wie er auf seinen Spaziergängen mit seinem Blindenhund immer wieder Kontakte knüpfen konnte. Oft wurde er direkt angesprochen, oft wurde das Wort aber auch direkt an das Tier gerichtet. "Hätte ich nicht meinen herrlichen Hund, würden die meisten Menschen achtlos an mir vorübergehen", schreibt Uwe Wienecke.

Tierhalter werden gefordert

4. Tierhalter werden sozial gefordert. Sie erleben sich als Träger von Verantwortung und Pflichten. Ihr Tagesablauf ist strukturiert und bietet wenig Raum, sich 'gehen' oder 'hängen zu lassen'. Ein Tier fordert die körperliche und geistige Aktivität seines Besitzers heraus. Das Tier muss versorgt und beköstigt werden; das Futter muss eingekauft und zubereitet werden; ggf. braucht das Tier

auch Auslauf und zwingt zu körperlicher Bewegung. Es bleibt wenig Raum in der Sackgasse: "Wer rastet, der rostet!" Ältere Menschen sehen in der Fürsorge für ihr Tier oft die letzte große Lebensaufgabe.

Das Interesse an der gesunden Ernährung der Heimtiere kann sich sogar auf die eigenen Ernährungsgewohnheiten auswirken. Angebote wie "Essen auf Rädern" lassen wichtige Aspekte der Nahrungsversorgung alter Menschen unberücksichtigt: Man will nicht nur essen; man will auch sehen, wie es dem anderen schmeckt, sinniert der österreichische Verhaltensforscher Otto König (1980, S. 39).

5. Tierhalter begehen seltener Selbstmord als Nicht-Tierhalter: Sie können ihr Tier nicht im Stich lassen! Sie werden gebraucht, der Lebenswille steigt!

   Suizid

6. Eine besonders enge Beziehung Tier entsteht meist in Krisensituationen. Ob bei körperlicher Krankheit oder sozialem Verlust: Das Tier 'tröstet' auf seine eigene Weise und 'ist einfach da'. Die Liebe und Anerkennung eines Hundes kann vielen Menschen ein positives Selbstwertgefühl, Selbstbejahung und Selbstvertrauen geben.

   Krisen

7. Tiere senden keine nonverbalen Signale der Zurückweisung. Selbst mit der besten Ausbildung und den besten Absichten senden Menschen häufig nonverbale Signale der Ablehnung an Kranke, Schwache, Alte sowie geistig und körperlich Behinderte. Tiere vermitteln 'ihren' Menschen das Gefühl, sie ohne Wenn und Aber anzuerkennen, egal ob diese die Kontrolle über Urin und Stuhl verloren haben, egal ob sie unangenehm riechen, wenig attraktiv aussehen oder auffällig reagieren.

   Nonverbale Signale der Ablehnung

8. Ein Tier im Leben des alten Menschen stimuliert diesen auf vielfältige Weise; durch isolierte Interventionsprogramme ist dies kaum zu erreichen: Das Berühren und Streicheln eines Pelzes ist ein ganz spezifischer Reiz. Aber ein lebendes, warmes Tier zu streicheln ist ein anderes Erlebnis, als ein Stück Fell in die Hand zu nehmen, um die Sensibilität der Haut-Wahrnehmung zu fördern.

   Stimulation

- Ein Tier riecht und spricht unseren Geruchssinn an,
- in seinen Bewegungen stellt es eine vielfältigere optische Stimulierung dar als regelmäßig gewechselte Bilder im Flur.
- Tiere machen sich akustisch bemerkbar
- und treten in Kontakt zum Menschen.

Und dies alles vollzieht sich spontan, ohne einen minutiös geplanten Stimulierungsplan um eine mögliche Unterversorgung von Reizen zu kompensieren.

Exkurs 7.2   Tierhaltung in der stationären Altenpflege

Härtefall: Tierverlust

Angesichts der oben referierten positiven Bedeutung der Tierhaltung für das Wohlbefinden der alten Menschen, bedeutet der Zwang, sich bei Umzug in ein Seniorenzentrum von seinem lieb gewonnen 'Lebensgefährten' trennen zu müssen, eine kaum tragbare Härte. Will man diese vermeiden und dem alten Menschen die Möglichkeit geben, seinen 'Liebling' bei sich zu behalten, so bedürfen folgende Punkte der Klärung:

1. Anforderungen an den Tierhalter

Schutz der Mitbewohner

- Die Tierhalter sollten ihre Haustiere selbstständig so versorgen können, dass kein Mitbewohner hierdurch belästigt oder gefährdet wird.

... und der Allgemeinheit

- Die Tierhalter haben Verschmutzungen und Beschädigungen, die durch ihre Tiere verursacht wurden, selbst zu beseitigen oder müssen für die Kosten aufkommen.

- Ferner wird vom Besitzer erwartet, dass er sein Tier selbstständig artgerecht hält und versorgt. Dies beinhaltet auch, dass er dem Tier hinreichend Auslauf verschafft und allein für die Fütterung Sorge tragen kann.

Tierschutz

- Hiermit werden konkrete Erwartungen an den Gesundheitszustand bzw. die psychische und körperliche Belastungsfähigkeit (sprich: Nicht-Pflegebedürftigkeit) bei größeren Tieren (Hunde, Katzen) gestellt.

- Im Interesse der Allgemeinheit und des Tierhalters ist verbindlich zu regeln, in welche Gemeinschaftseinrichtungen Tiere (hier ist vor allem an Hunde zu denken) mitgebracht werden dürfen:
  - Restaurant

- Verwaltungsbereich
- Cafe
- Gartenanlage

2. Vorurteil: Hygiene

Dass die Haltung von Tieren im Heim ein hygienisches Problem darstellt, ist ein weit verbreitetes Vorurteil, das hier widerlegt werden soll: Untersuchungen, die am Institut für medizinische Mikrobiologie, Infektions- und Seuchenmedizin der Universität München vorgenommen wurden, belegen: Sofern die Besitzer eine normale persönliche Hygiene praktizieren, bringt ein gepflegtes und gelegentlich durch den Tierarzt untersuchtes Tier keine hygienischen Probleme in die Institution. Im Rahmen einer Studie wurden 31 Haushalte über drei Monate hinweg beobachtet. Die Darm- und Mundschleimhaut und die Hautflora von Hunden, der Keimgehalt der Fress- und Wassernäpfe sowie der Liegeplätze wurde von Medizinern regelmäßig untersucht. Die Wissenschaftler kamen zu dem Ergebnis, dass die Tiere sogar gefahrlos mit ins Bett genommen werden können, wenn die hygienischen Verhältnisse in der Familie in Ordnung sind und die Vierbeiner regelmäßig (alle vier bis sechs Monate) auf Spulwürmer untersucht werden: Die Hunde wurden weitaus häufiger von den Menschen infiziert als umgekehrt (vergl. Heßmann-Kosaris, 1987, S. 138).

Wer infiziert wen?

Allerdings hat sich diese Erkenntnis auch in der Ärzteschaft noch nicht überall durchsetzen können. Den besagten Untersuchungen und Überlegungen zum Trotz untersagte der Leiter eines örtlichen Gesundheitsamtes die Katzenhaltung auf einer Pflegestation aus hygienischen Gründen. "Auf einer Pflegestation müssen die gleichen Bedingungen herrschen wie im Krankenhaus", hielt er einer Heimleitung entgegen und drängte darauf, die Tiere aus der Pflegeabteilung zu verdammen (vergl. Eckert, 1992, S. 15).

Behörden

Demgegenüber bemüht sich der Direktor der Neurochirurgischen Klinik / Mannheim [Prof. Piotrowski] seit einiger Zeit darum, Krankenhäuser für Tiere zu öffnen. Der Mediziner Heinrich Schäfer (1992, S. 78) betont, wie wichtig es ist, dass Schwerkranke den gewohnten 'Körperkontakt' zu ihrem Haustier beibehalten können: Wenn Menschen innerhalb weniger Tage oder Wochen ihren Tod erwarten müssen, so ist deren psychisches Wohlbefinden höher zu bewerten als eine eher hypothetische Infektionsgefahr.

Psycho-Hygiene

3. Prophylaxe

Was geschieht, wenn der Halter sein Tier nicht mehr versorgen kann?

Ist der Bewohner vorübergehend nicht mehr in der Lage, sein Tier selbst zu versorgen, so bieten sich unterschiedliche Möglichkeiten an:

Mitbewohner

- Mitbewohner können sich um das Tier kümmern; ggf. könnten auch Patenschaften für die Tiere übernommen werden. Nach Erfahrungen aus Heimen, in denen die Tierhaltung erlaubt ist, kann man davon ausgehen, dass sich unter den Mitbewohnern Helfer für den Notfall finden lassen.

Angehörige

- Eine Patenschaft und Versorgungs-Verpflichtung von Angehörigen könnte ggf. vertraglich geregelt werden.

Mitarbeiter

- Die Tiere werden von Mitarbeitern versorgt. Diese Möglichkeit bietet sich nur als vorübergehende (kurzfristige) Lösung an. Die Hilfestellung durch Mitarbeiter wird sich, wenn es sich nicht um das persönliche Engagement Einzelner handelt, darauf beschränken, die Tiere an eine versorgende Person oder Institution zu vermitteln.

Freundeskreis betagter Tierhalter

- Der "Freundeskreis betagter Tierhalter" aus Moers hat für seine Mitglieder eine andere Möglichkeit geschaffen: Im Krankheits- oder Todesfall können diese darauf vertrauen, dass ihre vierbeinigen oder gefiederten Freunde an andere Tierfreunde weitergegeben werden und in gute Hände kommen. Die Sorge um eine ungewisse Zukunft ihres Lieblings wird den alten Menschen abgenommen (vergl. KDA, 1989, S. 11). Die Mitgliedschaft in diesem Freundeskreis ist den im Hause wohnenden Tierhaltern dringend anzuraten.

- Sofern der Tierhalter dauerhaft nicht mehr in der Lage ist, sein Tier zu versorgen und er eine diesbezügliche Vorsorge nicht getroffen hat, bietet sich gleichfalls der 'Freundeskreis betagter Tierhalter' als Ansprechpartner an.

4. Die Fütterung frei lebender Tiere

Das Füttern von Vögeln und Fischen im Park ist für viele Senioren, die keine Tiere halten können (oder dürfen) zum Lebensinhalt geworden. So schlägt Otto König (1980, S. 52) auch vor, im Winter Fütterungsanlagen für Vögel in den Gärten und Parks der Seniorenwohnanlagen aufzustellen. Es ist selbstverständlich, dass diese - sollen sie von den alten Menschen selbst versorgt werden - gut erreichbar sein müssen. Eine große Anlage in zentraler Lage ist mehreren kleinen Futterhäuschen, die im Gelände verstreut sind, vorzuziehen.

Zenrale Lage

Einhalt zu gebieten ist jedoch dem planlosen Füttern mit Essensresten. Zum einen ist dies der Gesundheit wild lebender Tiere abträglich, zum anderen locken übermäßig ausgelegte Lebensmittel Ratten und andere Schädlinge an. Eine zentrale Futterstelle lässt sich problemlos sauber halten, so dass diesen Problemen vorzubeugen ist.

Schädlinge

5. Die Institution / Einrichtung schafft Tiere an

Gemeint sind hier Tiere, die keiner Einzelperson, sondern der Einrichtung gehören. Hier ist zwischen

- den Anforderungen der Bewohner/innen nach Abwechslung, Unterhaltung oder 'Etwas zum Knuddeln',

- dem Interesse (der Heimträger und Heimleitungen) nach einer ansprechenden, repräsentativen Inszenierung und

- den Bedürfnissen nach einer artgerechten Tierhaltung (tierschützerisches Anliegen)

zu vermitteln.

Tiere brauchen die Möglichkeit des Rückzugs und der Ruhe, was bei Unterbringung in einem großflächigen Biotop (einem Teich im Garten, einem großen Aquarium oder Terrarium oder einer größeren Voliere [Flugkäfig]) am ehesten möglich ist.

Die Versorgung dieser "besitzerlosen" kleinen Tiere, die keinen festen Ansprechpartner brauchen, ist relativ problemlos zu handhaben: Versorgungsleistungen können weitestgehend technisiert (Aquarium) oder von unterschiedlichen Mitarbeitern wahrgenommen werden (Volieren).

**Feste An-
sprechpartner**

Größere Tiere, die nach einem festen menschlichen Ansprechpartner verlangen (Hunde, Katzen), verwahrlosen schnell, wenn
dieser fehlt. Erfahrungen vieler Einrichtungen zeigen, dass die
Tiere dann schnell wieder abgegeben werden müssen, wenn sich
niemand verantwortlich fühlt. Dies ist dann für Bewohner/innen
und Tiere gleichermaßen unangenehm.

Sofern der Wunsch besteht, diese Tiere zu halten, muss eine feste Betreuungsperson gefunden werden, die die Verantwortung für
das Tier übernimmt.

6. Mitarbeiter bringen ihre Tiere mit ins Haus

Es liegen viele Erfahrungsberichte aus Einrichtungen vor, in denen Mitarbeiter ihre Hunde und Katzen (während der Dienstzeit)
mitbringen. Die Tiere laufen dort frei herum, werden von den Bewohnern angenommen und haben bei Dienst-Schluss ihrer Besitzer gleichfalls wohlverdiente Freizeit vom Stations-Stress.

Die Versorgung und artgerechte Haltung der Tiere bleibt in der
Verantwortung ihrer Besitzer.

Die Diplom-Psychologin Simone Denise De Smet (o.J., S. 16)
stellte im Rahmen eines Vortrages eine Einrichtung vor, in der
auch mehrere Hunde "mitarbeiten". Die den Mitarbeitern gehören-
den Tiere, die von ihren Besitzern während der Arbeitszeit mitgebracht werden, stellen die einfachste Möglichkeit der Hundehaltung im Heimbetrieb dar. Die Autorin hebt die intensive Kontaktaufnahme gerade verwirrter alter Menschen zu den Tieren hervor
und beschreibt, wie diese von ihren eigenen Erlebnissen und Erinnerungen mit Tieren berichten.

Im Rahmen einer australischen Studie zeigte sich, dass Mitarbei-
ter/innen und BewohnerInnen zwar vor dem Einzug eines Hundes
Bedenken äußern. Meist wurde befürchtet, dass das Tier 'im Weg
sein könne', belle, fremdes Eigentum beschädige oder zu einer
vermehrten Arbeitsbelastung durch das Personal führen könne.

Wie den folgenden Tabellen (vergl. De Smet, o. J.) zu entnehmen,
spielten diese Bedenken nach sechs Monaten kaum noch eine
Rolle, wohingegen die positiven Erwartungen nach dem Experiment von mehr Bewohnern und Mitarbeitern geteilt wurden wie
zuvor.

Tabelle 1: *Prozentsatz der Bewohner, die einen Gewinn durch den Hund antizipierten und erlebten*

	Prozentsatz der Befragten	
	vor dem Test	nach dem Test
Gesellschaft / Freundschaft	82	89
Liebe / Zuneigung	82	91
Unterhaltung / Spaß	84	89
Interesse	86	89
Gesprächsstoff	82	91
macht die Station wohnlicher	78	91
macht die Station glücklicher	78	89

Tabelle 2: *Prozentsatz der Bewohner, die Probleme mit dem Hund antizipierten und erlebten*

	Prozentsatz der Befragten	
	vor dem Test	nach dem Test
Bellen	26	2
Disziplin / Training	16	0
Stolpern über den Hund	14	0
Schmutz	14	0
Geruch	12	0
Angst vor dem Hund	12	0
Eingewöhnung	7	0
Beschädigung des Eigentums	26	2
Grausamkeit gegen den Hund	5	0

Tabelle 3: *Prozentsatz der Mitarbeiter, die einen Gewinn durch den Hund antizipierten und erlebten*

	Prozentsatz der Befragten	
	vor dem Test	nach dem Test
Gemeinsamkeit mit den Bewohnern	84	86
Gesprächsstoff mit den Bewohnern	84	93
Macht die Station wohnlicher	64	88
Macht die Station glücklicher	66	86
Unterhaltung / Spaß	66	79
Interesse	62	71
Gesellschaft / Freundschaft	52	55
Liebe / Zuneigung	52	55
Abnahme der Arbeitslast	4	24

Tabelle 4: *Prozentsatz der Mitarbeiter, die Probleme mit dem Hund antizipierten und erlebten*

	Prozentsatz der Befragten	
	vor dem Test	nach dem Test
Der Hund ist im Weg	40	21
Schmutz	38	0
Bellen	34	0
Geruch	26	0
Grausamkeit gegen den Hund	24	0
Beschwerden	24	2
Vermehrte Arbeitslast	24	2
Verängstigen der Menschen	24	5
Disziplin / Training	22	21
Baden / Kämmen	20	2
Übungen	20	12
Eingewöhnung	10	2
Beschädigung des Eigentums	10	0
Füttern	8	10

8.4 "Zeitmangel": ein Motivationskiller

Die Verpflichtung, ein umfassendes Aufgabenprogramm pünktlich erledigt zu haben, wenn die zur Verfügung stehende Zeit als unzureichend eingeschätzt wird, kann die Bereitschaft sozialen Verpflichtungen nachzukommen, erheblich einschränken und zu einem wahren *Motivationskiller* werden. Motivationsfördernde Rahmenbedingungen können unter diesen Rahmenbedingungen kaum geschaffen werden.

Die folgende Untersuchung (Zimbardo 1983, S. 658 f)) belegt eindrucksvoll, in welchem Ausmaß Hast und Eile die Grundlagen menschlichen Zusammenseins zerstören können:

Vierzig Theologie-Studenten, die sich auf das geistliche Amt vorbereiteten, nahmen freiwillig an einer Untersuchung, die sich angeblich mit dem Thema "Religiöse Bildung und Berufung" beschäftigte, teil. Einigen Teilnehmern wurde die Aufgabe gestellt, sich in einem anderen Gebäude auf dem Universitätsgelände zu melden und dort eine Predigt über das Gleichnis vom barmherzigen Samariter zu halten, welches im 10. Buch des Lukas Evangeliums steht.

Ein Mann ging von Jerusalem hinab nach Jericho und fiel unter die Räuber; die plünderten ihn aus, schlugen ihn, machten sich davon und ließen ihn halb tot liegen. Zufällig ging ein Priester den selben Weg hinab. Er sah ihn und ging vorüber. Ebenso kam ein Levit an der Stelle vorbei, sah ihn und ging vorüber. Ein Samariter aber, der des Weges zog, kam in seine Nähe, sah ihn und wurde vom Mitleid bewegt. Er trat hinzu, verband seine Wunden und goss Öl und Wein darauf; dann setzte er ihn auf sein eigenes Lasttier, brachte ihn in eine Herberge und trug Sorge für ihn. Am nächsten Morgen zog er zwei Denare heraus, gab sie dem Wirt und sprach: 'Trage Sorge für ihn, und was du noch darüber aufwenden wirst, will ich dir erstatten, wenn ich wiederkomme.' (Lukas 10, 30 - 36)

Ein Teil der Versuchspersonen wurden informiert, dass ihnen noch ausreichend Zeit zur Verfügung steht, das andere Gebäude zu erreichen. Sie mussten u.U. sogar damit rechnen, dort noch einen Moment zu warten. Einer zweiten Gruppe wurde mitgeteilt, dass die Prüfer in dem anderen Gebäude für sie bereitstehen und dass sie sofort hinübergehen sollen. Eine dritte Gruppe von Studenten erfuhr, dass sie schon sehr spät dran seien, und dass sie schon seit ein paar Minuten erwartet würden, so dass sie sich tunlichst beeilen sollten.

Als die Versuchspersonen über einen Gang liefen, der zu dem anderen Gebäudeteil führte, fanden sie dort einen Mann, der mit geschlossenen Augen auf dem Boden lag und laut stöhnte und keuchte. Hier fanden sie also Gelegenheit, sich als 'hilfreicher Samariter' zu zeigen und einem Menschen, der sich in Not befand, zu helfen.

Das auf dem Boden liegende Opfer war allerdings ein Mitarbeiter des Versuchsleiters und hatte zu dokumentieren, ob die Versuchspersonen Hilfe leisteten oder nicht, bzw. wie diese Hilfe aussah. Die Theologie-Studenten hielten anschließend noch ihre Rede und hatten einen Fragebogen auszufüllen, in dem sie befragt wurden wann sie zuletzt eine hilfsbedürftige Person gesehen hätten und ob sie ihr beigestanden hätten. Danach wurden sie über den tatsächlichen Ablauf der Untersuchung aufgeklärt.

Die Ergebnisse der Untersuchung sind bestürzend: Die meisten Versuchspersonen kümmerten sich nicht um das hilflose Opfer. Der Grad der Eile, in der sich die Studenten befanden, erlaubte es vorauszusagen, wie sich der Einzelne verhalten würde:

63% der Personen, die nicht in Eile waren, leisteten Hilfe; von denen, die sich in mittlerer Eile befanden, waren es immerhin nur noch 45%. Aber nur 10% der Studenten, die sich angeblich bereits verspätet hatten und sich in großer Eile waren, um rechtzeitig eine Predigt über den 'hilfreichen Samariter' zu halten, hielten an, um einem Mitmenschen zu helfen, der ihrer Hilfe bedurfte.

Wie häufig sind Mitarbeiter in der Altenhilfe 'in Eile'? Konnten Sie bereits einmal einen Zusammenhang zwischen der Eile eines Mitarbeiters / einer Mitarbeiterin und der Art und Weise, wie er / sie mit den alten Menschen umging, feststellen?

Lehrzielkatalog

Sie sollen ...

		vergl. Seite
1	erklären können, was unter einer "Aktivität" zu verstehen ist	211
2	erklären können, was unter der *Aktivitätstheorie* zu verstehen ist	211
3	vier unterschiedliche *Aktivitätsebenen* unterscheiden, aufzählen und erläutern können	211 f
4	mögliche Einschränkungen der Aktivitätsebenen, die im Alter auftreten können, beschreiben können	212 f
5	erläutern können, was die Begriffe "Motiv" und "Motivation" beschreiben	216
6	zwischen *primären* und *sekundären* Bedürfnissen unterscheiden können	217
7	die einzelnen Stufen der Bedürfnis-Pyramide nach Maslow aufzählen und beschreiben können	217 ff
8	zwischen *intrinsischer* und *extrinsischer* Motivation unterscheiden können	222
9	erläutern können, welche Konsequenzen aus dem Belohnen intrinsisch motivierten Verhaltens erwachsen können	222
10	zwischen *Motivatoren* und *Hygienefaktoren* unterscheiden können	223 f
11	zwischen *Seins-* und *Tunsorientiertheit* unterscheiden können	227
12	erklären können, inwieweit ein Mensch, der einen anderen *motiviert*, Verantwortung übernimmt	228
13	erläutern können, was unter *personaler, sprachlicher, biografischer* und *situativer Motivierung* zu verstehen ist	229
14	jeweils acht Faktoren nennen können, die einer Aktivierung förderlich oder abträglich sind	230
15	*Zeitmangel* als "Motivationskiller" beschreiben können	240 f

Lehrzielkatalog / Exkurs 5

16	beschreiben können, welche Erwartungen jüngere und ältere Teilnehmer mit dem Erlernen des *autogenen Trainings* verbinden	215
17	die einzelnen Übungsteile, aus denen sich das *autogene Training* zusammensetzt, aufzählen und beschreiben können	215 f
18	zwischen der *Grund-* und der *Oberstufe* des *autogenen Trainings* unterscheiden können	215
19	das *autogene Training* als Form einer Selbstentspannung beschreiben können	216

Lehrzielkatalog / Exkurs 6

20	acht positive Konsequenzen von Mensch-Tier-Kontakten für das Verhalten und Empfinden älterer Menschen beschreiben können	231 ff
21	erläutern können, welche Anforderungen an einen Tierhalter (in einer Senioren-Wohnanlage) gestellt werden müssen	234
22	das Problemfeld "Hygiene" im Rahmen der Tierhaltung in Heimen beschreiben können	235
23	fünf verschiedene Formen von Hilfen beschreiben können, die notwendig werden, wenn der Halter sein Tier nicht mehr versorgen kann	236
24	beschreiben können, was bei der Einrichtung von "Futterplätzen" in den Gartenanlagen von Wohnanlagen zu beachten ist	237
25	beschreiben können, was ist zu berücksichtigen, wenn die Einrichtung Tiere anschafft	237 f
26	eine Möglichkeit beschreiben können, wie alten Menschen der Kontakt zu Tieren ermöglicht werden kann, wenn sie keine eigenen Tiere halten können / dürfen und die Einrichtung die mit der Tierhaltung verbundenen Verpflichtungen nicht eingehen will.	238
27	beschreiben können, was sich BewohnerInnen von einem Hund im Seniorenheim erhofften und inwieweit diese Hoffnungen erfüllt wurden	239
28	beschreiben können, was Skeptiker unter den BewohnerInnen eines Hundes ins Heim befürchteten, und inwieweit diese Befürchtungen eintrafen	239
29	beschreiben können, was MitarbeiterInnen von einem Hund im Heim erhofften und inwieweit diese Hoffnungen sich erfüllen	239
30	beschreiben können, was MitarbeiterInnen bei der Hundehaltung in einem Heim befürchteten und inwieweit diese Befürchtungen eintraten	240

Kapitel 8: Literaturverzeichnis

Birkenbihl, Vera F. (1987)
    Kommunikationstraining - Zwi-
    schenmenschliche Beziehungen
    erfolgreich gestalten
    Landsberg am Lech, 1987 (8.
    Aufl.)

Hajek, Erich (1984)
    Wie erreiche ich, daß mich meine
    Partner wirklich verstehen?
    Wien, 1984

Harlander, Norbert A. (1989)
    So motiviere ich meine Mitarbei-
    ter
    München, 1989

König, Rene (1976)
    Handbuch zur empirischen Sozi-
    alforschung
    Band 7: Familie und Alter
    Stuttgart, 1976

Matthes, Werner (1989)
    Pflege als rehabilitatives Konzept
    Hannover, 1989

Rosenmayr, Leopold (1976)
    Schwerpunkte der Soziologie des Alters
    in: König, 1976

Willig, Wolfgang u.a. (1996)
    Psychologie, Soziologie, Gesprächsführung
    in der Altenpflege
    Balingen, 1996 (4. Aufl.)

Wössner, Jakobus (1974)
    Soziologie
    Wien u.a.O., 1974 (6. Aufl.)

Zimbardo, Philip G. (1983)
    Lehrbuch der Psychologie
    Berlin u.a.O.; 1983

Exkurs 6: Literaturverzeichnis

Hirsch, Rolf D. (1987)
    Das autogene Training in der Ge-
    rontologie
    in: Zeitschrift für Gerontologie
    Band 20/1987

Hespos, Michael (1991)
    Entspannung für Körper, Geist
    und Seele - Ein Weg zu mehr Ge-
    lassenheit und Ruhe beim alten
    Menschen
    in: Altenpflege, Heft 7/1991

Kraft, Hartmut (1989)
    Autogenes Training - Methodik, Di-
    daktik und Psychodynamik
    Stuttgart, 1989 (2. Aufl.)

Krampen, Günther (1992)
    Einführungskurse zum Autogenen
    Training
    Göttingen, Stuttgart, 1992

Exkurs 7: Literaturverzeichnis

De Smet, Simone Denise (o. J.)
Du und Dein Tier
unveröffentlichtes Vortrags-Manuskript
c/o WDR/Köln, o. J.

Eckert, Carmen (1992)
Tierhaltung im Heim
in: Caritas-Korrespondenz, Heft
15/1992

Gäng, Marianne [Hrsg.] (1992)
Mit Tieren leben im Alten- und Pflege-
heim
München, Basel, 1992

Greiffenhagen, Sylvia (1991)
Tiere als Therapie - Neue Wege in Er-
ziehung und Heilung
München, 1991

Heßmann-Kosaris, Anita (1987)
Heimtiere können das Befinden alter
Menschen verbessern
in: Heim und Anstalt, Heft 5/1987

KDA / Kuratorium Deutsche Altershilfe
(1989)
Tiere in Alten- und Pflegeheimen - Ar-
gumente und Beispiele (Band 31 der
Schriftenreihe "thema")
Köln, August/1989

König, Otto (1980)
Tier und Mensch- Tiere halten, pflegen,
kennenlernen
Wien, München, 1980

Kusztrich, Imre (1988)
Haustiere helfen heilen - Tierliebe als
Medizin
Genf, 1988

Schäfer, Heinrich (1992)
Der Arzt, der Kranke und das Haustier
in: Gäng, 1992

Wienecke, Uwe K. M. (1997)
Wenn Hunde weinen
Samerberg, 1997 (Selbstverlag)

9 Intelligenz, Lernfähigkeit und Lernbereitschaft

9.1 Lernen und Intelligenz

Die Begriffe *Lernen* und *Intelligenz* sind nicht losgelöst voneinander zu betrachten. Auch wenn die Vorstellungen der Psychologen, was *Intelligenz* eigentlich sei, weit auseinander gehen, gehen doch alle Auffassungen davon aus, dass 'Intelligenz' ein an neue Situationen angepasstes Verhalten ermögliche. 'Intelligenz' ist die Fähigkeit, sich an verändernde Umweltanforderungen lernend anzupassen:

"Intelligenz" kann als die Fähigkeit, aus Erfahrung zu lernen und über den Jetzt-Zustand hinaus zum Möglichen fortzuschreiten, beschrieben werden (vergl. Zimbardo, 1983, S.442).

Auch heute ist noch die Ansicht weit verbreitet, dass die geistige Leistungsfähigkeit beim Kind kontinuierlich heranwächst, mit zunehmendem Alter hingegen wieder nachlässt.

9.1.1 Quer- und Längsschnitt-Untersuchungen

frühe Intelligenztests

Eine solche Sicht wurde auch in den ersten Untersuchungen, die zur Intelligenz-Entwicklung durchgeführt wurden, bestätigt. Im Laufe des ersten Weltkrieges wurden in den USA in großen Reihen Intelligenz-Tests mit jungen Soldaten durchgeführt. Solchermaßen hoffte man, die qualifiziertesten Männer für militärische Führungsaufgaben auswählen zu können. Um Vergleichswerte zu erhalten, wurden auch ältere Soldaten und Offiziere diesen Tests unterzogen, so dass über eine Million Männer zwischen 18 und 60 Jahren durch diese Studien erfasst wurden.

Im Rahmen der Untersuchungen wurde in der Tat festgestellt, dass die intellektuelle Leistungsfähigkeit mit zunehmendem Alter abnahm. Auch wenn bereits damals Wissenschaftler davor warnten, im 'Alter' ein reines Defizit an Intelligenz zu sehen und darauf hinwiesen, dass die gemessenen Unterschiede innerhalb einer Altersgruppe größer waren als die zwischen den Altersgruppen, führten diese Forschungen dazu, dass bei drohender Arbeitslosigkeit ältere Arbeitnehmer immer schwerer einen Arbeitsplatz finden konnten.

Mittels der oben beschriebenen Untersuchungsmethode konnte aber keinesfalls nachgewiesen werden, wie die intellektuelle Entwicklung beim Einzelnen verläuft. Es konnten nur - an einem Stichtag - die gemessenen Intelligenz-Werte junger und alter Menschen verglichen werden. So spricht man auch von einer Querschnitt-Untersuchung. Wird aber über einen längeren Zeitraum hinweg die intellektuelle Entwicklung eines Menschen immer wieder untersucht, so spricht man von einer Längsschnitt-Untersuchung. Im Rahmen dieser sehr aufwendigen Untersuchungs-Methode können konkretere Aussagen über die Entwicklung des Einzelnen gemacht werden.

Querschnitt- und Längs- schnitt- Untersuchungen

Bei der Auswertung von Längsschnitt-Untersuchungen kamen die Forscher nun zu ganz anderen Ergebnissen als im Rahmen von Querschnitt-Untersuchungen. Lassen Querschnitt-Untersuchungen bereits vor dem 30. Lebensjahr eine deutliche Minderung der intellektuellen Leistungsfähigkeit erkennen, so bleiben die Werte bei Längsschnitt-Untersuchungen bis ins höhere Erwachsenenalter relativ konstant.

Bei Querschnitt-Untersuchungen werden nicht nur die Untersuchungsergebnisse von Menschen unterschiedlichen Alters miteinander verglichen, vielmehr waren diese Menschen auch grundsätzlich anderen Einflüssen ausgesetzt. So haben sich die Möglichkeiten einer schulischen Förderung der Intelligenz-Entwicklung im Laufe der Generationen verändert. Die Zahl von Personen mit weiterführenden Schul- und Berufsabschlüssen ist gestiegen. Jüngere Menschen können heute ganz andere Informationen aus Rundfunk, Fernsehen, Computern und Reisen gewinnen als Gleichaltrige vor 60 Jahren.

9.1.2 Flüssige und kristalline Intelligenz

Ferner ist zu bedenken, dass sich die Intelligenz eines Menschen aus unterschiedlichen Fähigkeiten zusammensetzt. So ist zwischen kristallisierter und flüssiger Intelligenz zu unterscheiden. Als kristallisierte oder kristalline Intelligenz werden die Kenntnisse, Fähigkeiten und Fertigkeiten bezeichnet, die im Laufe der Zeit zu Kulturtechniken (wie Lesen, Rechnen, Schreiben, Allgemein- und Erfahrungswissen) geworden sind und das Leben hindurch (durch Schule, Beruf und Weiterbildungseinrichtungen) erlernt werden. Die kristalline Intelligenz wächst mit der Erfahrung eines Menschen, die er im Rahmen seines Lebens, im Rahmen seiner Erziehung und Bildung macht, kontinuierlich an.

Unterschiedliche Intelligenz-Formen

Kulturtechniken

Mit flüssiger Intelligenz werden Qualitäten wie Kombinationsfähigkeit, Abstraktionsvermögen, Umstellungsfähigkeit oder schlussfolgerndes Denken bezeichnet; also die Fähigkeiten, Gelerntes umzustrukturieren und sich in neuen Situationen orientieren zu können.

Im Rahmen von differenzierteren Untersuchungen zeigte sich dann, dass die kristallisierte Intelligenz bis ins hohe Alter hinein konstant bleiben, ja sogar gesteigert werden kann! Nach der Mitte des dritten Lebensjahrzehntes lassen einzelne Komponenten der flüssigen Intelligenz (wie die psychische Geschwindigkeit oder das räumliche Vorstellungsvermögen) zwar nach, allerdings belegen neuere Studien, dass bei bestimmten individuellen Voraussetzungen auch im Bereich flüssiger Intelligenz die Leistungsfähigkeit aufrechterhalten werden, u.U. sogar gesteigert, also trainiert werden kann (vergl. Rott, 1990; Röhrl-Sendlmeier, 1990).

9.1.3 Faktoren, die die Intelligenzentwicklung beeinflussen

Was sind nun die individuellen Voraussetzungen, die Einfluss auf die Entwicklung der intellektuellen Leistungsfähigkeiten im höheren Erwachsenenalter haben?

Ausgangsbegabung

 Das Niveau der geistigen Leistungsfähigkeit, die ein Mensch in den beiden ersten Lebensjahrzehnten entwickelt, wird als Ausgangsbegabung bezeichnet. Im Rahmen von Längsschnitt-Untersuchungen zeigte sich, dass bei hoher Ausgangsbegabung die geistige Leistungsfähigkeit bis ins hohe Alter erhalten bleibt. Es mag sein, dass die Betreffenden

• mögliche Beeinträchtigungen durch andere Fähigkeiten kompensieren können oder

• aufgrund der hohen Ausgangsbegabung Ausbildungswege einschlagen und Berufe ergreifen können, die diese Fähigkeiten weiter trainieren bzw. weiterentwickeln.

Schulbesuch

Je qualifizierter der erreichte Schulabschluss, umso konstanter ist die intellektuelle Leistungsfähigkeit im höheren Erwachsenenalter.

- Möglicherweise hat der längere Schulbesuch selbst einen direkten Einfluss auf das intellektuelle Niveau. (Die Länge des Schulbesuches hat Einfluss auf die Intelligenz-Entwicklung.)
- Oder die intelligenteren Individuen können mit größerer Wahrscheinlichkeit die qualifizierteren Schulabschlüsse erlangen. (Allerdings ist der Schulerfolg nicht nur von der Intelligenz abhängig!)

Trainingsmöglichkeiten

Es zeigt sich, dass Personen, deren logisch-schlussfolgerndes Denken bzw. deren Abstraktionsvermögen während ihres Lebens (etwa im Rahmen ihrer beruflichen Anforderungen) gefordert war, diese Fähigkeiten auch im höheren Erwachsenenalter zeigen. Menschen, denen diese Leistungen in ihrem Leben nie abverlangt wurden, werden im Alter hier eher Beeinträchtigungen erkennen lassen. Auch hier gilt: 'Wer rastet, der rostet'. *(Randnotiz: Berufliches Training)*

Menschen in Berufen, die kaum intellektuelle Leistungen zu erbringen haben und deren Alltag durch Eintönigkeit und wenig anregende Tätigkeiten bestimmt ist, lassen eher intellektuelle „Abbauerscheinungen" erkennen, als Menschen in Berufen, in denen diese Fähigkeiten immer wieder gefordert werden und so trainiert werden können.

Bei entsprechenden Rahmenbedingungen können bestimmte Fähigkeiten bis ins Alter hinein trainiert, gefördert und gesteigert werden. Dies gilt nicht nur für die Bereiche kristalliner sondern auch solche der flüssigen Intelligenz. Bei einem Vergleich älterer und jüngerer Bahnbeamter zeigten auch die älteren Menschen einen hohen Grad an Umstellungsfähigkeit und Merkfähigkeit; beim Fahrplanlesen zeigten sie sogar bessere Leistungen als ihre jüngeren Kollegen!

Fördernde Umgebung

Die große Bedeutung einer anregenden Umgebung für die Intelligenz-Entwicklung bei Kindern ist hinreichend bekannt. Ein Mangel an anregenden Reizen hat schlimmere Folgen als eine soziale Isolation.

Bei älteren Menschen konnte nachgewiesen werden, dass eine wenig fordernde, über-versorgende Umgebung zu einem drastischen Abfall der geistigen Fähigkeiten führt.

Gesundheitszustand

Auch leichte gesundheitliche Beeinträchtigungen können zu einem Nachlassen der intellektuellen Leistungsfähigkeit führen.

Denken an die Krankheit

- Möglicherweise lenken (bekannte) Krankheitssymptome die Gedanken von den Anforderungen der Umwelt ab, so dass die Aufmerksamkeit vom Nachdenken über die eigene Gesundheit gefangen wird.

Mangelnde Stimulierung

- Im Einzelfall wäre auch zu überprüfen, inwieweit die Erkrankung den Betroffenen die Teilhabe an einer stimulierenden Umgebung (etwa bei Bettlägerigkeit oder anderen Beeinträchtigungen der Beweglichkeit) erschwert oder unmöglich macht. Möglicherweise ist weniger die Erkrankung, als vielmehr die Folge der Erkrankung für eine negative intellektuelle Entwicklung verantwortlich.

"Nebenwirkungen"

- Ähnliches ist bei der medikamentösen Therapie im Rahmen unterschiedlicher Erkrankungen zu bedenken, die wiederum die intellektuelle Leistungsfähigkeit beeinflussen kann.

Zeitbegrenzung bei Intelligenztests

Ältere Menschen haben häufig nicht die Fähigkeiten, die mit bestimmten Tests gemessen werden sollen, eingebüßt, sie brauchen zum Lösen der Aufgaben lediglich mehr Zeit. So wiesen ältere Testteilnehmer bei zeitlich begrenzten Aufgaben schlechtere Leistungen auf als jüngere Menschen; spielte der Faktor 'Zeit' hingegen keine Rolle, so zeigten die älteren Menschen - zumindest bei Tests der kristallinen Intelligenz - keine Einbußen. Nicht die Einbuße der intellektuellen Leistungsfähigkeit, sondern die Verlangsamung des Verhaltens scheint primär alternsbedingt zu sein.

Die Verlangsamung der älteren Menschen kann wiederum verschiedene Ursachen haben:

- Es können Veränderungen im Gehirn selbst zu einer Verlangsamung des Verhaltens führen.

- Es ist aber auch denkbar, dass Beeinträchtigungen der Sinnesorgane (Schwerhörigkeit, Sehstörungen) hierfür verantwortlich sind.

- Auch ist möglich, dass alte Menschen nicht mehr Zeit zum Erfassen der Situation benötigen, sondern dass sie schneller verunsichert sind bzw. - bei einer abnehmenden Risikofreudigkeit - erst dann eine Reaktion zeigen, wenn sie sich schon sehr sicher sind. Schlechte Leistungen deuten möglicherweise eher auf eine Fluchttendenz ('Ehe ich was Falsches sage, sage ich lieber gar nichts') als auf geistigen Abbau.

- Letztendlich ist auch denkbar, dass junge Menschen aufgrund ihrer beruflichen Situation eher an 'schnelles Reagieren' gewöhnt sind.

Persönlichkeit und Lebenssituation

 Eine hohe intellektuelle Leistungsfähigkeit zeigt sich bei Personen, die in ihrem Beruf erfolgreich sind, die mit ihrem (auch privaten) Leben zufrieden sind, die sich aktiv darstellen, sich leicht anregen lassen und eine große Bereitschaft zu Sozialkontakten erkennen lassen.

Auch zeigt sich ein Zusammenhang zwischen der intellektuellen Leistungsfähigkeit und dem Zukunftsbezug. Personen, die eine positive Einstellung zur Zukunft haben, zeigen deutlich bessere Leistungen als solche mit negativ gefärbten Einstellungen.

> Vergleichen Sie die Lebensgeschichten verschiedener alter Menschen, die sie kennen. Inwieweit bestanden unterschiedliche Voraussetzungen für die intellektuelle Entwicklung?

 ?

 !

9.2 Die Fähigkeit zu lernen

Im Rahmen der Messung intellektueller Fähigkeiten konnten wir zwischen flüssiger Intelligenz (die die Fähigkeit zur Umstellung und Anpassung an neue Situationen ermöglicht) und kristalliner Intelligenz (die den Rückgriff auf gespeicherte Informationen und Erfahrungen ermöglicht) unterscheiden. Leistungen des Kurzzeitgedächtnisses lassen sich den flüssigen Fähigkeiten zuordnen.

9.2.1 Was ist das: Lernen?

Verhaltensän-derung auf-grund von Er-fahrung

Als 'Lernen' werden relativ andauernde Änderungen von Verhaltens-möglichkeiten bezeichnet, die auf 'Erfahrung' zurückgehen. Kurzfristi-ge Verhaltensänderungen (etwa aufgrund von Ermüdung) oder solche aufgrund von Veränderungen im Nervensystem (z.B. bei Verletzungen oder Einnahme von Medikamenten) werden nicht als 'Lernen' be-zeichnet. Von Verhaltensmöglichkeiten wird gesprochen, weil noch andere Faktoren als das Lernen dafür verantwortlich sind, ob ein be-stimmtes Verhalten auch gezeigt wird.

Informations-aufnahme und -verarbeitung

Anstatt von 'Erfahrung' wird auch von 'Aufnahme und Verarbeitung von Informationen' gesprochen. Der Prozess des 'Lernens', der Auf-nahme und Verarbeitung von Informationen, der neue Verhaltensmög-lichkeiten eröffnet, ist im Leben allgegenwärtig: Die Kenntnisnahme und Verarbeitung der Informationen in einer Gebrauchsanweisung ermöglicht erst die richtige Bedienung eines neuen Gerätes!

Lernen und Gedächtnis

Lässt die Leistung des Gedächtnisses (die Fähigkeit Informationen zu behalten und miteinander zu verknüpfen bzw. gespeicherte Informa-tionen wieder aufzurufen und mit neuen in Verbindung zu bringen) nach, so ist jedes Lernen erschwert.

Drei-Speicher-Modell

Dinge zu vergessen, sich nichts mehr merken zu können, dies sind Eigenschaften, die mit dem Alter in Verbindung gebracht werden. Verändert sich das Gedächtnis wirklich mit zunehmendem Alter? Zu-nächst muss betont werden, dass es das Gedächtnis nicht gibt! Um die bei der Speicherung von Informationen ablaufenden Prozesse besser erklären zu können, hat sich das so genannte Drei-Speicher-Modell (vergl. Kuhn, 1992) durchgesetzt: Informationen durchlaufen drei unterschiedliche Gedächtnis-Speicher:

- das sensorische Gedächtnis
- das Kurzzeitgedächtnis
- das Langzeitgedächtnis

Sensorisches Gedächtnis

Durch unsere Sinnesorgane nehmen wir alle möglichen Eindrücke aus unserer Umwelt wahr. Wir sehen, hören, riechen, schmecken und füh-len. All diese Sinneseindrücke gelangen zunächst in den sensorischen

(Gedächtnis-) Speicher, wo sie ca. 1 Sekunde (unter bestimmten Umständen auch etwas länger) gespeichert werden.

Für jeden Sinneskanal existiert ein eigenes Speicherfach, das im Prinzip unbegrenzt aufnahmefähig ist. Nur bewusst gewordene Eindrücke gelangen anschließend ins Kurzzeit-Gedächtnis bzw. in den Kurzzeit-Speicher.

Kurzzeit-gedächtnis

Welchen Dingen wir unsere Aufmerksamkeit zuwenden, hängt davon ab,

- welche **Vorerfahrungen** wir haben. (Ein Arzt wird aufgrund seiner Ausbildung einer Gelb-Färbung des Augapfels mehr Bedeutung zumessen als ein medizinischer Laie.)

- welche **Bedürfnisse** wir haben. (Ein hungriger Mensch wird eher den Geruch einer Pizzeria als die architektonische Schönheit eines Denkmals wahrnehmen.)

- welche **Erwartungen** wir haben. (Bei der Furcht vor Einbrechern werden alle möglichen ungewohnten Geräusche wahrgenommen.)

5 - 7 unabhängige Informationen können für ca. 30 Sekunden hier gespeichert werden. Durch aktives Wiederholen kann diese Zeitspanne zwar verlängert werden, gelangen aber zu viele Informationen in den Kurzzeit-Speicher, so werden jeweils die älteren durch neue ersetzt.

Das Langzeit-Gedächtnis enthält all jene Informationen, die umgangssprachlich mit dem Gedächtnis schlechthin gleichgesetzt werden. Die Inhalte werden hier auf chemischem Wege - nicht wie im Kurzzeit-Speicher elektrisch - gespeichert und sind auf unbegrenzte Zeit angelegt.

Langzeit-gedächtnis

Welche Inhalte vom Kurzzeit- in den Langzeit-Speicher gelangen, hängt von verschiedenen Voraussetzungen ab. Dinge, die uns besonders wichtig scheinen, gelangen 'automatisch' in den Langzeit-Speicher. Unter Zuhilfenahme von Merkhilfen lässt sich die Übertragung von Inhalten aus dem Kurz- in das Langzeit-Gedächtnis verbessern. Eine solche Merkhilfe ist die 'assoziative Verknüpfung'. Hierbei werden zu erlernende Begriffe bildhaft kombiniert und vergegenwärtigt. Sollen z.B. die Begriffe 'Raumschiff' und 'Kette' erlernt werden, so kann das Bild einer 'Kette von Raumschiffen' eine wirkungsvolle Lernhilfe sein (vergl. Wingchen, 1999).

Zu fragen bleibt, inwieweit es mit zunehmendem Alter zu **Veränderungen der** unterschiedlichen **Gedächtnisleistungen** kommt.

**Wahrneh-
mungs-
störungen**

- Beeinträchtigungen des Seh- und Hörvermögens, die vor allem zwischen dem 40. und 55. Lebensjahr festzustellen sind, bleiben nicht ohne Folgen auf die Informationsaufnahme. Obwohl diese Beeinträchtigungen möglicherweise durch Hilfsmittel korrigierbar sind, können sie doch einen direkten Einfluss auf das Selbstvertrauen nach sich ziehen und bei dem Betroffenen zu dem Gedanken führen, dass er nicht mehr lernen könne.

**Akustischer
Speicher**

- Akustische Reize verschwinden schneller aus dem Sinnesspeicher, so dass älteren Menschen weniger Zeit zur Verfügung steht, die aufgenommenen Informationen ins Kurzzeitgedächtnis zu überführen.

**Optischer
Speicher**

- Optische Signale verbleiben hingegen länger im Sinnesspeicher, so dass längere Zeit vergeht, bis neue Reize verarbeitet werden können. Somit verläuft die Informations-Aufnahme auf jeden Fall verlangsamt: ältere Menschen benötigen mehr Zeit zum Lernen.

**Gedächtnis-
spanne**

- Als Gedächtnisspanne bezeichnet man den Umfang an Informationen, die gleichzeitig im Kurzzeitspeicher behalten werden können. Durchschnittlich sind es sieben Einheiten, die gleichzeitig abgespeichert werden können. Mit zunehmendem Alter treten hier aber deutliche Verschlechterungen auf. Ältere Menschen sind leicht *abzulenken*, wenn mehrere Informationen gleichzeitig auf sie einstürzen.

**Lern- und Be-
haltensleis-
tung**

- Die *Lernleistung*, die sog. Erwerbs-Leistung, (die Aufnahme und Verarbeitung von Reizen) ist mit zunehmendem Alter zwar erschwert. Die *Behaltens-Leistung*, die Fähigkeit etwas Erlerntes nach längerem Zeitraum wiederzugeben, ist allerdings vom Alter weitgehend unabhängig.

9.2.2 Faktoren, die die Entwicklung der Lernfähigkeit beeinflussen

In das weit verbreitete negative Bild des Alters (das 'Defizit-Modell') passt die Formulierung: "Was Hänschen nicht lernt, lernt Hans nimmermehr!" Die Fähigkeit lernen zu können, wird alten Menschen häufig abgesprochen, zumindest aber in Frage gestellt.

Grundsätzlich ist aber festzustellen, dass die 'Lernfähigkeit' keinesfalls eine konstante Fähigkeit ist, über die ein Mensch verfügt (oder auch nicht), vielmehr ist sie im ganzen Leben einem immer währenden Wechsel unterworfen: Testteilnehmern wurde die Aufgabe gestellt, jeden Tag eine Stunde Zahlen zu lernen. Konnten die Versuchspersonen zu Beginn des Trainings 8 Zahlen behalten, so konnten sie diese Fähigkeit nach 20 Monaten Übung auf 80 Zahlen (und mehr!) steigern! Sollten sie danach Buchstaben lernen, so fiel die Lernleistung zunächst wieder drastisch ab (vergl. Schuster-Oeltzschner, 1984, S. 276).

Dieses Beispiel zeigt, dass die Lernfähigkeit

- zum einen trainierbar ist, dass aber auch

- zu unterscheiden ist, was zu lernen ist, ob es sich z.b. um Zahlen oder Buchstaben oder um sinnvolles oder um sinnloses Material handelt.

Sinnloses Material erlernen ältere Menschen schlechter als jüngere; bei sinnvollem Material, das sich noch mit der realen Lebenssituation in Verbindung bringen lässt, zeigen sie hingegen Lernleistungen, die denen jüngerer Menschen vergleichbar sind.

Sinnloses und sinnvolles Lernmaterial

Wenn *Intelligenz* untrennbar mit den Fähigkeiten des Lernens und Erinnerns verbunden ist, wundert es keinesfalls, dass die Entwicklung der Lernfähigkeit im höheren Erwachsenenalter von den gleichen Rahmenbedingungen beeinflusst wird, wie die Entwicklung der intellektuellen Leistungsfähigkeit.

So ist auch hier weniger das Alter, als vielmehr

die **Ausgangs-begabung**

die Möglichkeit des **intellektuellen Trainings**

die **gesundheitliche Situation** maßgebend

Fördernde Umgebung

 Die Lernfähigkeit kann nicht losgelöst von der Er-
wartungshaltung der Umwelt gesehen werden.
Wird von dieser die Lernfähigkeit alter Menschen
in Frage gestellt, so hat dies einen negativen Einfluss auf die Lernfähigkeit und die Lernbereitschaft (s.u.) des Einzelnen. Sind die Um-
welterwartungen selbst die Ursache für das Versagen des Einzelnen,
kann von einer "Sich selbst erfüllenden Prophezeiung" (selffullfilling
prophecy) gesprochen werden.

Mitarbeiter der Heidelberger - seinerzeit noch in Bonn lehrenden -
Gerontologin Ursula Lehr konnten feststellen, dass Personen mit
Abitur oder einer Hochschulausbildung weit häufiger (64% bzw.
75%) von einer grundsätzlichen Lernfähigkeit im Alter überzeugt waren als Personen mit Volks- und Mittelschulabschluss (52% bzw.
53%).

Persönlichkeit und Lebenssituation

 • Eine positive Einstellung zur eigenen Person
(Selbstwertgefühl) ist auch positiv für die Entwick-
lung der Lernfähigkeit.

• Ältere Menschen sind oft weniger risikofreudig als jüngere und
geben nur dann Antworten, wenn sie sich ganz sicher sind. Gerade risikoreiche Situationen werden dann vermieden. Das Bedürfnis nach Erfolg wird durch eine Furcht vor dem Versagen ersetzt. Um dieses zu vermeiden kann die Tendenz bestehen, jedes Risiko zu vermeiden und das Handeln einzuschränken. -
Jüngere Menschen neigen in solchen Situationen zum Raten und
können ihre Ergebnisse so verbessern.

• Menschen mit großer sozialer Scheu, die sich ausgrenzen und
Kontakte meiden, lassen alle Möglichkeiten einer anregenden
Umgebung an sich vorübergehen. U.U. befürchten sie, sich in
Veranstaltungen zu blamieren und zu versagen.

• Auch ist zu überprüfen, inwiefern ältere Menschen überhaupt
an einer Aufgabe bzw. der Fertigstellung einer Aufgabe interessiert sind. Hinter einem scheinbaren "Nicht-mehr-können" verbirgt sich nicht selten ein "Einfach-nicht-wollen"!

der Zeitfaktor

 Ältere Menschen lernen langsamer als jüngere. Billigt man ihnen mehr Zeit zu, so erreichen sie die gleichen Leistungen wie Jüngere.

Ältere müssen sich mit Informationen über eine längere Zeit hin auseinander setzen können und sollten weniger durch äußere Reize abgelenkt werden. Ihr andernfalls schlechtes Abschneiden kann ein Nachlassen des Interesses zur Folge haben und sie bleiben den Veranstaltungen weiterhin fern.

Alte Menschen lernen nicht schlechter, sondern anders als jüngere Menschen. Wird auf dieses andere Lernverhalten in alters-gemischten Kursen keine Rücksicht genommen, ziehen sich die Senioren häufig entmutigt zurück, brechen u.U. die ganze Maßnahme ab. Unabhängig von einem größeren Zeitbedarf ist zu beachten:

Ältere Menschen ...

- ... lernen leichter, wenn der Lernstoff übersichtlich gegliedert ist.   *Gliederung*

- ... werden durch ein "Lernen im Ganzen", Jüngere durch ein „Lernen in Teilen" begünstigt. Den Senioren ist wichtig, Zusammenhänge und den "Sinn" eines Lernstoffs erkennen zu können.   *Lernen im Ganzen*

- ...sind beim Lernen leichter zu stören und abzulenken als jüngere. Häufige Pausen führen zu einer Verbesserung der Lernleistungen bei jungen Menschen, aber zu einer Verschlechterung bei Älteren.   *Ablenkungen*

- ... verfügen häufig über keine 'Lerntechniken' (z.B. beim Auswendiglernen der Begriffe 'Mantel' und 'Bett' hilft die 'Eselsbrücke': Der Mantel liegt auf dem Bett). Macht man Senioren mit solchen Gedächtnisstützen vertraut, so verbessern sie ihre Lernleistungen erheblich. Eine weitere effektive Lernhilfe ist das Anfertigen schriftlicher Notizen. Dies ist sogar dann der Fall, wenn die Aufzeichnungen nie mehr benötigt werden: Die schriftliche Übertragung verhilft zu einer besseren Einprägung ins Gedächtnis.   *Lerntechniken*

9.3 Die Entwicklung der Lernbereitschaft

"Bildung" oder "Erfahrungen sammeln"

Die Begriffe "Lernen" und "Bildung" werden von der heutigen älteren Generation fast ausschließlich mit dem Erwerb von Wissen und Kenntnissen gleichgesetzt. Dies wird aber vorrangig als eine Aufgabe des Jugendalters gesehen und die Bezeichnung "Altenbildung" kann bei einer beträchtlichen Zahl der Betagten Abwehrreaktionen hervorrufen. Geht man aber davon aus, dass der Begriff des "Lernens" auch weitergefasst werden kann (z.B. als 'Erfahrungen sammeln', als 'Auf-dem-Laufenden-bleiben', als 'Informiert-Sein' und 'Orientiert-Sein') und auch den Erwerb von Fähigkeiten und Fertigkeiten, die dem Freizeitbereich zuzuordnen sind, umschreibt, dann zeigt sich eine weit größere Aufgeschlossenheit dem 'lebenslangen Lernen' gegenüber.

 ?

 !

> Wie werden die Angebote für Senioren in Volkshochschulen, Tagesstätten oder stationären Einrichtungen angekündigt? Sind die Titel der Veranstaltungen gut gewählt oder würden Sie sie ändern? Warum?

9.3.1 Faktoren, die die Entwicklung der Lernbereitschaft beeinflussen

Die Bereitschaft zum Lernen hängt bei den alten Menschen wiederum von unterschiedlichen Ursachen ab. Wenden wir uns zunächst den Gründen zu, die in der Person der Betroffenen liegen:

Die Bereitschaft zu lernen ist direkt von der erwarteten **Lernfähigkeit** abhängig. Wird die **Fähigkeit** in Frage gestellt - von der Umwelt oder den Betroffenen selbst - so kann dies nicht ohne Folgen für die **Lernbereitschaft** bleiben.

Schulbesuch

 Je qualifizierter der erreichte Schulabschluss, umso größer ist die Lernbereitschaft im höheren Erwachsenenalter.

Personen mit Volks- und Mittelschulbildung halten Weiterbildung häufiger für überflüssig, als Personen mit weiterführender Schulbildung.

Herauszustellen ist, dass Senioren mit einer mittleren Berufsqualifikation eine sehr große, solche mit einer sehr hohen - ebenso wie

solche mit einer sehr niedrigen - Qualifikation eine geringere Lernbereitschaft äußerten.

Fördernde Umgebung

 Bei Befragten mit geringen familiären Kontakten
(z.B. Ledige, Kinderlose) wurde eine erhöhte
Lernbereitschaft beobachtet, während eine starke Bezogenheit auf die Familie nicht nur mit
geringeren außerfamiliären Kontakten sondern auch mit geringerer
Lernbereitschaft einherging. Die Verpflichtungen im häuslichen, familiären Bereich scheinen keinen Platz mehr für Weiterbildung zu lassen.

Intellektuelle Leistungsfähigkeit

 Höhere Lernbereitschaft geht mit einer erhöhten intellektuel-
len Leistungsfähigkeit einher. Dieses Ergebnis kann man al-
lerdings in zwei Richtungen interpretieren:

* Entweder neigen Intelligentere eher dazu, etwas für ihre Weiterbildung zu tun (dann wäre die Intelligenz als Ursache der er-
höhten Lernbereitschaft anzusehen),

* oder die Teilnahme an Weiterbildungsangeboten und das damit
verbundene intellektuelle Training verhindern einen Abfall der intellektuellen Leistungsfähigkeit (dann wäre die Weiterbildung als
Ursache der gesteigerten intellektuellen Leistungsfähigkeit anzusehen).

Persönlichkeit und Lebenssituation

 In Persönlichkeitstests zeichnen sich Personen, die
eine erhöhte Lernbereitschaft erkennen lassen, durch
eine höhere Anregbarkeit und eine größere allgemeine Aktivität aus: Sie besuchen häufiger Restaurants,
machen öfter einen Stadtbummel oder einen Ausflug
als die weniger Lernbereiten.

* Leicht *anregbare Personen*, die auf Reize sehr schnell reagieren und ihre Chancen schnell nutzen, scheinen auch Bildungsangebote schneller aufzugreifen.

- ***Aktive Persönlichkeiten***, die sich auch in anderen Bereichen ihres Daseins aktiv mit ihrer Lebenssituation auseinander setzen, engagieren sich auch im Weiterbildungsbereich.

- Anregbarkeit und Aktivität nehmen nicht zwangsläufig mit zunehmenden Alter ab: Dem Gesundheitszustand, der Intelligenz und dem Sozialstatus der Betroffenen kommt hier ein wesentlich größerer Einfluss als dem kalendarischen Lebensalter zu.

- Darüber hinaus weisen Menschen mit erhöhter Lernbereitschaft eine *geringere Rigidität* und weniger dogmatische Einstellungen auf. Sie sind flexibler und weniger festgefahren in ihren Verhaltensweisen.

Rigidität

Dass sie an Althergebrachtem festhalten und sich nur ungern auf Neues einlassen, wird alten Menschen häufig nachgesagt. Die Unfähigkeit oder eingeschränkte Fähigkeit, sich von einmal eingeschlagenen Handlungs- oder Denkwegen zu lösen und angemessene Alternativen zu wählen, wird als *Rigidität* bezeichnet.

Zwar lassen Senioren (auch) Rigidität erkennen, über die mögliche Entstehung eines solchen Verhaltens existieren jedoch unterschiedliche Auffassungen

Risiko-
Vermeidung

- Manche Psychologen gehen davon aus, dass eine Verlangsamung psychischer Prozesse eine übervorsichtige Haltung nach sich ziehen kann. Auf diese Weise wird das Risiko reduziert, in ungewohnten Situationen Fehler zu machen.

Unvermögen

- Andere Autoren bringen Rigidität mit den jeweiligen intellektuellen Möglichkeiten der Person in Verbindung. Ein starres, rigides Verhalten ist oft Folge der Unfähigkeit, ein Problem intellektuell zu lösen. Zwar zeigen Untersuchungen, dass mit zunehmendem Alter die Rigidität ansteigt; bei höherer Intelligenz werden aber geringere Rigiditäts-Werte erzielt.

9.3.2 Barrieren, die der Teilnahme an Bildungsangeboten entgegenstehen

Neben solchen Weiterbildungs-Barrieren, die in der Person der Betroffenen liegen, sind auch in der Umwelt Gründe für die Teilnahme oder Nicht-Teilnahme alter Menschen an Bildungsangeboten zu finden.

Nur ca. 4% der über 65-Jährigen nehmen an Veranstaltungen der Volkshochschulen und vergleichbarer Einrichtungen (wie Bildungswerke oder Familienbildungsstätten) teil. Allerdings muss zunächst einmal herausgestellt werden, dass Lernbereitschaft nicht nur mit der Teilnahme an öffentlichen Bildungsveranstaltungen gleichgesetzt werden kann. Auch im privaten Rahmen - alleine oder in Gruppen - kann gelernt werden.

Lernen ist nicht Schulbesuch

Als Quelle des Weiterlernens werden genannt

- Fernsehen / Radio   32%
- Unterhaltung mit Freunden / Bekannten   17%
- Vorträge hören   14%
- Tageszeitung lesen   13%
- Bücher lesen   12%
- Illustrierte und Zeitschriften   13%
- Fernkurse   5%
- Kreuzworträtsel   4%
- Theaterbesuche   2%

(vergl. Lehr, Schmitz-Scherzer, Quadt, 1979, S. 50)

Was motiviert alte Menschen nun dazu, öffentliche Bildungsveranstaltungen aufzusuchen?

Von den Befragten, die bereits an solchen Angeboten teilgenommen haben, wurden folgende Angaben gemacht:

Motivierende Momente

- Interesse am Fachgebiet   51,0%
- Kontaktmöglichkeit zu Gleichaltrigen   14,3%
- Weil der Partner, Freundin, Bekannte hingeht   9,8%
- Damit man eine Abwechslung hat   8,0%
- Zur Teilnahme verpflichtet
  (z.B. als Delegierter eines Vereins)   4,5%

(vergl. Lehr, Schmitz-Scherzer, Quadt, 1979, S. 54)

Gründe für die Teilnahme an Bildungsveranstaltungen

Wurden die Teilnehmer an Veranstaltungen gefragt, was ihnen weniger gefallen habe, so antworteten sie:

Hemmende Momente

- Kritik am Angebot selbst ('Wird viel Unsinn
  geredet bei den Vorträgen')   61,0%
- Soziale Schwierigkeiten / Kontakte
  (z.B.: 'Da waren nur so alte Leute da')   9,0%
- Ungünstige Termine   7,0%
- Schlechte Erreichbarkeit   7,0%
- Schlechte Raumausstattung   5,0%

(vergl. Lehr, Schmitz-Scherzer, Quadt, 1979, S. 55 f)

Befragte, die sich generell gegen eine Teilnahme aussprachen, sahen keine Notwendigkeit eines Weiterlernens im Alter. Dies belegen Äußerungen wie 'Das hab' ich nicht mehr nötig', 'Ich hab' genug gelernt, das reicht für mein ganzes Leben', 'Ruhestand ist zum Ausruhen da'.

Räumliche Barrieren

Häufig werden Hör- und Sehschwierigkeiten, sowie Gehbehinderungen als "der Weiterbildung entgegenstehend" genannt. Dem ist durch Hilfsmittel (Brillen, Hörgeräte, Prothesen), Raumwahl (ebenerdig, Aufzug) und eine entsprechende Bestuhlung Rechnung zu tragen.

*In Räumen
wohl fühlen*

Wenn eine Person kompetent auftreten kann, wenn sie keine oder nur geringe Behinderungen aufweist, wenn sie sich wohlfühlt, hat die Umgebung kaum Einfluss auf die Lernbereitschaft. Für Menschen, deren gesundheitliches Wohlergehen, deren Interesse oder deren soziale Kontaktfähigkeit beeinträchtigt sind, werden diese Umwelteinflüsse aber immer bedeutsamer. Kommt die Umgebungssituation den Bedürfnissen der Behinderten entgegen, so kann sie sehr stark aktivierend wirken; wird sie allerdings als Erschwernis wahrgenommen so kann sie auch Aktivitäten hemmen und verkümmern lassen (vergl. Lehr, Schmitz-Scherzer, Quadt, 1979, S. 59).

Psychosoziale Barrieren

*Zwischen
Menschen
wohl fühlen*

Die Gefühle, die Personen entgegengebracht werden, beeinflussen deren Lernfähigkeit und Lernbereitschaft. Zorn, Enttäuschung, das Gefühl von anderen zurückgewiesen zu werden, führen irgendwann zu Angst und Verzweiflung sowie zu einer Abneigung gegen die (Lern-) Situation. U.U. wird eine eingebildete Vergesslichkeit zum Anlass, sich wieder zurückzuziehen.

In einer Atmosphäre der Wertschätzung, Bewunderung, Ermutigung und Sympathie können sich Empfindungen der Ruhe, der Hoffnung und des Vertrauens entwickeln, die wiederum die Voraussetzung für ein befriedigendes Lernen darstellen: 'Liebe ist der Anfang des Wissens'.

"Liebe ist der Anfang des Wissens"

Wie würden Sie eine angstfreie Atmosphäre in einer Lerngruppe schaffen? - Was könnte die Teilnehmer belasten und wie würden Sie mit diesen Belastungen umgehen?

 ?
 !

Verkehrsmittel

Schlechte Omnibus- und Straßenbahnverbindungen, langes Stehen an den Haltestellen, u.U. die Notwendigkeit eines mehrmaligen Umsteigens, Gedränge in öffentlichen Verkehrsmitteln, die Angst keinen Sitzplatz zu bekommen, schreckt viele alte Menschen ab, Veranstaltungen aufzusuchen. Die Befürchtungen mehren sich noch, wenn die Termine in den Abendstunden liegen und die Senioren Ängste vor Handtaschenraub, Überfällen und Anpöbelungen äußern.

Unbequem

Angst vor Überfällen

Lehrzielkatalog

Sie sollen ...

		vergl. Seite
1	den Zusammenhang von *Lernen* und *Intelligenz* erklären können	246
2	die Begriffe *Längsschnitt*- und *Querschnitt-Untersuchung* unterscheiden und erklären können	247
3	die unterschiedlichen Ergebnisse, die im Rahmen von *Längsschnitt*- und *Querschnitt-Untersuchungen* zur Intelligenzentwicklung gefunden wurden, beschreiben können	247
4	zwischen *kristalliner* und *fluider Intelligenz* unterscheiden und die beiden Formen von Intelligenz beschreiben können	247 f
5	beschreiben können, wie sich *kristalline* und *fluide Intelligenz* im höheren Erwachsenenalter entwickeln	248
6	sieben Faktoren aufzählen und beschreiben können, die Einfluss auf die Intelligenzentwicklung haben	248 ff
7	den Begriff *Lernen* definieren können	252
8	den Zusammenhang von *Lernen* und *Gedächtnis* beschreiben können	252
9	drei unterschiedliche Gedächtnis-Speicher unterscheiden und beschreiben können	252 f

Sie sollen ...

Kapitel 9: Literaturverzeichnis

Kuhn, Monika (1992)
Gedächtnistraining (Band 67 der
Schriftenreihe "thema")
Köln, Oktober 1962

Lehr, Ursula; Schmitz-Scherzer, Reinhard;
Quadt, Else (1979)
Weiterbildung im höheren Erwachse-
nenalter -
Eine empirische Studie zur Frage der
Lernbereitschaft älterer Menschen
Stuttgart u.a.O., 1979

Rott, Chr. (1990)
Intelligenzstruktur und Intelligenzverläufe im höheren Erwachsenenalter
in: Schmitz-Scherzer u.A., 1990

Röhrl-Sendlmeier, U. M. (1990)
Weiterbildungsverhalten und Lernbereitschaft im höheren Erwachsenenalter
in: Schmitz-Scherzer u.A., 1990

Schmitz-Scherzer, Reinhard; Kruse, Andreas; Olbrich, Erhard [Hrsg.] (1990)
Altern - ein lebenslanger Prozess der
sozialen Interaktion
Darmstadt, 1990

Schuster-Oeltzschner, Martin (1984)
Lernen und Weiterbildung
in: Oswald, Wolf D.; Herrman, Werner
M.; Kanowski, Siegfried; Lehr, Ursula;
Thomae, Hans [Hrsg.]
Gerontologie
Stuttgart u.a.O., 1984

Wingchen, Jürgen (1999)
Lerntechniken für Pflegeberufe
Hagen, 1999

Zimbardo, Philip G. (1983)
Lehrbuch der Psychologie
Berlin u.a.O.; 1983

10 Lebenslauf und Biografie

10.1 Ein "erlebtes" Leben

In der Sage von König Ödipus gibt die Sphinx dem jungen Helden ein Rätsel auf, in dem auf den Lebenslauf des Menschen verwiesen wird; der alte Mensch wird in dieser Geschichte jedoch deutlich vom Erwachsenen abgegrenzt:

Ödipus "begab sich daher nach dem Felsen, auf dem die Sphinx ihren Sitz genommen hatte, und ließ sich von ihr ein Rätsel vorlegen. Das Ungeheuer dachte dem kühnen Fremdling ein recht unauflösliches aufzugeben, und sein Spruch lautete also: "Es ist am Morgen vierfüßig, am Mittag zweifüßig, am Abend dreifüßig. Von allen Geschöpfen wechselt es allein die Zahl seiner Füße; aber eben wenn es die meisten Füße bewegt, sind Kraft und Schnelligkeit seiner Glieder am geringsten." Ödipus lächelte als er das Gleichnis vernahm, das ihm selbst gar nicht schwierig erschien. "Dein Rätsel ist der Mensch", sagte er, "der am Morgen seines Lebens, solange er ein schwaches und kraftloses Kind ist, auf seinen Füßen und seinen zwei Händen geht; ist er erstarkt, so geht er am Mittag seines Lebens aufrecht; ist er endlich am Abend seines Lebens als Greis angekommen und der Stütze bedürftig, so nimmt er den Stab als dritten Fuß zu Hilfe." Das Rätsel war glücklich gelöst, und aus Scham und Verzweiflung stürzte sich die Sphinx selbst vom Felsen zu Tode." (nach Schwab, o.J., S. 97)

Solange auch die Entwicklungspsychologie - ähnlich wie in der Sage des Ödipus - die Entwicklung des Menschen als Reifung und Entfaltung, die in bestimmten aufeinander folgenden Phasen verläuft, betrachtete, war es nahe liegend, den Reifezustand als einen Berggipfel zu betrachten, nach dessen Erreichen das Erwachsenenalter möglicherweise noch eine Art Hochplateau darstellt, das Alter aber durch Abbau und Abstieg gekennzeichnet ist.

Biografieforschung

In der Biografieforschung wurden Beiträge zusammengetragen, die belegen, dass die Lebensläufe alter Menschen nicht durch einen gemeinsamen Abstieg und immer weiter voranschreitenden Verlust gekennzeichnet sind. Vielmehr machten die heutigen Senioren im Laufe ihres Lebens elementare Erfahrungen, die Jüngere nur schwer nachvollziehen können.

Das höhere Erwachsenenalter kann nur als 'Ergebnis' des gesamten bisherigen Lebens verstanden werden. Alle vorangegangenen Erfahrungen sind bedeutsam für die weiteren Entwicklungsmöglichkeiten, die sich im Alter auftun:

So erlebte ein heute 90-Jähriger, der seine grundlegend prägenden Erfahrungen des Jugendalters im deutschen Kaiserreich machte, die Zeit des Heranwachsens anders als ein Gleichaltriger während der Zeit der 1968er Studentenunruhen:

Die "Jugend" der "Alten"

- Den heutigen Senioren wurden Autoritäts- und Leistungsorientierung, Gehorsam, Fleiß, Ordnung, Sparsamkeit, Anstand, Ehrlichkeit, Sauberkeit und Pünktlichkeit als verbindliche Wertorientierungen vermittelt (vergl. Klingenberger, 1992, S. 99).

Autoritäts- und Leistungsorientierung

- Im Vordergrund religiöser Erziehung standen Respekt und Gehorsam gegenüber den kirchlichen Autoritäten (Priester, Bischöfe, Papst).

religiöse Prägung

- Höchst wahrscheinlich beeinflussen die Ziele einer nationalsozialistischen "Leibeserziehung", die die "Stählung" und "Ertüchtigung" des Körpers in den Vordergrund rückte und an den Zielen völkischer Kraftentfaltung ("hart wie Krupp-Stahl, zäh wie Leder") orientiert war, auch die Selbstwahrnehmung älterer Behinderter.

Körper-Ertüchtigung

Ferner ist zu bedenken, dass heute über-65-Jährigen keine einheitliche Gruppe darstellen (vergl. Diakonisches Werk, 1979, S. 9):

90 Die im Jahre 2000 90-jährigen Bundesbürger haben den ersten Weltkrieg als 4- bis 8-jährige erlebt, verbrachten ihre Kindheit im Deutschen Kaiserreich und waren Zeugen von Zusammenbruch und Inflation. Den zweiten Weltkrieg erlebten sie 29- bis 35-jährig in der aktivsten Form; Frauen standen alleine, mussten u.U. den endgültigen Verlust ihrer Männer beklagen, die Erziehung und Versorgung der Kinder alleine sicherstellen, häufig auch die Aufgaben von Männern übernehmen. Während der Währungsreform (der Umstellung von Reichs- auf Deutsche Mark) war diese Generation 38 Jahre alt. Sie wurde also von allen umwälzenden Ereignissen voll getroffen.

Die heute 90-Jährigen

Die heute 80-Jährigen

80

Die im Jahre 2000 80-Jährigen wurden nach dem ersten Weltkrieg geboren und absolvierten ihre Schul- und Ausbildungszeit während des Nationalsozialismus. Den zweiten Weltkrieg erlebten sie 19- bis 25-jährig. Männern blieb oft eine lange Kriegsgefangenschaft nicht erspart, Frauen mussten nach 1945 die gröbsten Aufbauarbeiten verrichten ("Trümmerfrauen"). Zurzeit der Währungsreform war diese Generation 28 Jahre alt. Ihre so genannten besten und aktivsten Jahre wurden völlig von den politischen Geschehnissen überschattet und beeinflusst.

Die heute 70-Jährigen

70

Die im Jahre 2000 70-Jährigen - 1930 geboren - wuchsen während des Nationalsozialismus heran, erlebten den zweiten Weltkrieg, der in ungleich größerem Ausmaß als der Erste Weltkrieg nicht nur die Kriegsmaschinerie sondern immer mehr die Zivilbevölkerung betraf, als 9- bis 15-jährige. Bei Kriegsende verloren viele ihre Heimat und mussten sich mit ihren Eltern / Müttern als "Flüchtlinge" durchschlagen; zurzeit der Inflation und der sich zunehmend verschlechternden wirtschaftlichen Entwicklung war diese Generation 18 Jahre alt.

Die heute 60-Jährigen

60

Die im Jahre 2000 60-Jährigen - 1940 zur Welt gekommen - geboren in Familien, deren Väter ihre Kinder während der Fronturlaube sehen konnten, wuchsen häufig vaterlos heran; ihre Väter waren nach Kriegsende häufig nicht zurückgekehrt, sie waren gefallen, waren in Kriegsgefangenschaft wurden vermisst. Ihre frühe Kindheit wurde von Entbehrungen und Entsagungen bestimmt.

Unverschuldete Unmündigkeit

Entwicklungs-Chancen, die heute selbstverständlich scheinen, waren den heutigen Senioren einst verwehrt. Der Gerontologe Rudolf Schenda (1979, S. 23) verweist darauf, dass die Mehrheit der vor dem ersten Weltkrieg geborenen alten Menschen nur acht Jahre lang eine Schule besuchen konnte, deren Lerninhalte aus heutiger Sicht teilweise fraglich und nur in geringem Maße brauchbar sind. Später taten sie dann Jahr für Jahr ihre Pflicht am Fließband, an der Werkbank, im Stall, auf dem Feld, im Büro, in der Küche. Begleitet wurden sie hierbei eher von kriegerischen Parolen als von geistigen Anregungen. Sie lebten "ohne jedes Buch" und "ohne jede Weiterbildung". Diesen Menschen im höheren Alter - angesichts dieser unverschuldeten Unmündigkeit - eine vermehrte Geistestätigkeit anzuempfehlen, empfindet Schenda als zynischen Hohn.

Ein Mensch, ausgerüstet mit einer kläglichen Schulbildung, in Elternhaus, Schule und Beruf daran gewöhnt, das zu tun, was andere von ihm verlangten, steht den Anforderungen nach Selbstständigkeit im Alter umso hilfloser gegenüber, geht ihm nun das Einzige, was ihm Halt gab, die Arbeitswelt, verloren. Wer sich sein ganzes Leben an vorgegebene Werte klammerte und sich ihnen unterworfen hat, steht sich bei der Verwirklichung seiner persönlichen Lebensgestaltung selbst im Wege.

10.2 Lebenslauf als Krisenbewältigung

Älterwerden bedeutet eine ständige Auseinandersetzung mit konkreten Aufgaben und Krisen, die bewältigt werden müssen. Je erfolgreicher Krisen gemeistert werden, umso erfolgreicher verläuft der Alternsprozess. Angesichts immer neuer Aufgaben im Lebenslauf ist doch zu fragen, ob nicht bestimmte Grund-Ansprüche des (alten) Menschen, über die sozialen Wandlungen hinweg, konstant bleiben. Ein Bedürfnis nach Kontinuität ist hierbei wohl ein Grundbedürfnis, über alle Generationen hinweg.

Altern: Krisenbewältigung

10.2.1 Biografie und Identität

Obwohl die uns begegnenden älteren Menschen im Laufe ihres Lebens unterschiedliche Erfahrungen machen konnten oder machen mussten, jeder alte Mensch auf seinen nur ihm eigenen, einzigartigen Lebenslauf zurückblickt (auf seine singuläre Biografie), lassen sich doch Gemeinsamkeiten in den Biografien nachweisen. Die Mitglieder einer Generation können auf ähnliche - nicht gleiche (!) - Lebenserfahrungen zurückblicken. Sie teilen eine gemeinsame Sozialgeschichte (eine gemeinsame historische Biografie). In seiner singulären und historischen Biografie erlangt der Mensch seine Identität.

Singuläre und historische Biografie

Seine soziale Identität erhält der Einzelne in den Gruppen, zu denen er gehört. Unter ihr wird all das verstanden, was vonseiten der Umwelt an Erwartungen an den Menschen herangetragen wird: Moral, Wertvorstellungen, Normen - all dies fließt in die soziale Rolle ein, die er von klein auf übernimmt. Durch Übernahme der Umwelt-Erwartungen entwickelt sich der Mensch (Sozialisation). Ein dem Menschen eigenes Bestreben, sich an die Umwelt anzupassen ist lebensnotwendig; es kann aber auch bis zur Entfremdung, bis zur völligen Übernahme einer geliehenen Identität, übertrieben werden.

☞ Exkurs 1.1 S. 35 ff

Soziale und ...

**Persönliche
Identität**

Es ist die unverwechselbare Lebensgeschichte eines jeden Einzelnen, die ihn von anderen Menschen, mit anderen Biografien, grundlegend unterscheidet; sie gibt ihm seine unverwechselbare persönliche Identität. Sie wird gewonnen, wenn er versucht, seinen eigenen Interessen gemäß zu leben und den konkreten Umwelt-Erwartungen die eigenen Launen, Gefühle und Befindlichkeiten gegenüberzustellen.

Egozentrik

Die zu große Anpassung an die eigenen Wünsche versperrt den Zugang zur Umwelt und liefert das Individuum der eigenen Egozentrik und dem eigenen Egoismus aus. Selbstverwirklichung wird hier mit der Hingabe an die eigenen Launen und Ängste gleichgesetzt.

**Selbstverwirkl
ichung**

Selbstverwirklichung geschieht aber in der permanenten Auseinandersetzung mit beiden Teilen der Identität. Bei Entscheidungen sieht der Einzelne sich den Erwartungen der anderen und der Verpflichtung, seiner Einzigartigkeit gerecht zu werden, gegenüber. Die Ich-Identität ist die Fähigkeit, hier zwischen zu vermitteln.

Ich-Identität

Weder die dauernde Anpassung, noch die permanente Auseinandersetzung führen zum Selbst. Erst wenn *soziale* und *persönliche Identität* aufeinander bezogen sind, kann sich die menschliche Existenz entfalten (vergl. Veelken, 1990, S. 131 ff).

10.2.2 Lebensbedingungen und seelische Gesundheit

Inwieweit die unterschiedlichen Lebensbedingungen im Laufe eines Menschenlebens als belastend oder förderlich erfahren wurden, entscheidet über die seelische Gesundheit im Alter. Die Biografie des Einzelnen ist eine Geschichte von Trennungen und Enttäuschungen, von Unfällen und Dingen, die 'danebengingen'. Einflüssen ausgesetzt, die der Entwicklung teilweise förderlich, teilweise aber auch abträglich sind, vielleicht sogar 'krank machen', entwickelt sich der Mensch zu dem, was er ist. Diese elementaren Erfahrungen 'prägen' nicht nur während der frühen Jugend, sondern durch das ganze Leben hindurch und bestimmen das Wohlbefinden im Alter:

**Seelische
Gesundheit**

1. Mit der Zahl der zurückliegenden und aktuellen positiv erlebten, förderlichen Lebensbedingungen steigt der Grad der seelischen Gesundheit.
2. Mit der Zahl der belastend erlebten Lebensbedingungen sinkt der Grad der seelischen Gesundheit.

3. Der Einfluss belastender Umweltfaktoren kann durch förderliche Bedingungen in der Familie abgeschwächt werden (vergl. Kemper, 1990, S. 42).

Wichtig ist, dass belastende Umweltfaktoren durch intakte, konstruktive Beziehungen in der Familie ebenso wie durch Liebhabereien, Hobbys und Genussmöglichkeiten "neutralisiert" werden können, schädigende Einflüsse also kompensierbar werden.

10.2.3 Krisen im Lebenslauf

Die einzelnen Lebensläufe alter Menschen unterscheiden sich vor allem dadurch, **welche Aufgaben** sie im Laufe eines Lebens **wie** gemeistert haben und **welche Hilfen** ihnen hierbei an die Hand gegeben wurden. Immer wieder - von der Jugendzeit bis ins hohe Alter - wurde und wird der Mensch mit konfliktvollen Lebenssituationen konfrontiert, die gelöst werden müssen. Je erfolgreicher diese Krisensituationen bewältigt werden, umso erfolgreicher verläuft der Alternsprozess.

Welche Aufgaben?

Wie gemeistert?

Mit welcher Hilfe gemeistert?

10.2.3.1 Einschnitte im Lebenslauf

Lebenskrisen sind tief greifende Einschnitte im Lebenslauf und schlagen sich als gravierende Erfahrungen beim Individuum nieder (vergl. Hubrich, 1981, S. 111). Aber nicht eine große Zahl angehäufter Erfahrungen ist für die weitere Entwicklung fruchtbar, diese müssen auch innerlich verarbeitet werden.

Im Chinesischen ist die Bezeichnung für 'Krise' ein zusammengesetztes Wort: Das erste der beiden Wörter [wei] mehrere Bedeutungen; die erste war 'Gefahr'. Das zweite Wort [ji] bedeutet so viel wie 'Gelegenheit' oder 'Chance'. Eine Krise ist Gefährdung und Chance zugleich (vergl. Meueler, 1987)!

Krise: Gefahr und Chance

> Welche Lebenskrisen mussten alte Menschen, die sie persönlich kennen oder kannten, durchleben? - Wie gingen sie mit diesen Krisen um? - Mit welchen Krisen wurden sie selbst schon konfrontiert?

 ?

 !

In Schwellensituationen des Lebens [die sich dem alten Menschen als Entlassung aus dem Produktionsprozess, als Verunsicherung angesichts des gesellschaftlichen Wandels und als Kontaktverlust darstellen] sowie beim Erleben des Zusammenbruchs gewohnter Strukturen, ist die Bereitschaft zur Infragestellung alter und Übernahme neuer

Krisen: Veränderungsbereit-

Einstellungen besonders groß. In diesen Situationen - so meinen viele Autoren - scheinen sie auch am ehesten für pädagogische (vergl. Breloer, 1981, S. 141: Negt, 1975, S. 33) und therapeutische Bemühungen (z.B. "Krisentherapie nach Oberleder"; vergl. Lehr, 1979, 293; Lehr, 1979 b, S. 31) ansprechbar.

Krisen:
Resignation

Starke Belastungssituationen müssen allerdings nicht zwangsläufig den Wunsch nach aktiver Bewältigung und Veränderung wecken; sie können auch den Rückgriff auf andere Bewältigungsmuster - wie Verdrängung oder Resignation - begünstigen (vergl. Bubolz-Lutz, 1984, S. 70).

Geringe Abweichungen vom Gewohnten werden als angenehm empfunden und motivieren zu einer Auseinandersetzung mit der Sache. Das augenblickliche Empfinden wird allerdings als unangenehm wahrgenommen, wenn es zu sehr vom Gewohnten oder Erwarteten abweicht. In einer solchen Situation kommt es zur Abwendung, zur Furcht, ja sogar zum Schrecken (vergl. Breloer, 1981, S. 141). Das

Probleme
Krisen

Ausmaß der begleitenden Affekte ist für Maxwell Jones (1976, S. 86) das Kriterium zur Abgrenzung von Krisen (mit starken begleitenden Angstgefühlen) und Problemen, die in zwischenmenschlichen Beziehungen allgegenwärtig sind und von leichten bis mittel-schweren Angstgefühlen begleitet werden und von Jones als "lebendige Lerngelegenheiten" bezeichnet werden. Das Wort "Problem", aus dem Griechischen abzuleiten, bedeutet ursprünglich so viel wie "das Vorgelegte" und wurde bereits in einem Wörterbuch des ausklingenden 19. Jahrhunderts (vergl. Grimm, 1889) als *"zum Lösen vorgelegte unentschiedene Aufgaben"* beschrieben.

10.2.3.2 Zwischen Anpassung und Bewältigung

"Anpassen"
und "Meis-
tern"

Möglichkeiten
Vertrauen

So können Krisen unterschiedliche Verhaltensweisen auslösen: Der Betroffene kann sich der Umwelt anpassen, er kann aber auch die Umwelt an sich selbst anpassen, er kann die Krise meistern. Ob er sich der Wirklichkeit anpasst oder sie zu meistern, sie zu verändern sucht, hängt von seinen tatsächlichen **Möglichkeiten** und davon, ob er **Vertrauen in die eigene Durchsetzungsfähigkeit** entwickeln konnte, ab.

"Bewältigen"

Von Krisen-*Bewältigung* kann gesprochen werden, wenn wechselseitig sowohl eine Änderung der eigenen Person als auch der äußeren Lebensbedingungen angestrebt wird, ohne eine Strategie einseitig zu verabsolutieren.

Zu unterscheiden sind 'normative' [d.h.: zu erwartende] Entwicklungs-
krisen, die fast jeden treffen und vorher abzusehen sind (wie Ablösung
vom Elternhaus, Auszug der Kinder, Eintritt oder Austritt in den / aus
dem Beruf) und 'nicht-normative' [d.h.: unerwartete] Krisen (wie uner-
warteter Verlust des Arbeitsplatzes, Tod eines Angehörigen).

Normative und
nicht-
normative Kri-
sen

Hat der Einzelne durchaus die Möglichkeit, sich mit normativen Krisen
auseinander zu setzen bevor sie eintreten, so heißt dies nicht, dass er
diese Möglichkeit auch wahrnimmt. So ist es keinesfalls üblich, dass
Betroffene sich frühzeitig damit auseinander setzen, wie ihr Leben
nach der Berentung oder Pensionierung aussieht

☞ Kap. 5.2.1
S. 124

Auch ist kritisch zu fragen, ob normative Krisen tatsächlich gedanklich
vorwegzunehmen sind - bevor sie sich ereignen. Der Weggang der
Kinder, der Tod der Eltern - diese Ereignisse sind erwartbar, in ihrer
ganzen Tragweite aber müssen sie durchlebt werden. Konflikte können nicht umgangen werden, indem man sie in Gedanken schon vorab durchlebt hat, sie können nur bewältigt werden, wenn die hierzu
notwendigen Fähigkeiten - beim Eintreten - vorhanden sind.

"Gedachte"
und
"ge- / erlebte"
Krisen

Haben Sie sich schon einmal Gedanken darüber gemacht, welche
Krisen Sie in Ihrem Leben noch durchleben werden / müssen? - Um
welche Krisen handelt es sich hierbei? - Kamen Sie schon einmal in
die Situation eine Krise durchleben zu müssen, die Sie bereits einmal in Gedanken 'durchgespielt' haben? - Was war Ihren Vorstellungen ähnlich, was war anders?

 ?

 !

Auch der alte Mensch muss sich neuen Situationen stellen, er muss
neue 'Rollen' erlernen und übernehmen. Was bedeutet für eine alte
Frau, die möglicherweise alle finanziellen Dinge zeitlebens ihrem
Mann überließ, die Übernahme der Witwen-Rolle? Unter welchen Mü-
hen und Schmerzen muss sie diese neue Rolle erlernen?

☞ Exkurs 1.4
S. 47 f

Zu Krisen werden Lebensereignisse aber erst durch die Bewertung
der Betroffenen selbst. So kann an dem gleichen Ereignis die eine
Person zerbrechen, während eine andere ohne nennenswerte physische bzw. psychische Beeinträchtigung hieraus hervorgeht.

10.2.3.3 Krisen-Erfahrungen

Wie werden Probleme, denen sich ein Mensch gegenübersieht, zu Krisen?

Krisen entstehen, wenn Personen

Kompetenz-
Defizit

1. ... in Probleme verstrickt sind, sie sich aber nicht in der Lage sehen, diese zu lösen, weil ihnen die notwendigen Kompetenzen fehlen (Kompetenz-Defizit).

Kompetenz-
Störung

2. ... sich nur im Moment nicht in der Lage sehen ein Problem zu lösen (Kompetenz-Störung). Die notwendigen Kompetenzen sind zwar vorhanden, können aber zurzeit nicht eingesetzt werden. So kommt es immer wieder vor, dass Betroffene in der konkreten Problemsituation (z.B. einer Prüfung) scheinbar all das vergessen haben, was sie zuvor beherrschten.
Die Erfahrung, eine an und für sich lösbare Aufgabe nicht lösen zu können, kann zu Niedergeschlagenheit und Resignation führen.

Mangelnde
"Macht"

3. ... nicht die Macht haben, so zu handeln, wie es in der Problemsituation nötig ist.

Befanden Sie sich bereits einmal in einer Situation, in der
- Sie sich nicht in der Lage sahen, ein Problem zu lösen, weil Ihnen bestimmte notwendige Fähigkeiten und Fertigkeiten fehlten?
- Sie zwar grundsätzlich fähig gewesen wären, ein Problem zu lösen, momentan aber nicht dazu in der Lage waren?
- Sie fähig waren ein Problem zu lösen, aber nicht die 'Macht' hatten, Ihre Vorstellungen durchzusetzen?

Von entscheidender Bedeutung für die Art und Weise des Umgangs mit Einschränkungen und Belastungen sind die Erfahrungen, die der Betreffende in seinem bisherigen Leben in vergleichbaren Situationen machen konnte - oder musste.

Eine Besinnung darauf, dass sie in ihrem bisherigen Leben Belastungssituationen und Tiefschlägen ausgesetzt waren, unter denen sie nicht zusammengebrochen sind, die sie vielmehr aktiv gemeistert haben, ist für viele Senioren eine Hilfe, wenn sie sich mit Einschränkungen im gesundheitlichen Bereich, mit sozialen Verlusten oder mit der immer geringer werdenden Lebenszeit auseinander setzen (vergl. Kruse, 1990, S. 13). Solche erinnerbaren Erfahrungen und

Erfolgserlebnisse "wachzurufen" kann als ein Pfeiler begleitender, stärkender Gespräche gewertet werden.

10.3 Wege zur Krisenbewältigung: "Erzählen"

Versuche, eine als Krisen erlebte Situation zu meistern, hat der Amerikaner Gerald Caplan in vier Phasen eingeteilt:

1. Zunächst wendet der Betroffene erprobte Problemlösungs-Strategien an. Es werden Lösungsversuche herangezogen, die sich in früheren ähnlichen Situationen als erfolgreich erwiesen. — *Erprobte Lösungsversuche*

2. Stellen diese sich als unbrauchbar heraus, 'funktionieren' sie nicht, entsteht ein Gefühl, versagt zu haben, sich nicht mehr zurechtzufinden. — *"gescheitert"*

3. In einer dritten Phase, sofern nicht Resignation und Verdrängung um sich greifen, reift dann die Bereitschaft, sich auch ungewohnten Lösungsansätzen zuzuwenden. Die Situation wird aus einer anderen Perspektive betrachtet. Gelingt es, die Krise auf diese Weise zu lösen, so gewinnt der Betroffene in der Regel an Stärke. — *Neuer Lösungsansatz*

4. Misslingen alle Versuche, so kann es zu Rat- und Hilflosigkeit, zu Erschöpfungszuständen - oft in Zusammenhang mit der Tendenz sich abzukapseln und zu verschließen - und sogar zum Zusammenbruch der Persönlichkeit kommen. — *Zusammenbruch*

Wenn ältere Menschen auf ihren Lebenslauf blicken, so wird nicht nüchtern berichtet und theoretisiert; sie kommen ins **Erzählen**. Diese Öffnung sollte niemals als 'Störung' empfunden werden, die vom Thema ablenkt. Für die ErzählerInnen - in der Tat sind es meist Frauen, die bereit sind sich zu öffnen - ist dies ein für sie wichtiges Thema, und es ist immer wieder festzustellen, wie vehement sich gerade ältere Frauen möglichen Disziplinierungsversuchen sie zu unterbrechen, erfolgreich widersetzen.

10.3.1 "Erzählen" schafft Strukturen

Kann Hilfe in der vierten Phase nur noch von professionellen Helfern (Therapeuten) und sehr nahe stehenden Personen geleistet werden, so verspricht ein Einschreiten in Phase 3 mehr Erfolg. Hat der Betroffene hier die Möglichkeit, seine Probleme einem anderen zu schildern, so beschreibt er dem Zuhörer nicht nur seine eigene Befindlichkeit und seine Lage, woraufhin er in der Regel zumindest menschliche Zuwendung erhält, er spricht auch die Zusammenhänge aus, in denen er sein Problem sieht. Um sich bei seinem Gegenüber verständlich zu machen, muss er argumentieren und neu strukturieren. Hierbei kann er sein eigenes Problem neu überdenken.

Neue Sicht ...

Beim "in Worte fassen" der eigenen Situation kommen möglicherweise neue Perspektiven in den Blick, ohne dass ein Dritter in irgendeiner Weise eingreift oder eigene Anregungen formuliert. Beim Schreiben eines Tagebuches wird der / die Schreibende zu seinem / ihrem eigenen Zuhörer in einem Prozess innerer Selbstgespräche. Erfahrungen - zu Papier gebracht - werden überprüf- und relativierbar.

und neue
Handlungs-
alternativen

Die Auseinandersetzung mit der bisherigen Lebensgeschichte kann so auch neue Alternativen für die Bewältigung zukünftiger Lebensaufgaben auftun.

10.3.2 "Erzählen" integriert das Leben

☞ Exkurs 8
S. 277 ff

Nicht nur bei der Lösung akuter Konflikte entlastet ein 'helfendes Gespräch'. Wer mit alten Menschen umgeht, weiß, dass häufig sehr gerne Ereignisse aus dem vergangenen Leben weitergegeben werden. Hilarion Petzold (1985, S. 467) spricht von einem Bedürfnis, die eigene 'Lebensgeschichte' zu erzählen. Der Lebenslauf sollte - so der Psychoanalytiker Erik Erikson - in einen Zustand der Integration einmünden: das Leben sollte in seinem 'Sogewesen-sein' akzeptiert werden. Gelingt dies nicht, so muss der Lebenslauf in Verzweiflung enden.

In den Biografien vieler alter Menschen lassen sich hingegen ungelöste Krisen, die niemals abgeschlossen wurden, finden. Selbstvorwürfe, Hass auf sich und andere oder Selbstmitleid bestimmen im Alter u.U. ein verbittertes Leben. Die Möglichkeit hierüber zu sprechen, kann mit dem eigenen Leben versöhnen und den Blick nach vorne wieder zulassen. In der Rückschau kann ein Leben, das scheinbar, durch seine Krisen und Wendepunkte, in einzelne Bruchstücke zerfiel, wieder zu einer zusammenhängenden Lebensgeschichte zusammenwachsen.

Verluste können mit den gegenwärtigen Erfahrungen zusammengebracht und "mit ganz neuen Augen" gesehen werden. Damit kann vieles als der Vergangenheit zugehörig betrachtet und "losgelassen" werden. Frauen scheint diese Erinnerungsarbeit, die immer auch Trauerarbeit ist, besser zu gelingen als Männern.

Krisenbewältigung im Alternsprozess ist immer auch biografische Reflexion. Die Auseinandersetzung mit dem bisherigen Leben ist nicht nur für die - nachträgliche - Klärung vergangener kritischer Lebensereignisse bedeutsam. Auch aktuelle Konfliktsituationen werden erst vor dem Hintergrund, wie der Einzelne sich zuvor in vergleichbaren Situationen verhielt, verständlich.

Auch hier muss der Begleiter / Zuhörer gar nicht mit vielen Worten auf das Gesagte reagieren. Oft genügt schon, wenn Bedrückendes ausgesprochen werden kann!

> Haben Ihnen schon einmal ältere Menschen "Geheimnisse" aus ihrem Leben anvertraut?
> Um welche Situationen handelte es sich hierbei?
> Wie haben Sie sich verhalten?

Exkurs 8:
Das Lebensphasen-Modell nach Erik Erikson

Erik Erikson (1902 - 1982), ein Schüler Sigmund Freuds, ergänzte das Freud'sche Phasenmodell der psycho-sexuellen Entwicklung und setzte sich mit der psychosozialen Entwicklung des Menschen auseinander. Erikson unterschied in der menschlichen Biografie acht Phasen, wobei die ersten fünf zeitlich dem fünfphasigen Modell Sigmund Freuds zugeordnet werden können. Die einzelnen Phasen zeichnen sich durch jeweils ganz spezifische Entwicklungsaufgaben aus, die der Einzelne zu meistern hat, oder an denen er scheitert.

Darüber hinaus stellte Erikson heraus, dass die menschliche Entwicklung nicht mit Abschluss der Pubertät und Adoleszenz abgeschlossen ist, dass vielmehr auch im Erwachsenenalter und im höheren Erwachsenenalter neue Aufgaben zu bewältigen sind.

☞ Exkurs 3.3
S. 71 ff

Die ersten fünf Entwicklungsphasen bei Freud und Erikson

Phasenbe-zeichnung bei Freud	Das Lebensphasenmodell Erik Eriksons
1. orale Phase	**Urvertrauen gegen Urmisstrauen** In der ersten Phase (Urvertrauen gegen Urmisstrauen) muss das Kind das Vertrauen entwickeln, dass die Mutter für es "da ist", dass es sich darauf verlassen kann, dass sie sorgend zur Seite steht. Bleibt diese Erfahrung versagt, so entwickelt sich ein furchtsames, argwöhnisches, misstrauisches Individuum.
2. anale Phase	**Autonomie gegen Scham und Zweifel** In dieser Phase macht das Kind erste eigenständige Erfahrungen. Es wendet sich erforschend der Welt zu und lernt Dinge loslassen und festhalten zu können. Hierbei kann es Selbstständigkeit erfahren und Selbstvertrauen entwickeln oder - zu sehr eingeschränkt und reglementiert - lernen an sich selbst zu zweifeln und sich seiner zu schämen
3. phallische Phase	**Initiative gegen Schuldgefühl** Das Kind will die Welt erobern und die ersten Krisen mit Gleichaltrigen lösen. Nach Freud muss der Junge im ödipalen Konflikt, gegen seinen Vater bestehen. Erfahren diese Initiativen eine zu starke Einschränkung oder werden sie als Scheitern erfahren, können die entstehenden Schuldgefühle den Rest des Lebens begleiten
4 Latenzzeit	**Leistung gegen Minderwertigkeitsgefühl** Nach Freud ruht die sexuelle Entwicklung: die Heranwachsenden setzen sich lernend mit ihrer technischen und physischen Umwelt auseinander. Das durch Leistung erworbene Maß erfahrener Anerkennung und Wertschätzung der Umwelt macht stolz und stärkt die Leistungsbereitschaft oder lässt sich selbst als minderwertig erfahren
5. Pubertät	**Identität gegen Rollenunsicherheit** In dieser Phase wird vom Heranwachsenden gefordert seine geschlechtliche und soziale Identität auszubilden und die Rollen des Erwachsenenlebens zu übernehmen.

Die sechste Entwicklungsphase: Intimität gegen Isolierung

Das zur Identität gelangte Individuum vermag sich anderen partnerschaftlich zuzuwenden und sich an andere zu binden. Die jetzt ausgebildete Kontaktfähigkeit bleibt bis ins hohe Alter erhalten. Wem - aus Furcht, sich selbst in Beziehungen zu verlieren - das Erfahren menschlicher Intimität und Nähe versagt bleibt, wird, sich nur mit sich selbst beschäftigend, vereinsamen und den Kontakt zur Umwelt verlieren.

Menschliche Sexualität kann sich jetzt in Bindungen entfalten.

- Die Fähigkeit zum Orgasmus wird mit einem geliebten Menschen erlebt,

- mit dem Vertrauen geteilt und erfahren wird,

- mit dem gemeinsam, die Lebensbereiche von Arbeit, Zeugung und Erholung in Einklang gebracht werden (vergl. Adams, 1982, S. 187).

Die siebte Phase: zeugende Fähigkeit gegen Stagnation

Zeugende Fähigkeit soll hier nicht auf die (biologische) Zeugung einer neuen Generation eingeschränkt werden. Vielmehr ist die Beteiligung an der "Stiftung der nächsten Generation" gemeint. Etwas - den Moment überdauerndes - Sinnvolles wird erzeugt. Unverheiratet und kinderlos bleibende Menschen können gleichwohl die Gesellschaft bei der Heranbildung einer neuen Generation unterstützen. Über sich selbst hinauszuwachsen und sich für etwas / jemanden einsetzen vermag dem Leben Sinn zu geben; wo dies ausbleibt, verarmt die Persönlichkeit und Stagnation setzt ein.

Die achte Phase: Ich-Integrität gegen Verzweiflung

In der achten und letzten Entwicklungsphase, steht die Ausbildung von Ich-Integrität, die Synthese aller Teile an. Rückblickend auf seinen Lebensweg, muss der Einzelne sich fragen, ob er sein Leben - in dieser Form - als Ganzheit annehmen und seine Persönlichkeit bejahen kann:

- Hat er sich um Vertrauen und Vertrauenswürdigkeit bemüht?

- Hat er Freunde gefunden?

- Hat er etwas für andere / für die Gemeinschaft getan?

- Hat er etwas hinterlassen (Kinder, Werke oder Werte)?

- Kann er das Geschehene - ohne Schuldgefühle und Scham - akzeptieren?

Morgen?

Wer sich eingestehen muss, dass er an den - sein Leben begleitenden - Aufgaben scheiterte, für den muss der Tod zum sinnlosen Ende eines sinnlosen Lebens werden: Angesichts der Endlichkeit seines Daseins muss er sich möglicherweise eingestehen, dass es keine Möglichkeit mehr gibt, etwas wieder gutzumachen oder etwas nachzuholen.

Das Wissen um ein allen Lebewesen gemeinsames Ende bietet die Möglichkeit, die Begrenzung des menschlichen Lebens als geschlossene Ganzheit zu erfahren. So begegnen uns - nicht nur alte - Menschen, die dem Tod, nach einem erfüllten Leben, furchtlos entgegentreten können.

Die Verwirklichung von Integrität wird damit zum zentralen Thema einer Bildungsarbeit mit alten Menschen (vergl. Marcel, Petzold, 1976).

10.3.3 "Erzählen" schafft Bewusstsein eigener Identität

Die Möglichkeit, sein eigenes Leben nochmals zu betrachten, es Revue passieren zu lassen, ist eine identitätssichernde Arbeit. Die hiermit verbundenen Gefühle verweisen auf ein gelebtes Leben. In Situationen, in denen die Gegenwart belastet, sichert der Rückgriff auf die Vergangenheit die eigene Identität, das Bewusstsein wer wir waren und sind!

Geschichten bedürfen der Zuhörer

Der Sich-Erinnernde sieht buchstäblich vor sich, was seinerzeit geschah. In der Erinnerung wird das Vergangene wieder belebt. Ein Teil der verloren geglaubten Lebensgeschichte wird in die Gegenwart zurückgeholt, wo ihr neues Leben und Lebendigkeit zukommt, die der alte Mensch im Alltag allzu oft vermissen muss. Aber die Erinnerung zerfällt, wenn sie nicht mit anderen geteilt, wenn sie anderen nicht mitgeteilt werden kann: Um wirklich zu sein, müssen Geschichten nacherzählt werden, sie brauchen geradezu eine "Beglaubigung" durch die Zuhörer (vergl. Kade, 1992, S. 112).

Mit dem Tod der Menschen, die diese Geschichten und die gemeinsame (Sozial-) Geschichte teilten, steigt auch die Einsamkeit der alten Menschen, geht damit doch auch die Gewissheit der hierin begründeten Gemeinsamkeit verloren.

Einem alten Menschen zuzuhören, ist mehr als Teil einer Pflegediagnose, die darauf abzielt, seine Bedürfnisse in Erfahrung zu bringen um pflegerisches Handeln besser hierauf abstimmen zu können: Die Erfahrung, dass jemand zuhört, dass sich ein Gegenüber auf seine Lebensgeschichte einlässt, lässt ihn erkennen, dass er noch respektiert wird. Das Anerkennen seiner Biografie sichert ihm seine Identität.

Es ist selbstverständlich, dass es sich hierbei um ein Angebot für die alten Menschen handelt. Der Wunsch, sich einer fremden Person (noch) nicht anvertrauen zu wollen, ist selbstverständlich zu berücksichtigen. Auch darf es nicht darum gehen, die Erfahrungen und Entscheidungen nachträglich zu kritisieren und die alten Menschen dahingehend zu belehren, wie sie sich damals besser verhalten hätten.

Kein "Ausforschen"

Keine "Belehrung"

Nicht unerwähnt bleiben soll, dass das Erinnern an vergangene Lebensstationen und -erfahrungen auch ein Training kognitiver Leistungen darstellt!

10.4 "Erzählen": Betreuer/innen erhalten Informationen über alte Menschen

Auch pflegende Mitarbeiter, Betreuerinnen und Betreuer profitieren in ihrer alltäglichen Arbeit von der biografischen Spurensuche:

Nicht nur der Betroffene bekommt so Gelegenheit, sich selbst aus einer anderen Perspektive zu sehen, auch der Zuhörer kann ganz neue Seiten an seinem Gesprächspartner kennen lernen.

Was wissen wir über das Leben eines Menschen, den wir nur hilflos und pflegebedürftig kennen. Welche Dinge waren ihm in seinem Leben immer wichtig, auf die Betreuer und Helfer nun - aus Unwissenheit - keine Rücksicht mehr nehmen? Je mehr von einem Menschen bekannt ist, umso besser kann man ihn verstehen; und dieses Verständnis ist die Basis für eine Betreuung, die an seinen ureigensten Bedürfnissen orientiert ist.

Die eigenen Lebenserfahrungen sind der persönlichste Besitz, auf den ein Mensch zurückblicken kann. So ist es eigentlich selbstverständlich, dass die Betroffenen selbst die wichtigen Informationen aus ihrem Leben mitteilen. Nur sie können bestimmen, was sie preisgeben wollen und was nicht.

Nur im persönlichen Austausch bietet sich dem alten Menschen selbst die Möglichkeit, im Gespräch seine eigene Situation neu zu überdenken und neu zu strukturieren.

Sollte es im Einzelfall (z.B. bei verwirrten alten Menschen) erforderlich sein, die nötigen Informationen von einer anderen Person aus dem Familien- oder Bekanntenkreis einzuholen, so ist es eine Selbstverständlichkeit, hierzu das Einverständnis des Betroffenen einzuholen. Schon die Tatsache gefragt zu werden, dokumentiert den Respekt vor der Würde des alten Menschen.

> Welche Informationen haben / hatten Sie als MitarbeiterIn in einer Einrichtung über die Lebensgeschichte der alten Menschen?
> Woher hatten Sie diese Informationen?
> Waren diese Informationen für Sie wichtig?
> Sehen Sie heute Möglichkeiten, mehr über das Leben der alten Menschen in Erfahrung zu bringen?

Exkurs 9:
Kommunikation des ästhetischen Gestaltens

Sprachlos

Ältere Menschen, deren Äußerungen immer wieder ungehört blieben, die in ihrem Leben ohne Zuhörer blieben, sind dem Reden gegenüber misstrauisch geworden: Das Sprechen wurde ihnen suspekt.

Wo der Dialog verstummt ist, ist die Grabesstille schon anwesend, meint der Gestalttherapeut Hilarion Petzold (1985, S. 338). Hier gilt es, die Stille zu durchbrechen und die Betroffenen anzuregen, sich wieder zu äußern. (Vor-) Gelesene Gedichte, Geschichten und Romane können anregen, sich selbst, seine eigenen Probleme und Betroffenheiten in dem Gehörten wieder zu finden und sich zu äußern. In einem zweiten Schritt werden möglicherweise Geschichten weiterentwickelt oder sogar eigene Geschichten und Gedichte zu Papier gebracht und anderen vorgestellt.

Eigene Einfälle, Ideen und Ängste können aber auch nicht-sprachlich, in Form bildhafter Darstellungen, zu Papier gebracht werden.

Exkurs 9.1   Kinder lernen malend

In ihren Bildern setzen sich Kinder lernend mit ihrer Umwelt auseinander; beim Malen und Zeichnen - aber auch im Spiel - wiederholen und bearbeiten sie das Erlebte und drücken gleichzeitig ihre Wünsche und ihr Fühlen aus.

Aneignung von Wirklichkeit

Alle Kinder lassen solche Bildnisse erstehen, in welche Erfahrungen und Wollen einfließen. Die Darstellungen sind keinesfalls **künstlerisch**, weder künstlerische Techniken sind bei der Entstehung bedeutsam, noch finden formale Kriterien wie Probleme der Perspektive, des Bildaufbaus, der Farbkomposition o.Ä. Beachtung.

Wenn Kinder älter werden, erkennen sie die Beschränktheit ihrer Ausdrucks- und Darstellungsmöglichkeiten und sie äußern den Wunsch "richtig malen zu können". Zeichnerische, malerische Fähigkeiten werden dann möglicherweise einem realistischen Berufswunsch zur Seite gestellt (Zeichnen als "technisches Zeichnen" oder als Zeichnen in der Modebranche) oder sie werden als Hobby "kultiviert" und orientieren sich an den Kriterien der "Kunst", die in der Moderne als Abtrennung von fassbaren Inhalten und als Autonomisierung der Mittel verstanden wird.

"Richtig malen" können

In der Regel gehen die malerischen Ambitionen mit dem Ende der Kindheit unter und beschränken sich auf das Zu-Papier-bringen von Strichzeichnungen während langweiliger Telefonate und sich in die Länge ziehender Konferenzen.

Exkurs 9.2   Malerische Ausdrucksmöglichkeiten älterer Menschen

Werden die zeichnerischen Fähigkeiten ein ganzes Leben nicht mehr gefordert und trainiert, so verwundert es kaum, dass das Zeichenrepertoire der meisten alten Menschen kaum über die Möglichkeiten 10- bis 12-jähriger Kinder hinausreicht, dass deren Arbeiten kaum von Kinderzeichnungen zu unterscheiden sind (vergl. Daucher, o.J., S. 132). Dass die Senioren selbst ihre Bilder sehr gering achten, erstaunt auch nicht.

In entsprechenden Kursen äußern ältere Menschen, die sich dem Malen zuwenden wollen, dann auch immer wieder den Wunsch, handwerklich-technische Fertigkeiten vermittelt zu bekommen: "Wie zeichnet man Köpfe?" "Wie malt man einen Baum?" "Wie mischt man Farben?" Diese Einstellungen der Teilnehmer wurden von einem Kunstunterricht geprägt, der Exaktheit, getreues Abbilden der Wirklichkeit und perspektivische Richtigkeit als unumstößliche Prinzipien darstellte.

Unabhängig von handwerklichen und technischen Problemen des Gestaltens fließen in die Bilder Gefühle, Wünsche, Leitbilder, Vorstellungen und Erfahrungen der "Malenden" ein. Beim Zeichnen und Malen drücken sie sich selber aus, bringen sie etwas Ureigenes hervor, das für sie selbst und die Betrachter sichtbar und damit analysierbar und hinterfragbar wird.

Sich ausdrücken

Elisabeth Bubolz (1979, S. 355) nennt diese künstlerischen, kreativen Tätigkeiten eine Form der **Autokommunikation**, ein Zwiegespräch mit sich selbst, das auch anderen sichtbar und damit erfahrbar wird. Ästhetische Darstellungen sind den Träumen vergleichbar: In beide fließen nicht nur die in der Kindheit unterdrückten Gefühle, sondern auch die Wünsche und das Begehren des Augenblicks mit ein. So hat das **was** dargestellt wird (der Inhalt, das Thema eines Bildes) und die Art und Weise **wie** etwas dargestellt wird immer mit dem eigenen Leben zu tun.

Ausdruck und Verstehen

Um durch eigenes gestalterisches Tun zu neuen Erfahrungen gelangen zu können, die hinterfragbar werden und in die die eigene Sicht von sich selbst, von anderen und von der Welt eingeordnet werden können, muss zum Ausdruck gelangtes in Worte gefasst werden. Um Probleme erkennen und bearbeiten zu können, ist es wichtig vom **unbewussten Ausdruck** zum **bewussten Verstehen** zu gelangen. Dies gelingt dann, wenn zum Gestaltungsprozess (als integrativer Bestandteil) das Gespräch hinzukommt, wenn das Ausgedrückte mit anderen besprochen werden kann.

Aktion und Reflexion

Die Gestaltungstherapeuten Helena Schrode und Heinz Kurz (1986, S. 144) unterscheiden eine **Aktionsphase** des Gestaltens und eine **Reflexionsphase**, in der die individuellen Inhalte und Bedeutungen Beachtung finden.

Stärkung der Identität

Lebensgeschichtliche Erfahrungen in Bildern zu verarbeiten, vermag eine verstärkte Nähe zur eigenen Person (wieder) herzustellen und die personale Identität zu stärken (vergl. Sprinkart, 1980, S. 71). So kann der Gestaltungsprozess als Möglichkeit zur Integration von Vergangenheit und Zukunft in der Gegenwart, im "Hier und Jetzt" (Bubolz, 1979, S. 355) verstanden werden.

Elisabeth Bubolz (1979, S. 360 ff) stellt ein dreiphasiges Modell vor und beschreibt nach der *Aktionsphase*, in der durch eigenes Tun und Erleben neue Erfahrungen gewonnen werden können, und einer *Integrationsphase*, in der das Aufgekommene hinterfragt, zusammengefasst und kognitiv eingeordnet wird, eine *Phase der Neuorientierung*, in welcher die von sich selbst gewonnenen Aspekte in ein neues - bewusstes - Alltagsverhalten einfließen.

Aktion

Integration und Neuorientierung

Exkurs 9.3   Malen: Selbstausdruck und (Selbst-) Erfahrung

In Partner- und Gruppenbildern können die in der (Mal-) Gruppe vorhanden Gefühle der Zu- und Abneigung, der Angst und Aggression zum Ausdruck kommen und einer bewussten Bearbeitung zugänglich gemacht werden. Die Teilnehmenden sind gehalten, ihre Ansprüche und Kritiken in die Gruppe einzubringen.

In lebensweltbezogenen Aufgabenstellungen ermöglicht die bildnerische Auseinandersetzung eine intensive Begegnung mit sich selbst, mit der eigenen Vergangenheit. Die entstandenen Bilder regen zu Gesprächen über "ähnliche Erfahrungen" und "vergleichbare Schicksale" an. So können Themen wie
➤   "Einschnitte im Lebenslauf"
➤   "Aus meinem Fotoalbum"
➤   "Veränderungen meiner Stadt"
➤   "Mein Steckbrief"
anregen, sich mit Teilen der eigenen Persönlichkeit intensiv auseinander zu setzen, und sich dieser neu bewusst zu werden (vergl. Ellissen, Quint, Sprinkart, 1981, S. 34 ff).

Malen und Zeichnen sind jedoch mehr als Möglichkeiten des Selbst-Ausdrucks. Sie verlangen nach Disziplin und Ordnung: die eigenen Materialien müssen gepflegt und "in Ordnung gehalten" werden.

Das Führen von Pinsel und Stiften, das Zeichnen von Linien stellt Anforderungen und ist ein Training psychomotorischer Fertigkeiten.

Das Gespräch über die eigenen Bilder, der Austausch mit anderen bietet ein besonderes Gruppenerlebnis; eigene Positionen vertreten zu können ist hier ebenso gefordert wie die Fähigkeit, sich dem Empfinden anderer einfühlend zuzuwenden. So wird es den Teilnehmenden möglich - trotz der gegenseitigen Abhängigkeit - ein hohes Maß an Selbstbestimmung und Selbstverwirklichung zu erfahren.

Nicht zuletzt ist die Erfahrung "etwas geschaffen zu haben", das anderen vorgestellt und von diesen beachtet wird, als eine Stärkung des eigenen Selbstwertgefühls zu verstehen.

Lehrzielkatalog

Sie sollen ...

		vergl. Seite
1	zehn verbindliche Wertorientierungen nennen können, die den heutigen Senioren in ihrer Kindheit vermittelt wurden	267
2	die unterschiedlichen Lebensläufe der heute 90-, 80-, 70- und 60-jährigen Senioren beschreiben können	267 f
3	beschreiben können, welche Entwicklungschancen die heutigen Senioren in ihrer Jugend hatten (oder nicht hatten) beschreiben können	267 f
4	die Begriffe *singuläre* und *historische* Biografie unterscheiden und erläutern können	269
5	die Begriffe *persönliche Identität, soziale Identität* und *Ich-Identität* unterscheiden und erläutern können	269 f
6	die Einflüsse positiv bzw. belastend erlebter Situationen auf die seelische Gesundheit im Alter beschreiben können	270
7	familiäre Beziehungen und Aktivitäten im Freizeitbereich als Möglichkeiten der Kompensation belastend erlebter Umweltbedingungen beschreiben können	271
8	erläutern können, welche Bedeutung *Krisensituationen* für ein erfolgreiches Altern zukommt	271
9	beschreiben können, inwieweit *Krisensituationen* zu Resignation der Betroffenen bzw. zu Veränderungsbereitschaft führen	271 f
10	*Krisen* und *Problemsituationen* voneinander abgrenzen und erläutern können	272
11	drei Möglichkeiten des Umgangs mit *Krisensituationen* beschreiben können	272
12	zwei Faktoren nennen können, von denen abhängt, für welche Form des Umgangs mit Krisen sich der Einzelne entscheidet	272
13	*normative* und *nicht-normative Krisen* unterscheiden können	273

Sie sollen ...

		vergl. Seite
14	drei Bedingungen beschreiben können, die dazu führen, dass problematische Lebensereignisse sich zu Krisen entwickeln	274
15	die Phasen der Krisenbewältigung nach Gerald Caplan beschreiben können	275
16	beschreiben können, inwieweit ein Gespräch mit einer Person des Vertauens hilft zu strukturieren und *neue Perspektiven* zu schaffen	275 f
17	beschreiben können, inwieweit ein Gespräch mit einer Person des Vertauens hilft das eigene Leben zu *integrieren*	276 f
18	beschreiben können, inwieweit ein Gespräch mit einer Person des Vertauens hilft, das *Bewusstsein der eigenen Identität* zu stärken	280 f
19	beschreiben können, welche Perspektiven sich dem Zuhörer in einer solchen Aussprache eröffnen	281 f
20	begründen können, welche Personen als Quellen für diese wichtigen Informationen angesprochen werden sollten	282

Lehrzielkatalog / Exkurs 8

Sie sollen ...

		vergl. Seite
21	das Lebensphasen-Modell Erik Eriksons von dem Phasenmodell Sigmund Freuds abgrenzen können	277 f
22	die ersten fünf Phasen von Eriksons Modell den entsprechenden Phasen des Modells von Sigmund Freud zuordnen können	278
23	die ersten fünf Phasen des Lebensphasenmodells nach Erikson beschreiben können	278
24	die sechste Phase des Lebensphasenmodells nach Erikson benennen und beschreiben können	279
25	die siebte Phase des Lebensphasenmodells nach Erikson benennen und beschreiben können	279
26	die achte Phase des Lebensphasenmodells nach Erikson benennen und beschreiben können	279 f

Lehrzielkatalog / Exkurs 9

Sie sollen ...

		vergl. Seite
27	beschreiben können, welche Möglichkeiten das Malen und Zeichnen Kindern bietet	283
28	erläutern können, warum Kinder - älter werdend - so häufig aufhören zu malen	283
29	die Ähnlichkeiten von Kinderzeichnungen und "Seniorenzeichnungen" beschreiben und die Ursache hierfür nennen können	283
30	beschreiben können, welche Erwartungen Senioren an "Malkurse" stellen	283 f
31	Malen als Form der *Autokommunikation* beschreiben können	284
32	beschreiben können, welche Möglichkeiten sich öffnen, wenn das Gespräch zum gestalterischen Tun hinzukommt	284
33	gestalterisches Tun als Möglichkeit der Stärkung personaler Identität beschreiben können	284
34	Aktion und Reflexion als zwei Phasen des Gestaltungsprozesses beschreiben können	284
35	Aktion, Integration und Neuorientierung als drei Phasen des Gestaltungsprozesses beschreiben können	285

Kapitel 10: Literaturverzeichnis

Blimlinger, Eva; Ertl, Angelika; Koch-
Straube, Ursula; Wappelshammer,
Elisabeth (1994)
Lebensgeschichten - Biografiearbeit
mit alten Menschen
Hannover, 1994

Braun, Walter [Hrsg.] (1981)
Die ältere Generation - Zum Problemfeld zwischen Gerontologie und Pädagogik
Bad Heilbrunn/Obb., 1981

Breloer, Gerhard (1981)
Zur Vermittlungsproblematik der Alternsforschung - Aufgaben der Erwachsenenbildung
in: Braun, 1981

Bubolz-Lutz, Elisabeth (1984)
Bildung im Alter - Eine Analyse geragogischer und psychologisch-
therapeutischer Grundmodelle
Freiburg im Breisgau, 1984 (2. Aufl.)

Diakonisches Werk der Evangelischen
Kirche in Deutschland [Hrsg.] (1979)
Bildungsarbeit [Reihe: "Hilfe für das
Alter"]
Stuttgart, 1979

Grimm, Jakob und Wilhelm (1889)
Deutsches Wörterbuch, Band 7
Leipzig, 1889

Hirsch, Rolf D. [Hrsg.] (1990)
Psychotherapie im Alter
Bern, 1990

Hubrich, Hans-Ulrich (1981)
Der alternde Mensch in der modernen
Gesellschaft - auch ein pädagogisches Problem
in: Braun, 1981

Jones, Maxwell (1976)
Prinzipien der therapeutischen
Gemeinschaft
Bern u.a.O., 1976

Kade, Sylvia (1992)
Altern und Geschlecht - über den
Umgang mit kritischen Lebensereignissen
in: Schlutz, Tews u.A., 1992

Kemper, Johannes (1990)
Alternde und ihre jüngeren Helfer
München, Basel, 1990

Klingenberger, Hubert (1992)
Ganzheitliche Geragogik - Ansatz und
Thematik einer Disziplin zwischen
Sozialpädagogik und Erwachsenen-
bildung
Bad Heilbrunn/Obb., 1992

Rasehorn, Helga (1991)
Reise in die Verhangenheit -
Anregungen zur Gesaltung von Ge-
sprächsgruppen mit alten Menschen
Hannover, 1991

Rieder, Johannes (1992)
Biografiearbeit in der Ausbildung
in: Altenpflege; Heft 9/1992

Schenda, Rudolf (1976)
"Education permanente" für das Alter
in: Petzold, Bubolz, 1976

Schlutz, Erhard; Tews, Hans-Peter u.a.
(1992)
Perspektiven zur Bildung Älterer;
Frankfurt/Main, 1992

Schwab, Gustav (o. J.)
Sagen des klassischen Altertums
Wiesbaden, o. J.

Stracke-Mertes, Ansgar (1994)
Was der alte Mensch heute ist, ist er
geworden
in: Altenpflege; Heft 3/1994

Veelken, Ludger (1990)
Neues Lernen im Alter - Bildungs- und
Kulturarbeit mit "Jungen Alten"
Heidelberg, 1990

Exkurs 8: Literaturverzeichnis

Adams, Edward C. (1982)
Das Werk von Erik H. Erikson
in: Eicke, 1982

Eicke, Dieter [Hrsg.] (1982)
Tiefenpsychologie, Band 3
Weinheim, Basel, 1982

Marcel, Gabriel; Petzold, Hilarion
(1976)
Anthropologische Vorbemerkungen
zur Bildungsarbeit mit alten Menschen
in: Petzold, Bubolz, 1976

Petzold, Hilarion; Bubolz, Elisabeth
[Hrsg.] (1976)
Bildungsarbeit mit alten Menschen
Stuttgart, 1976

Exkurs 9: Literaturverzeichnis

Bubolz, Elisabeth (1979)
Methoden kreativer Therapie in einer
integrativen Psychotherapie mit alten
Menschen
in: Petzold, Bubolz; 1979

Daucher, Hans (o.J.)
Künstlerische und kunstpädagogische Beurteilungsmöglichkeiten der
gestalterischen Tätigkeit von Senioren
in: Sprinkart, o. J. a

Petzold, Hilarion (1985)
Mit alten Menschen arbeiten - Bildungsarbeit, Psychotherapie, Sozio-
therapie
München, 1985

Petzold, Hilarion; Bubolz, Elisabeth
[Hrsg.] (1979)
Psychotherapie mit alten Menschen
Paderborn, 1979

Schrode, Helene; Kurz, Heinz (1986)
Gestaltungstherapie
in: Seifert, Waiblinger, 1986

Seifert, Theodor; Waiblinger, Angela
[Hrsg.] (1986)
Therapie und Selbsterfahrung
Stuttgart, 1986

Sprinkart, Karl-Peter (1980)
Ansatzpunkte und Möglichkeiten
kreativer Altenarbeit
in: Modelle und Materialien schöpferischer Ausdrucksformen des Alters, 1980

Sprinkart, Karl-Peter (o. J.)
Kreatives Gestalten in Einrichtungen der offenen Altenhilfe
in: Sprinkart, o.J. a

Sprinkart, Karl-Peter [Hrsg.] (o.J. a)
Kreativität im Alter
Mittenwald, o.J.

Wingchen, Jürgen (1986)
Anmerkungen zur Legitimation therapeutischer Kunstpädagogik mit alten Menschen
in: Kunst & Therapie - Schriftenreihe zu Fragen der Ästhetischen
Erziehung
Heft 8, 1986 (Münster)

Abbildungsverzeichnis

Abb.	Titel	Kap.	Seite	Quelle
1	Rollentheorie: Soziali-sation	3	34	Knöferl, M; Ital, A: ATL-Folien-vorlagen Arbeitsbuch für Unterrichtende im Gesundheitswesen Hagen, 1999 (Brigitte Kunz Verlag) Folie 67
2	Rollentheorie: Rol-lenerwartungen	3	39	Knöferl, Ital (vergl. Abb. 1): Folie 66
3	Rollentheorie: Rollen-konflikte	3	42	Knöferl, Ital (vergl. Abb. 1): Folie 68
4	Zielgruppen der Agogik I	4	55	Verfasser
5	Zielgruppen der Agogik II	4	56	Verfasser
6	Pflegeheime der ersten Generation	4	64	KDA: Kuratorium Deutsche Al-tershilfe Neue Konzepte für das Pfle-geheim Band 46 der Schriftenreihe „vorgestellt" (1988) Seite 5
7	Pflegeheime der zweiten Generation	4	66	KDA, 1988 (vergl. Abb. 6): Seite 9
8	Pflegeheime der dritten Generation	4	67	KDA, 1988 (vergl. Abb. 6): Seite 15
9	Tiefenpsychologie: be-wusste und unbewuss-te ICH-Funktionen	4	69	Verfasser
10	Tiefenpsychologie: das Schichtenmodell	4	70	Verfasser
11	Lernpsychologie: Klas-sisches Konditionieren nach I. P. Pawlow	4	85 86	Verfasser
12	Lernpsychologie: Kon-ditionierung des Im-munsystems	4	87	Verfasser
13	Lernpsychologie: klas-sisch konditionierte In-kontinenz	4	88 89	Verfasser

Abb.	Titel	Kap.	Seite	Quelle
14	Lernpsychologie: Schema des operanten Konditionierens	4	93	Verfasser
15	Lernpsychologie: operant konditionierte Inkontinenz I	4	95	Verfasser
16	Lernpsychologie: klassisch konditionierte Inkontinenz II	4	96	Verfasser
17	Lernpsychologie: Verhaltensformung	4	99	Verfasser
18	Renteneinkünfte in der Bundesrepublik Deutschland	6	148	Verfasser
19	Themenzentrierte Interaktion: das Kommunikationsmodell	7	195	Knöferl, Ital (vergl. Abb. 1): Folie 9
20	Themenzentrierte Interaktion: Kernaussagen nach Ruth Cohn	7	198	Knöferl, Ital (vergl. Abb. 1): Folie 12
21	Bedürfnispyramide nach Maslow	8	218	Verfasser

Literaturverzeichnis

Adams, Edward C. (1982)
Das Werk von Erik H. Erikson
in: Eicke, 1982

AG Gesellschaftslehre (1980)
Alte Menschen - Eine Randgruppe der Gesellschaft
Dortmund, 1980

Arbeitsgruppe Alternsforschung Bonn
Altern psychologisch gesehen
Braunschweig, 1979 (5. Aufl.)

Arnold, Wilhelm; Eysenck, Jürgen; Meili, Bern (1987)
Lexikon der Psychologie (3 Bände)
Freiburg u.a.O., 1987

Bechtler, Hildegard [Hrsg.] (1993)
Gruppenarbeit mit älteren Menschen
Freiburg im Breisgau, 1993 (2. Aufl.)

Becker, Horst (1990) und die Institute
"Infratest Sozialforschung", "Sinus"
Die Älteren - Zur Lebenssituation der 55- bis 70-Jährigen
Bonn, 1990

Beer, Ulrich (1993)
"Alter - frei von Sexualität?"
in: Berghaus, Sievert, 1993

Behnke, Burghard (1972)
Psychoanalyse in der Erziehung
München, 1972

Berghaus, Helmut C.; Knapic, Karl-Heinz; Sievert, Uta [Hrsg.] (1997)
Trotz Alter und Behinderung:
Ressourcen nutzen
Vorträge und Arbeitskreisberichte der 6.
Fachtagung "Behinderung im Alter" 1996
an der Heilpädagogischen Fakultät der Universität zu Köln
Band 126 der Schriftenreihe "thema"
herausgegeben vom K D A /
Kuratorium Deutsche Altershilfe / Köln
Köln, 1996

Berghaus, Helmut C.; Sievert, Uta [Hrsg.] (1993)
Behinderung im Alter: Kommunikation
Ansprachen und Vorträge, Berichte und Ergebnisse der Arbeitskreise der 2. Fachtagung der Heilpädagogischen Fakultät der Universität zu Köln / 1992
Band 77 der Schriftenreihe "thema"
herausgegeben vom K D A /
Kuratorium Deutsche Altershilfe / Köln
Köln, 1993

Birkenbihl, Vera F. (1987)
Kommunikationstraining - Zwischenmenschliche Beziehungen erfolgreich gestalten
Landsberg am Lech, 1987 (8. Aufl.)

Blimlinger, Eva; Ertl, Angelika; Koch-Straube, Ursula; Wappelhammer, Elisabeth (1994)
Lebensgeschichten - Biografiearbeit mit alten Menschen
Hannover, 1994

Bohl, Jürgen Rudolf (1980)
Lob des Alters
in: Altersforum, 2/1992

Bollnow, Otto Friedrich (1962)
Das hohe Alter
in: Neue Sammlung 2/1962

Braun, Walter (1981a)
Pädagogik und Gerontologie - Ein Beitrag zu sozialpädagogischen Aspekten des Alterns
in: Braun, 1981

Braun, Walter [Hrsg.] (1981)
Die ältere Generation - Zum Problemfeld zwischen Gerontologie und Pädagogik
Bad Heilbrunn/Obb., 1981

Breloer, Gerhard (1981)
Zur Vermittlungsproblematik der Alternsforschung - Aufgaben der Erwachsenenbildung
in: Braun, 1981

Brocher, Tobias (1971)
Psychosexuelle Grundlagen der Entwicklung
Opladen, 1971

Bubolz, Elisabeth (1979)
Methoden kreativer Therapie in einer integrativen Psychotherapie mit alten Menschen
in: Petzold, Bubolz; 1979

Bubolz-Lutz, Elisabeth (1984)
Bildung im Alter - Eine Analyse geragogischer und psychologisch-therapeutischer Grundmodelle
Freiburg im Breisgau, 1984 (2. Aufl.)

Bundesanstalt für Arbeit (1985)
Blätter zur Berufskunde: Altenpfleger/Altenpflegerin
Nürnberg; 1985 (4. Aufl.)

Burger, Hubert (1990)
Supervision - Wenn das Miteinander gestört ist
in. Altenpflege, Heft 8/1990

Cohn, Ruth (1988)
Von der Psychoanalyse zur Themenzentrierten Interaktion
Stuttgart, 1988

Correll, Werner (1974)
Lernen und Verhalten
München, 1974 (4. Aufl.)

Dahrendorf, Ralf (1968)
Pfade aus Utopia
München, 1968

Dahrendorf, Ralf (1974)
Homo Sociologicus
Opladen, 1974 (14. Aufl.)

Daimler, Renate; Glaesske, Gerd (1988)
Altern ist keine Krankheit
Köln, 1988

Dammann, Hanns-Gerd (1995)
Türken im Sprechzimmer
in: Die Zeit, Nr. 5 vom 27.01.1995

Daucher, Hans (o.J.)
Künstlerische und kunstpädagogische Beurteilungsmöglichkeiten der gestalterischen Tätigkeit von Senioren
in: Sprinkart, o. J. a

De Crow, Roger (1976)
Altenbildung in den Vereinigten Staaten
in: Petzold, Bubolz, 1976

De Smet, Simone Denise (o. J.)
Du und Dein Tier
unveröffentlichtes Vortrags-Manuskript
c/o WDR/Köln, o. J.

Dettbarn-Reggentin, Jürgen (1992b)
Altenselbsthilfe als Bildungsstätte
in: Dettbarn-Reggentin, Regentin, 1992a

Dettbarn-Reggentin, Jürgen; Regentin, Heike [Hrsg.] (1992)
Neue Wege in der Bildung Älterer / Band 1: Theoretische Grundlagen und Konzepte
Freiburg im Breisgau, 1992

Dettbarn-Reggentin, Jürgen; Regentin, Heike [Hrsg.] (1992a)
Neue Wege in der Bildung Älterer / Band 2: Praktische Modelle und Projekte
Freiburg im Breisgau, 1992

Diakonisches Werk der Evangelischen Kirche in Deutschland [Hrsg.] (1979)
Bildungsarbeit [Reihe: "Hilfe für das Alter"]
Stuttgart, 1979

Dornicht-Fluck, Brigitte (1992)
Perspektiven zur Altenbildung in den USA
in: Schlutz, Tews, 1992

Dt. Verein für öffentliche und private Fürsorge (1979)
Nomenklatur der Veranstaltungen, Dienste und Einrichtungen der Altenhilfe
Frankfurt, 1979

Dt. Zentrale für Volksgesundheitspflege e.V. (o. J.)
Interventionsmaßnahmen in Alten- und Pflegeheimen - Eine Handreichung für die Praxis
Frankfurt am Main, O. J.

Eckert, Carmen (1992)
Tierhaltung im Heim
in: Caritas-Korrespondenz, Heft 15/1992

Eicke, Dieter [Hrsg.] (1982)
Tiefenpsychologie, Band 3
Weinheim, Basel, 1982

Eikmann, Jörg (1979)
Die Psychoanalyse nach Sigmund Freud
in: Sieland, Siebert, 1979

Eirmbter, Eva (1979)
Altenbildung - zur Theorie und Praxis
Paderborn u.a.O., 1979

Ellissen, Birgit; Quint, Rosi; Sprinkart, Karl-Peter (1981)
Kreatives Arbeiten mit Senioren
Mittenwald, 1981

Fontheim, Robert (1982)
Altern ist keine Krankheit
London, 1982

Fooken, I. (1991)
Die "nacheheliche Perspektive - Erleben und Verhalten geschiedener und verwitweter Frauen
in: Karl, F.; Friedrich, I, 1991

Freud, Sigmund (1916 / 1981)
Vorlesungen zur Einführung in die Psychoanalyse
Frankfurt am Main, 1981

Freud, Sigmund, (1933 / 1981)
Neue Folge der Vorlesungen zur Einführung in die Psychoanalyse
Frankfurt am Main, 1981

Frieling-Sonnenberg (1997)
Gelebte und nicht gelebte Sexualität der Pflegenden und alten Menschen in Heimen
in: Berghaus, Knapic, Sievert, 1997

Gäng, Marianne [Hrsg.] (1992)
Mit Tieren leben im Alten- und Pflegeheim
München, Basel, 1992

Gätschenberger, Gudrun (1995)
Altern in der Fremde - Kulturelle Aspekte im
Umgang mit alten MigrantInnen
in: *Altenpflege*-Forum, Nr. 3 / 1995

Greiffenhagen, Sylvia (1991)
Tiere als Therapie - Neue Wege in Erzie-
hung und Heilung
München, 1991

Grimm, Jakob und Wilhelm (1889)
Deutsches Wörterbuch, Band 7
Leipzig, 1889

Gronemeyer, Reimer (1991)
Die Entfernung vom Wolfsrudel
Frankfurt am Main, 1991

Gronemeyer, Reimer; Buff, Wolfgang (1992)
Bildungskonzepte oder Orientierung der Älteren
in: Dettbarn-Reggentin, Regentin, 1992a

Großmann, Klaus E. (1969)
Psychologie des Verhaltens
in: "Bild der Wissenschaft"
Begabung und Erfolg
Stuttgart, 1969

Grotjahn, Martin (1955)
Analytische Psychotherapie bei älteren Patienten
in: Petzold, Bubolz, 1979

Hacker, Friedrich (1978)
Freiheit die sie meinen
Hamburg, 1978

Hajek, Erich (1984)
Wie erreiche ich, daß mich meine Partner
wirklich verstehen?
Wien, 1984

Harlander, Norbert A. (1989)
So motiviere ich meine Mitarbeiter
München, 1989

Heil, Klaus D. (1978)
Programmierte Einführung in die Psycholo-
gie
Stuttgart, 1978 (5. Aufl.)

Heim, Edgar (1985)
Praxis der Milieu-Therapie
Berlin u.a.O., 1985

Heim, Edgar [Hrsg.] (1978)
Milieu-Therapie;
Bern u.a.O., 1978

Hespos, Michael (1991)
Entspannung für Körper, Geist und Seele -

Ein Weg zu mehr Gelassenheit und Ruhe
beim alten Menschen
in: Altenpflege, Heft 7/1991

Heßmann-Kosaris, Anita (1987)
Heimtiere können das Befinden alter Menschen verbessern
in: Heim und Anstalt, Heft 5/1987

Hirch, H. D. (1991)
Partnerverluste im Alter: die einsamen
Frauen
in: Karl, F.; Friedrich, I, 1991

Hirsch, Rolf D. (1987)
Das autogene Training in der Gerontologie
in: Zeitschrift für Gerontologie Band 20/1987

Hirsch, Rolf D. [Hrsg.] (1990)
Psyhotherapie im Alter
Bern, 1990

Hirsch, Rudolf D. (1986)
Balint-Gruppenarbeit in der Altenhilfe
Reihe "Vorgestellt"; KDA-Köln;
Folge 34, Oktober, 1986

Howe, Jürgen [Hrsg.] (1991)
Lehrbuch der psychologischen und sozialen
Alternswissenschaft - Band 3
Heidelberg, 1991

Hubrich, Hans-Ulrich (1981)
Der alternde Mensch in der modernen Gesellschaft - auch ein pädagogisches Problem
in: Braun, 1981

Jones, Maxwell (1976)
Prinzipien der therapeutischen Gemein-
schaft
Bern u.a.O., 1976

Jones, Maxwell (1978)
Von der Therapeutischen Gemeinschaft
zum offenen System
in: Heim, 1978

Joppig, Wolfgang (1990)
Gruppenarbeit mit Senioren
Köln, 1990

Junker, Helmut (1977)
Einführung in die Psychoanalyse
in: Hornstein, Walter u.a. [Hrsg.]
Beratung in der Erziehung
Frankfurt am Main, 1977

Kade, Sylvia (1992)
Altern und Geschlecht - über den Umgang
mit kritischen Lebensereignissen
in: Schlutz, Tews u.a., 1992

Karl, F.; Friedrich, I [Hrsg.] (1991)
Partnerschaft und Sexualität im Alter
Darmstadt, 1991

Karl, Fred (1990)
Neue Wege in der sozialen Altenarbeit
Freiburg im Breisgau, 1990

Kastilan, Franz (1981)
Bildungsarbeit für Senioren
Reihe "Vorgestellt"; KDA-Köln;
Folge 20, Juli 1981

KDA / Kuratorium Deutsche Altershilfe (1988)
Neue Konzepte für das Pflegeheim - auf der
Suche nach mehr Wohnlichkeit (Band 46
der Schriftenreihe "vorgestellt")
Köln, Dezember/1988

KDA / Kuratorium Deutsche Altershilfe (1989)
Tiere in Alten- und Pflegeheimen - Argu-
mente und Beispele (Band 31 der Schriftenreihe "thema")
Köln, August/1989

Kemper, Johannes (1989)
Was heißt altern? - Psychotherapie in der
zweiten Lebenshälfte
München, 1989

Kemper, Johannes (1990)
Alternde und ihre jüngeren Helfer
München, Basel, 1990

Kerres, Andrea; Falk, Juliane (1996)
Kommunikative Unterrichtsgestaltung
Hagen, 1996

Kirchner, Helga (1993)
Supervision: Zauberformel oder reale Hilfestellung?
in: Altenpflege, Heft 6 / 1993

Klingenberger, Hubert (1992)
Ganzheitliche Geragogik - Ansatz und
Thematik einer Disziplin zwischen Sozial-
pädagogik und Erwachsenenbildung
Bad Heilbrunn/Obb., 1992

Klütsch, Evelyn (1991)
Feste und Feiern (Reihe "Aktives Alter -
Gekonnt betreuen und aktivieren")
Hannover, 1991

Koch-Straube, Ursula; Koch, Hans-Bernd; Leis-
ner, Reiner (1973)
Altersforschung
Suttgart, Berlin, Köln, Mainz; 1973

König, Otto (1980)
Tier und Mensch - Tiere halten, pflegen,
kennenlernen
Wien, München, 1980

König, Rene (1976)
Handbuch zur empirischen Sozialforschung
Band 7: Familie und Alter
Stuttgart, 1976

Kösters, Paul-Heinz (1985)
Die Erforscher der Seele
Hamburg, 1985

Kraft, Hartmut (1989)
Autogenes Training - Methodik, Didaktik
und Psychodynamik
Stuttgart, 1989 (2. Aufl.)

Krampen, Günther (1992)
Einführungskurse zum Autogenen Training
Göttingen, Stuttgart, 1992

Kruse, Andreas (1990)
Die Bedeutung von seelischen Entwick-
lungsprozessen für die Psychotherapie im
Alter
in: Hirsch, 1990

Kuhn, Monika (1992)
Gedächtnistraining (Band 67 der Schriften-
reihe „thema")
Köln, Oktober 1962

Kunz, Winfried (1997)
ATL-Folienvorlagen, Arbeitsbücher für Un-
terrichtende im Gesundheitswesen
Hagen, 1997

Kusztrich, Imre (1988)
Haustiere helfen heilen - Tierliebe als Medi-
zin
Genf, 1988

Larbig, Wolfgang (1980)
Psychologische Theorien zur Genese von
Verhaltensstörungen
in: Wittling, 1980

Lehr, Ursula (1979)
Psychologie des Alterns
Heidelberg, 1979 (4. Aufl.)

Lehr, Ursula (1979a)
Interventionsgerontologie
Darmstadt, 1979

Lehr, Ursula (1979b)
Gero-Intervention - das Insgesamt der Bemühungen, bei psycho-physischem
Wohlbefinden ein hohes Lebensalter zu
erreichen
in: Lehr, 1979a

Lehr, Ursula; Schmitz-Scherzer, Reinhard;
Quadt, Else (1979)
Weiterbildung im höheren Erwachsenenal-
ter -
Eine empirische Studie zur Frage der Lern-
bereitschaft älterer Menschen
Stuttgart u.a.O., 1979

Loddenkemper, Norbert; Schier, Norbert (1981)
Altenbildung - Grundlagen und Handlungs-

orientierungen
Bad Heilbrunn, 1981

Mager, Robert F. (1965)
Lernziele und Unterricht
Weinheim, 1965

Marcel, Gabriel; Petzold, Hilarion (1976)
Anthropologische Vorbemerkungen zur Bildungsarbeit mit alten Menschen
in: Petzold, Bubolz, 1976

Matthes, Werner (1989)
Pflege als rehabilitatives Konzept
Hannover, 1989

Meier-Baumgartner, Hans-Peter u.a. (1992)
Die Effektivität von Rehabilitation bei älteren Menschen unter besonderer Berücksichtigung psychosozialer Komponenten bei ambulanter, teilstationärer und stationärer Behandlung
Stuttgart u.a.O., 1992

Meueler, Erhard (1987)
Wie aus Schwäche Stärke wird - Vom Umgang mit Lebenskrisen
Reinbek bei Hamburg, 1987

Modelle und Materialien schöpferischer Ausdrucksformen des Alters -
Katalog zur Ausstellung "Kreativität im Alter"
München, 1980

Mollenhauer, Klaus (1979)
Einführung in die Sozialpädagogik
Göttingen, 1979 (7. Aufl.)

Morgalla-Pfennig, Claudia (1990)
Sozialpädagogische Gruppenarbeit mit verwirrten alten Menschen im Heim
Teil 1: Bedeutung und Konzept
in: Mitteilungen zur Altenhilfe 1/1990

Morgalla-Pfennig, Claudia (1990a)
Sozialpädagogische Gruppenarbeit mit verwirrten alten Menschen im Heim
Teil 2: Methoden und Inhalte
in: Mitteilungen zur Altenhilfe 2/1990

Munnichs, Joep; Janmaat, Han F. J. (1980)
Vom Umgang mit älteren Menschen im Heim
Freiburg im Breisgau, 1980 (3. Aufl.)

Olbrich, E. (1991)
Partnerschaft und Liebe im Erwachsenenalter
in: Karl, F.; Friedrich, I, 1991

Olbrich, Erhard (1990)
Zur Förderung von Kompetenz im höheren Lebensalter
in: Schmitz-Scherzer u. a., 1990

Olbrich, Erhard (1992)
Das Kompetenzmodell des Alterns
in: Dettbarn-Reggentin, 1992

Petzold, Christa (1995)
Hilfe zur Selbsthilfe - Mit Supervision den Überblick gewinnen
in: Altenpflege, Heft 2 / 1995

Petzold, Hilarion (1985)
Mit alten Menschen arbeiten
München, 1985

Petzold, Hilarion; Bubolz, Elisabeth (1976a)
Konzepte einer integrativen Bildungsarbeit mit alten Menschen
in: Petzold, Bubolz, 1976

Petzold, Hilarion; Bubolz, Elisabeth [Hrsg.] (1976)
Bildungsarbeit mit alten Menschen
Stuttgart, 1976

Petzold, Hilarion; Bubolz, Elisabeth [Hrsg.] (1979)
Psychotherapie mit alten Menschen
Paderborn, 1979

Pfaff, Willi; Huber, Angela (1993)
Gruppenarbeit in einem Begegnungszentrum für ältere Menschen
in: Bechtler, 1993

Platt, Dieter (1990)
Sexualität im Alter
in: Deutsches Ärzteblatt, Heft 18; 3. Mai 1990

Potthoff, Willi; Wolf, Antonius (1974)
Einführung in Strukturbegriffe der Erziehungswissenschaft
Freiburg im Breisgau, 1974

Radebold, Hartmut (1979)
Der psychoanalytische Zugang zu dem älteren und alten Menschen
in: Petzold, Bubolz,1979

Radebold, Hartmut (1991)
Partnerschaft und Sexualität aus psychoanalytischer Sicht
in: Karl, F.; Friedrich, I, 1991

Radebold, Hartmut; Bechtler, Hildegard; Pina, Ingeborg (1984)
Therapeutische Arbeit mit älteren Menschen
Freiburg im Breisgau, 1984 (2. Aufl.)

Radebold, Hartmut; Rassek, Michael; Schlesinger-Kipp, Gertraud; Teising, Martin (1987)
Zur psychotherapeutischen Behandlung älterer Menschen
Freiburg im Breisgau, 1987)

Rasehorn, Eckart; Weitzel-Polzer, Esther
(1986)
Neue Wege der Pflege und Betreuung verwirrter alter Menschen im Heim
Frankfurt, 1986

Rasehorn, Helga (1991)
Reise in die Vergangenheit - Anregungen
zur Gestaltung von Gesprächsgruppen mit
alten Menschen
Hannover, 1991

Redlin, Wiltraud (1977)
Verhaltenstherapie - Möglichkeiten und
Grenzen ihrer Anwendung
Bern, Stuttgart, Wien, 1977

Rieder, Johannes (1992)
Biografie-Arbeit n der Ausbildung
in: Altenpflege, Heft 9/1992

Ritter-Vosen, Xenia (1979)
Verhaltenstherapie mit älteren Menschen
in: Petzold, Bubolz, 1979

Röhrl-Sendlmeier, U. M. (1990)
Weiterbildungsverhalten und Lernbereitschaft im höheren Erwachsenenalter
in: Schmitz-Scherzer u. a., 1990

Rosenmayr, Leopold (1976)
Schwerpunkte der Soziologie des Alters
in: König, 1976

Rott, Chr. (1990)
Intelligenzstruktur und Intelligenzverläufe im
höheren Erwachsenenalter
in: Schmitz-Scherzer u. a., 1990

Ruthemann, Ursula (1992)
Einflussmöglichkeiten des Heimbewohners
in: Altenheim, Heft 5/1992

Schäfer, Heinrich (1992)
Der Arzt, der Kranke und das Haustier
in: Gäng, 1992

Schenda, Rudolf (1972)
Das Elend der alten Leute
Düsseldorf, 1972

Schenda, Rudolf (1976)
"Education permanente" für das Alter
in: Petzold, Bubolz, 1976

Schlutz, Erhard; Tews, Hans-Peter u.a. (1992)
Perspektiven zur Bildung Älterer; Frank-
furt/Main, 1992

Schmid-Furstoss, Ulrich (1991)
Wohn- und Lebensformen alter Menschen
in: Howe, 1991

Schmitz-Scherzer, Reinhard; Kruse, Andreas;
Olbrich, Erhard [Hrsg.] (1990)
Altern - ein lebenslanger Prozess der sozia-
len Interaktion
Darmstadt, 1990

Schneider, Hans-Dieter (1975)
Bildung für das dritte Lebensalter
Zürich, Köln, 1975

Schneider, Hans-Dieter (1982)
Sexualität
in: Wolf, D. u.a., 1982

Schrode, Helene; Kurz, Heinz (1986)
Gestaltungstherapie
in: Seifert, Waiblinger, 1986

Schroeter, Klaus R; Prahl, Hans-Werner (1999)
Soziologisches Grundwissen für Altenhilfe-
berufe
Weinheim, Basel, 1999

Schuster-Oeltzschner, Martin (1984)
Lernen und Weiterbildung
in: Oswald, Wolf D.; Herrman, Werner M.;
Kanowski, Siegfried; Lehr, Ursula; Thomae,
Hans [Hrsg.]
Gerontologie
Stuttgart u.a.O., 1984

Schwab, Gustav (o. J.)
Sagen des klassischen Altertums
Wiesbaden, o. J.

Seifert, Theodor; Waiblinger, Angela [Hrsg.]
(1986)
Therapie und Selbsterfahrung
Stuttgart, 1986

Siegrist, Johannes (1975)
Lehrbuch der Medizinischen Soziologie
München, Wien, Baltimore, 1975 (2. Aufl.)

Sieland, Bernhard; Siebert, Madlen [Hrsg.]
(1979)
Klinische Psychologie für Pädagogen
Braunschweig, 1979

Sprinkart, Karl-Peter (1980)
Ansatzpunkte und Möglichkeiten kreativer
Altenarbeit
in: Modelle und Materialien schöpferischer
Ausdrucksformen des Alters, 1980

Sprinkart, Karl-Peter (o. J.)
Kreatives Gestalten in Einrichtungen der offenen Altenhilfe
in: Sprinkart, o.J. a

Sprinkart, Karl-Peter [Hrsg.] (o.J. a)
Kreativität im Alter
Mittenwald, o.J.

Starr, Bernard D.; Weiner, Marcella B. (1982)
Liebe & Sexualität in reiferen Jahren
- der Starr-Weiner-Report -
Bern, München,1992

Stracke-Mertes, Ansgar (1994)
Was der alte Mensch heute ist, ist er geworden
in: Altenpflege, Heft 3/1994

Streibel, Reinhard; Jülich, Anni; Immer, Nikolaus; Winter, Gabriele (1995)
Altwerden in der Fremde - Entwicklung von Konzepten und Handlungsstrategien für die Versorgung älterwerdender und älterer Ausländer (Video)
o.O., 1995

Sydow, Kirsten von (1992)
Die Lust auf Liebe bei älteren Menschen
München, Basel, 1991

Tews, Hans-Peter (1979)
Soziologie des Alterns
Heidelberg, 1979 (3. Aufl.)

Thomae, Hans (1984)
Motivation
in: Wolf, D. u.a., 1984

Tomann, W. (1987)
Fixierung (Stichwort)
in: Arnold; Eysenck; Meili; 1987

Tomann, W. (1987a)
Regression (Stichwort)
in: Arnold; Eysenck; Meili; 1987

Trilling, Angelika (1994)
Ein internationales Fest der Erinnerung
in: Altenpflege, Heft 2 / 1994

Trömer, Klaus (1993)
Liebe und Sexualität im Alter
(Arbeitskreisbericht)
in: Berghaus, Sievert, 1993

Veelken, Ludger (1990)
Neues Lernen im Alter - Bildungs- und Kulturarbeit mit "Jungen Alten"
Heidelberg, 1990

Walbeck, Dietmar (1985)
Theaterspielen in der Sozialen Arbeit mit alten Menschen - ein Projektbericht
Reihe "Vorgestellt"; KDA-Köln
Folge 28; Juli 1985

Wienecke, Uwe K. M. (1997)
Wenn Hunde weinen
Samerberg, 1997 (Selbstverlag)

Wilken, Hedwig (1995)
Die kleinen und die großen Feste des Lebens
in: Altenpflege, Heft 12 / 1995

Willig, Wolfgang u.a. (1996)
Psychologie, Soziologie, Gesprächsführung in der Altenpflege
Balingen, 1996 (4. Aufl.)

Wingchen, Jürgen (1986)
Anmerkungen zur Legitimation therapeutischer Kunstpädagogik mit alten Menschen
in: Kunst & Therapie - Schriftenreihe zu Fragen der Ästhetischen Erziehung
Heft 8, 1986 (Münster)

Wingchen, Jürgen (1999)
Lerntechniken für Pflegeberufe
Hagen, 1999

Wingchen, Jürgen (2000)
Kommunikation und Gesprächsführung für Pflegeberufe
Hagen, 2000

Wirsing, Kurt (1986)
Psychologisches Grundwissen für Altenpflegeberufe
München, Weinheim, 1986 (3. Aufl.)

Witterstätter, Kurt (1992)
Soziologie für die Altenarbeit
Freiburg im Breisgau, 1992 (8. Aufl.)

Wittling, Werner [Hrsg.] (1980)
Handbuch der klinischen Psychologie, Band 3
Ludwigsburg, 1980

Wolf, D. u.a. [Hrsg.] (1984)
Gerontologie
Stuttgart, Berlin, Köln, Mainz, 1984

Wössner, Jakobus (1974)
Soziologie
Wien u.a.O., 1974 (6. Aufl.)

Zimbardo, Philip G. (1983)
Lehrbuch der Psychologie
Berlin u.a.O.; 1983

Stichwortverzeichnis